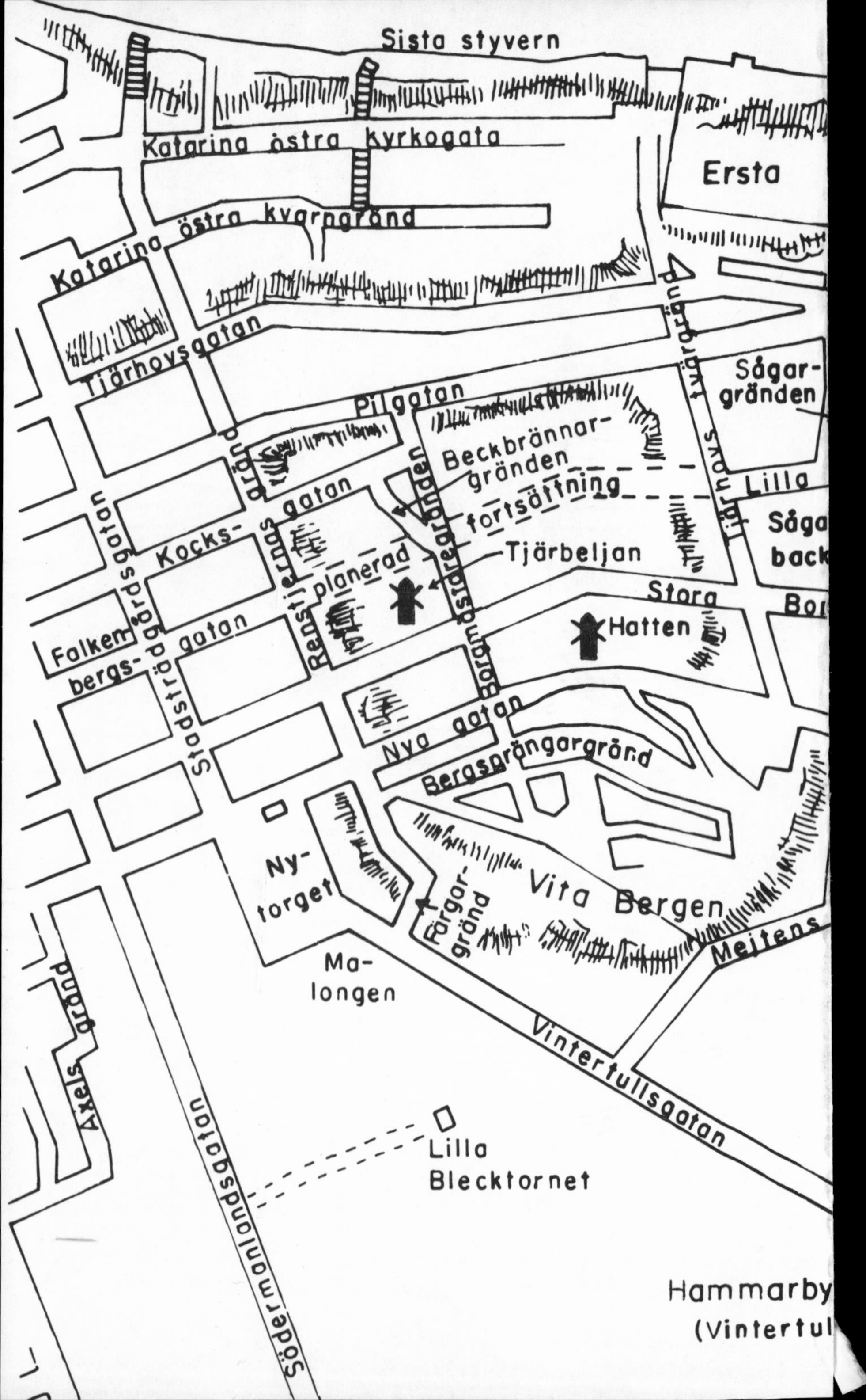

Sista styvern
Katarina östra kyrkogata
Ersta
Katarina östra kvarngränd
Tjärhovsgatan
Tjärhovs tvärgränd
Sågargränden
Pilgatan
Beckbrännargränden
Beckbrännargränden fortsättning
planerad
Tjärbeljan
Lilla
Såga
back
Stora
Hatten
Bo
Kocks-gatan
Renstiernas gränd
Stadsträdgårdsgatan
Falkenbergsgatan
Borgmästaregränden
Nya gatan
Bergsprängargränd
Ny-torget
Färgargränd
Vita Bergen
Meitens
Malongen
Axels gränd
Södermanlandsgatan
Vintertullsgatan
Lilla Blecktornet
Hammarby
(Vintertul

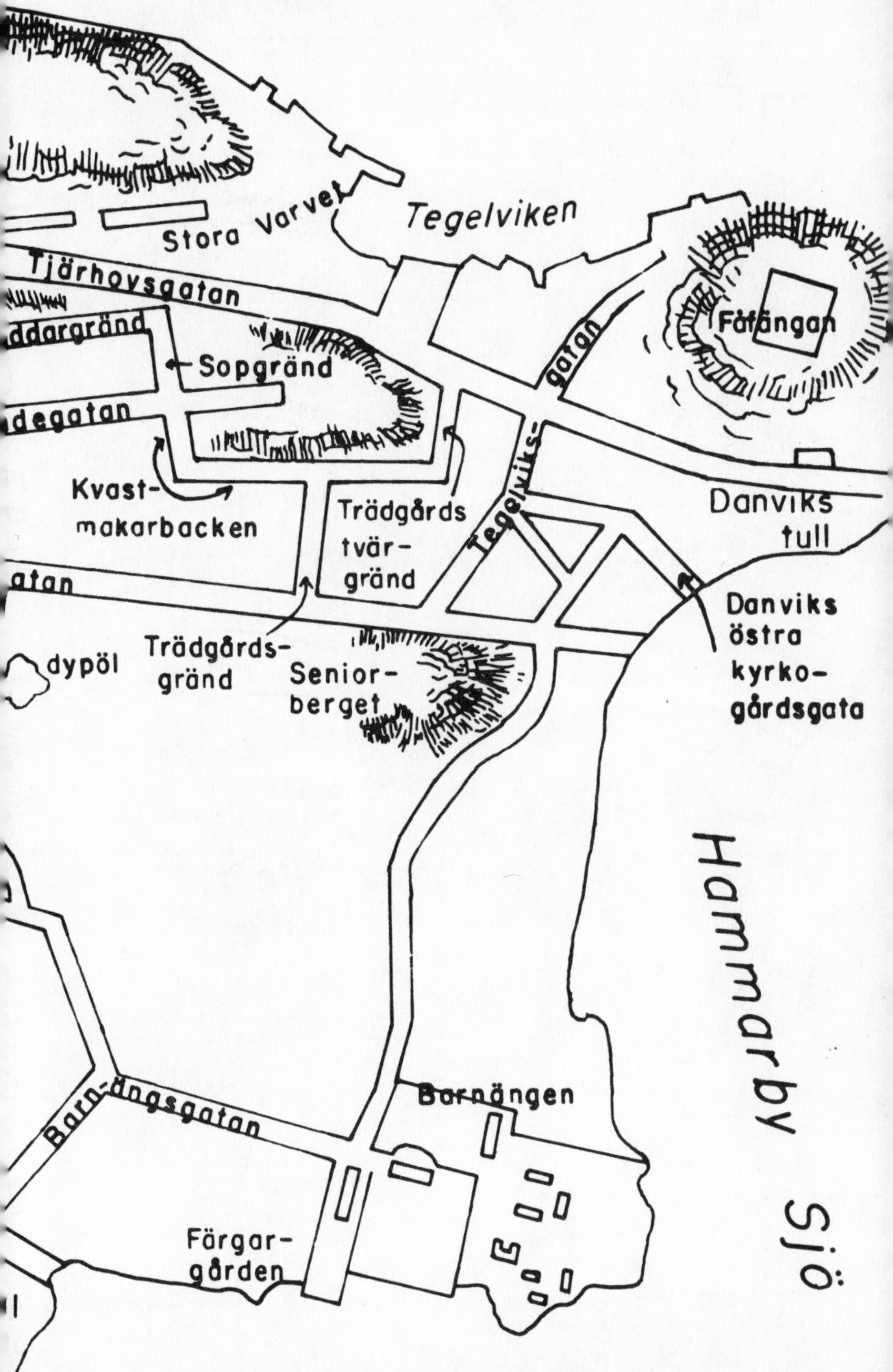

Stora Varvet
Tegelviken
Tjärhovsgatan
ddargränd
Sopgränd
degatan
Kvast-
makarbacken
Trädgårds
tvär-
gränd
Tegelviks-
gatan
Fåfängan
Danviks
tull
atan
Trädgårds-
gränd
Senior-
berget
Danviks
östra
kyrko-
gårdsgata
dypöl
Hammarby Sjö
Barnängen
Barn-ängsgatan
Färgar-
gården

PER ANDERS
FOGELSTRÖM

VITA BERGENS
BARN

PER ANDERS
FOGELSTRÖM

VITA BERGENS BARN

ROMAN

BONNIERS

Romanerna om Stockholm:

Vävarnas barn (1749–1779) 1981
Krigens barn (1788–1814) 1985
Vita bergens barn (1821–1860) 1987

Mina drömmars stad (1860–1880) 1960
Barn av sin stad (1880–1900) 1962
Minns du den stad (1900–1925) 1964
I en förvandlad stad (1925–1945) 1966
Stad i världen (1945–1968) 1968

Till Vävarnas barn, Krigens barn
och Vita bergens barn har
utgivits Kommentarer och noter.
En bildbok, Stad i bild
(1860–1968) utkom 1970.

ISBN 91-0-047315-4

Printed in Finland WSOY 1987

Innehåll

I

II

III

I

”det var en tid”

”Det var en tid, då man ännu icke hos oss hört omtalas ångbåtar, då ingen kolsvart rök ur en seglande järnskorsten speglat sin virvlande massa i våra blåa sjöar, då intet rop av ’främmande från bord! landgång in! maskin i gång!’ blandat sig med de muntra sjömanssångerna vid våra skär. Det är i själva verket endast omkring tjugo år sedan, men förmodligen tycker ni som jag, att det redan är en hel evighet.”

Orvar Odd (1842)

Nedanför den branta backen, vid Riddarholmens västra strand, låg underverket. Uppkallat efter en av sveakonungarnas stamfäder, i motsats till alla andra skutor och båtar kokett vitmålat.

Yngve Frey, en ångare utrustad med skovelhjul och galeassegel, höll på att ”samla ånga”. Lätt försommarbris fläktade segelduken som spänts över fördäck.

Det var pingstdagsmorgon, den tionde juni 1821. Bara någon månad tidigare hade fartyget, försett med Samuel Owens ångmaskineri, levererats från Stora varvet. Så småningom skulle det sättas in på traden till Arboga och därigenom göra resvägen till Göteborg snabbare och bekvämare. Men innan dess skulle man göra några lustturer och sällskapsresor. Intresset för det nya sättet att färdas till sjöss var överväldigande stort, de tvåhundra biljetterna till pingsthelgens utflykt var slutsålda sedan flera veckor tillbaka.

Ännu skulle det dröja någon timme innan det var dags för avgång. Men mycket folk var redan i rörelse, tog sig mödosamt nerför den svårframkomliga Wrangelska backen. Endast en mindre del av de många som kom var passagerare, de flesta var bara ute för att beskåda avfärden.

Några få ångbåtar hade ju tuffat fram på stadens vatten i trefyra år redan, men det var först nu som de på allvar börjat intressera de många och uppfattas som något mer än experiment. De förebådade kanske en ny och bättre tid, var tecken på att livskraft och levnadslust höll på att återvända efter stillastående eller rentav tillbakagång.

Världen gick framåt nu, med ångans hjälp. En häst ägde sex människors kraft, Yngve Freys maskin hade tjugotvå hästkrafter och besatt alltså mer än hundratrettio människors styrka. Både människan och hästen tröttnade och måste vila men ångmaskinen kunde arbeta veckor och månader i sträck utan att förtröttas. Bland de tjänare som människan skaffat sig fanns ingen så betydelsefull och användbar som ångan. Med dess bistånd skulle framtiden erövras.

En man och en kvinna satte ned sin vällastade dragkärra på backkrönet och pustade ut ett ögonblick innan de började den besvärliga nedstigningen mot hamnen.

Mannen var ovanligt stor och kraftig och klädd i uniform och hög kask med liggare och ståndare av tagel. Även kvinnan var storväxt och fyllig, hon bar kofta och förkläde över klänningen och en schalett knuten över det ljusa håret.

På avstånd kunde man ta dem för jämnåriga, ett par i fyrtioårsåldern. Kom man nära kunde man ana att mannen nog var betydligt äldre än så och kvinnan yngre. Fältväbeln Håkan Rapp hade fyllt femtio för ett år sedan och Charlotta Lilja var ännu inte trettio.

De hade mötts flera gånger hos familjen Ekberg i Tvätterskegården vid Bergsprängargränden uppe i Vita bergen på Södermalm. Håkan Rapp var gudfar till den nu tjugotvååriga Lisa Ekberg, Charlotta var brorsdotter till den nyligen avlidne Konrad Lilja, vars familj hyrde ett rum och kök hos Ekbergs.

När de träffats där föregående kväll, på pingstaftonen, hade Håkan fått höra att Charlotta skulle följa med som kokerska under pingstutflykten med Yngve Frey till Mariefred och Gripsholm. Det skulle bli en tvådagarstur med övernattning i Mariefred, rum var tingade överallt i den lilla staden. Pingstdagens kvällsmål skulle ätas i land men det blev ändå en hel del måltider ombord varför Charlotta hade förberett sig genom att i förväg tillaga sylter, geléer, marmelader och andra tillbehör. Hon hade packat hela korgen full med byttor och burkar och de andra hade undrat hur i all världen hon skulle få iväg allt till båten, den tunga korgen och säckarna med nybakat bröd. Visserligen hade hon fått lov att låna Tvätterskegårdens dragkärra men det blev nog svårt ändå. Och inte kunde hon lämna kvar kärran i hamnen heller, då blev den säkert stulen.

Naturligtvis hade Håkan Rapp erbjudit sig att hjälpa till. För en gångs skull var han inte bara tjänstvillig utan litet beräknande också. Här fick han en möjlighet att vara ensam med Charlotta, möta henne utan att Malin och de andra iakttog dem.

Håkan hade fått ligga kvar över natten i Ekbergs kök, de måste ju ge sig iväg redan vid sextiden på morgonen för att komma i tid. Charlotta, som var ensamstående, bodde sedan en tid tillbaka hos Liljas.

Charlotta Lilja hade blivit ensam tidigt. Hennes far hade dött för så länge sedan att hon inte ens hade någon minnesbild av honom, modern när Charlotta var bara tio år. Det var farmodern som tagit hand om flickan tills gumman blivit så gammal att hon flyttat till en av sina döttrar. Då hade Charlotta blivit inneboende hos farbroderns änka, Margareta Lilja.

Charlotta arbetade för två systrar, madammerna Nordblom och Rundström vid Fiskarhuset intill Slussen. Nordblomskan hade stånd i Fiskgången och Lutfiskgången och Rundströmskan i Syltgången. Madam Rundström hade ett stort kök med öppen spis och bakugn, det var där Charlotta arbetade, gjorde inläggningar och färser, syltade och bakade maränger till försäljning i stånden.

Och det var genom madammerna som hon fått uppdraget att följa med och stå för maten ombord under ångbåtsutflykten.

Under vintern och våren som gått hade Håkan och Charlotta träffats i Tvätterskegården, både jul och nyår och påsk. Ibland hade de blivit sittande i ett hörn och pratat med varann.

Charlotta var en mogen kvinna, vuxen och erfaren, tyckte han. Hon var förståndig, talade så klokt. Mer och mer hade hon blivit en god vän.

Men deras vänskap hade uppstått och spirat under vintern och den tidiga kalla våren. Så länge kylan rådde kunde två ensamstående människor sällan eller aldrig mötas annat än i mångas närvaro. Någon gång hade de promenerat tillsammans, mer än så hade det knappast blivit. Ännu så länge hade de inte öppet erkänt sitt intresse för varann, de hade försökt att inte väcka uppmärksamhet. Fast de hade nog inte lyckats så bra, ingen i Tvätterskegården hade väl kunnat undgå att se att de två drogs till varann och alltid hamnade bredvid varandra.

Den här vackra och varma försommarmorgonen var det annorlunda. Nu hade värmen kommit, sommaren öppnat sin famn. Och de var ensamma, kunde prata friare.

Den långa vandringen tycktes bara alltför kort. De var framme, Håkan hjälpte till att bära säckar och korg ombord medan Charlotta genast blev fullt upptagen med att kontrollera att allt som beställts från slaktare och andra leverantörer också anlänt. Det blev ett hastigt avskedstagande, Håkan hann lova att han skulle möta henne när ångaren återkom till Riddarholmshamnen.

Han drog kärran en bit upp i backen och ställde den så att den inte skulle kunna börja rulla om den fick en knuff. Sedan placerade han sig själv på kärran för att invänta fartygets avfärd. Som han satt hade han god utsikt över huvudena på folket som samlats nere vid stranden.

När avgångstiden nalkades var hamnen fylld av avskedstagande och åskådare. De hästförspända vagnar som fört passagerare till båten hade svårt att vända och ta sig därifrån eftersom de statliga kollegiernas vedbod avskärmade en stor del av stranden.

Välklädda herrar och damer tog sig över landgången följda av kuskar, betjänter och pigor som bar deras bagage. Tjänstefolket skulle inte följa med på färden, lustturer var ingenting för vanliga människor och fattigt folk.

En ångbåtstur var en upptäcktsfärd, ett äventyr. Många av resenärerna var också unga män, flera av dem bullrande och uppspelta. De försökte genom kaxigt uppträdande dölja oron för farorna som kunde hota och stärkte modet med fickflaskornas hjälp. Under en del turer hade sådana unga herrar uppträtt störande, ofredat oskyldiga småstadsbor och slagit sönder fönsterrutor vid besöken i land. Men kapten Tharmouth på Yngve Frey var en herre som blev åtlydd och han skulle inte tillåta någon oordning ombord.

Nu avfyrade fartygets salutkanon ett skott som betydde att

tiden var inne. Det följdes omedelbart av ordern: ”Främmande från bord”. De sista avskedstagande skyndade i land och hade knappast hunnit få fast mark under fötterna innan ”Landgång in!” kommenderades. Och så var det dags för ”Maskin i gång!”

Röken bolmade upp, gnistor virvlade genom riggen, de stora skovelhjulen började piska vattnet och Yngve Frey paddlade ut på Riddarfjärden.

Håkan Rapp hade rest sig upp, stod bredvid kärran. Vinkade, som alla andra, men förstod att Charlotta knappast kunde ha tid eller tillfälle att vinka tillbaka.

Det var första gången som han såg en ångbåt i funktion. Och han kunde inte undgå att känna en viss oro för Charlotta. Mitt inne i detta träfartyg fanns ju en stor inmurad spis som under hela färden skulle eldas med kraftiga klabbar av tall och gran. Han hade hunnit se något av anläggningen när han var ombord: pannmuren och den väldiga gjutna ånglådan ovanpå den, ångrören som steg upp ifrån lådan, de klumpiga vevstakarna och hjulaxlarna.

Ture, Margareta Liljas son som arbetade på Owens verkstad, hade sagt att det inte fanns några skickliga gjutare och inte heller några erfarna maskinister i landet. Egentligen var det bara Owen själv som kunde och begrep allt.

Ture hade också berättat att det inte gick att försäkra en båt om det fanns ångmaskineri i den. Så farlig ansåg man tydligen ångkraften vara.

Men andra sa att det var farligare att åka i en vagn som drogs av okända hästar eller kördes av en ovan kusk.

Tanken på den dånande och vedslukande eld- och luft-maskinen mitt inne i träskrovet släppte honom inte. Ändå log han plötsligt – det var när han kom på att denna oro måste betyda att han var mera förtjust i Charlotta än han riktigt förstått själv.

Om hon bara kom tillbaka från detta äventyr, frisk och levande… Då måste han våga tala ut med henne, ta risken att få hennes nej.

Han längtade redan efter morgondagens afton.

Håkan Rapp hade tänkt att han bara skulle ställa in kärran på gården vid Bergsprängargränden och inte störa sina vänner. Men det lyckades naturligtvis inte, redan ute i gränden mötte han gamle Nils Ekberg som varit nere vid Nytorget och hämtat två ämbar dricksvatten från brunnen där.

Ekberg flåsade, det var tungt och besvärligt att bära bördor i de branta och ojämna uppförsbackarna. Och han var gammal nu, några år över sjuttio, pensionerad från sin tjänst som underofficer vid Skärgårdsflottan. Såg trött och litet luggsliten ut men lyste upp när han fick syn på Håkan.

Malin har lovat att koka kaffe när jag kommer med vattnet, sa han. Så stanna en stund och drick en kopp med oss innan du vänder hemåt.

Det var ett gott anbud, eftersom kaffet var dyrt och sedan några år tillbaka inte fick serveras på offentliga ställen.

Håkan förmådde inte tacka nej – och visst var det skönt att få sitta en stund innan han vandrade den långa vägen till sitt rum i Andra gardets förrådshus borta vid Roslagstullen.

Ekberg gick in i köket med ämbaren medan Håkan satte sig på bänken på gården. Solen sken genom fläderbuskarnas ännu vårspäda blad.

Här hade han suttit många gånger under de mer än trettio år som han känt Ekbergs, deras hus hade blivit som ett hem för honom. Men det var inte riktigt som förr sedan Sofia var borta. Hon hade dött för fem år sedan, befriats från den pinande värken i leder och rygg, tvätterskornas yrkesplåga.

Nils Ekberg var ensam nu. Han hade förstås dottern Malin och hennes Lisa och den gifte sonen Johannes. Men Johannes hade sitt hem och sin tobaksbod och kunde inte komma så ofta, Lisa var ung och hade sina vänner. Och Malin hade blivit tyst och bitter, rentav litet konstig ibland.

En gång hade Malin varit så glad och öppen, haft så lätt för att skratta. Så hade pojken, som gjort henne med barn, övergivit henne och hon hade fått stå där med skammen.

Håkan skulle ha varit beredd att ta på sig faderskapet och gifta sig med henne om hon önskat det. Men han hade inte fått veta något förrän det var för sent, inte förrän Sofia hade frågat om han ville bli Lisas gudfar.

Det var mer än tjugo år sedan nu. Under åren som gått hade han väl ibland undrat om inte Malin ändå var litet intresserad av honom, det kunde verka så. Hon brukade sätta sig intill honom vid bordet, lägga sin hand i hans ibland. Hon var hans vän. Men något annat eller mer? Även om han varit beredd att gifta sig med henne då när hon väntade Lisa hade han aldrig riktigt kunnat tänka sig Malin som sin hustru och livsledsagarinna. Kanske därför att han helst mindes henne som den barnunge hon var när han såg henne första gången.

Malin kom ut med kaffet. Hon verkade litet irriterad, som om hon inte tyckte om att Håkan hade hjälpt Charlotta.

Du är alldeles för snäll, sa hon. Inte behöver du hjälpa henne, hon får väl lära sej att klara sej själv, hon som alla andra. Förresten tjänar säkert både hon och gummorna så bra på den där serveringen att de kan kosta på sej att hyra häst och vagn.

Missnöjet förfulade hennes ansikte, fick henne att se äldre ut. Ooh hon var naturligtvis inte längre den unga flicka, som han mindes från förr, nästa år skulle hon bli fyrtiofem.

Han svarade inte på det hon sagt och gick ganska snart, skyllde på den långa vägen. Men under vandringen tänkte han att det här nog var första gången som han undflytt Malins sällskap. Han ville inte höra henne säga något förklenande om Charlotta och det litet gnatiga i Malins ton skrämde honom. Dessutom ville han helst vara ensam nu, för att fundera över ett erbjudande han fått.

Håkan Rapp var över femtio år, hade tjänat den svenska armén i mer än trettio år och deltagit i alla de krig som landet varit inblandat i under hans tid. Nu var han fältväbel och kunde få papper på att han var både skicklig och välfrejdad.

En man med sådana meriter kunde vid avgång ur tjänsten antagas till vaktmästare eller kammardräng vid kollegier och domstolar, han kunde också utses till polisgevaldiger eller länsman.

Men eftersom han var frisk och kry och inte kände sig särskilt gammal hade han inte begärt avsked och ingen hade uppmanat honom att göra det heller. Tvärtom, regementsväbeln hade sagt att han hoppades att Rapp skulle stanna i tjänsten många år till.

För några dagar sedan hade han fått ett anbud som var värt att tänka på. Efter helgen måste han lämna besked.

Gardeskaptenen Molin hade en bror som var kamrer vid Stora

varvet vid Tegelviken. Varvet sökte en skriv- och räknekunnig, hederlig och välfrejdad förrådsförvaltare. Kaptenen hade rekommenderat fältväbeln Rapp.

Först hade Håkan ändå tänkt avstå. Han trivdes bra där han var, inte minst med rummet som han bodde ensam i.

Men om det nu blev så att Charlotta svarade ja om han frågade henne, om de kom överens. Då var nog inte rummet långt ute vid Roslagstullen den bästa bostaden, särskilt inte om hon ville behålla sitt arbete hos gummorna vid Slussen.

Ångaren Yngve Frey var byggd på Stora varvet. Var det bara en tillfällighet – eller en fingervisning?

Yngve Frey låg förtöjd intill bryggan vid Mariefred. Lätt vind lekte över vattnet och små vågor kluckade mot träskrovet, ångmaskinen var släckt och hade svalnat. Himlen var molnfri och kvällen försommarljus men ganska sval.

Det var tyst ombord nu. Rumsuthyrarna, som varskotts av de två salutskotten, hade skyndat ner till hamnen för att hämta sina gäster. Den lilla stadens krogar hade haft bråda timmar och gjort fina affärer. Fortfarande hördes en del skrål kring de få gatorna där de sexhundra stadsborna fått ta emot tvåhundra äventyrslystna resenärer.

Ombord på Yngve Frey hade äntligen besättning och restaurationspersonal fått litet lugn efter en hektisk dag. Fartygschefen och maskinisten hade dragit sig tillbaka medan de tre matroserna och skeppsgossen skurat däck och städat i salongerna. Vedförrådet, som man fyllt på i Södertälje medan passagerarna fått gå i land och promenera och leka i det gröna, staplades om för att bli litet mindre skrymmande.

Serveringsflickorna hade diskat och sedan dukat borden för morgondagen, kokerskan gått igenom sina förråd och förberett annandagens frukost.

Charlotta Lilja kunde vara nöjd med sin första dag till sjöss. Hennes gäster hade låtit sig väl smaka och grosshandlare Broberg-Andersson, verkställande ledamot av direktionen för Transport-Inrättningen på Mälaren med Ångfartyget Yngve Frey, hade uttryckt sin belåtenhet med arrangemangen.

Hon bredde ut sitt stickade täcke över bänken utanför kökskabyssen, på så sätt skulle hon som sin egen vakthund kunna bevaka förrådet av mat och drycker. Det blev inte så många timmar för sömn och hon fick sova med kläderna på.

Vaggades av lätta dyningar, övergav tankarna på bestyren som väntade, glömde oron för att något skulle fela. I stället återkallade hon bilden av Håkans varma leende, ljudet av hans trygga röst. Och somnade lugnt.

Yngve Frey skovlade sig fram mellan Mälarens ljust grönskande stränder, en triumffärd under ständig – och besvarad – salut från bryggor och sommarställen. De två sista skotten från ångarens kanon avfyrades utanför sjötullen på Långholmen för att meddela de väntande på Riddarholmen att ankomsten var nära. Inga misslyckanden hade stört färden. Björkfjärden, detta mycket farliga hav, hade lyckligen överfarits, man skulle komma i beräknad tid.

För säkerhets skull hade Håkan Rapp infunnit sig redan en timme tidigare. Enligt överenskommelse hade han ingen kärra med sig, den tomma korgen kunde de lätt bära mellan sig. Överblivna varor samt ett stort antal tombuteljer skulle hämtas nästa morgon av madam Rundströms dräng.

Folkskarorna tätnade i hamnen. Bland de många nyfikna fanns också gardister som hoppades få tjäna en slant genom att bära resenärernas bagage. Men den här gången fick de nog inte många uppdrag, de fina utflyktspassagerarna möttes av sitt tjänstefolk.

Så där hade Håkan själv stått och väntat på påhugg som nyvärvad gardist. Det hade varit en svår tid, mycket stryk och dåligt med mat. När han tänkte på hur det varit tyckte han att det kunde bli skönt att äntligen lämna det militära livet. Han hade bestämt sig nu, även om han först skulle tala med Charlotta om saken.

Sedan alla passagerare gått i land närmade sig Håkan ångaren. En äldre herre trängde sig förbi honom och gick ombord men Håkan stannade kvar intill landgången, det kunde tänkas att det dröjde innan Charlotta var klar.

Efter en stund kom hon ut på däcket tillsammans med den äldre herrn. Den okände nickade och gick, Charlotta neg. Sedan försvann hon in igen utan att låtsas om att hon sett Håkan. Men kort därefter var hon tillbaka, då hade hon korgen med sig.

Jag såg dej nog, sa hon. Men jag låtsades inte om det, folk pratar alltid så mycket. Det var madam Rundströms man, han kom för att hämta pengarna.

Kvällssolen glänste över vattnen medan de gick längs Munkbron och Kornhamn och mellan de fyra små tegeltornen som bar upp den västra slussbrons brohalvor. Korgen som de bar mellan sig var lätt även om den inte var helt tom.

Charlotta berättade om resan. Hon hade inte sett mycket av landskap och vatten och knappast passagerarna heller eftersom hon haft så mycket att göra hela tiden och mest fått hålla till i den trånga kökskabyssen. Men resultatet hade varit gott så gummorna blev säkert nöjda och det var huvudsaken. Själv skulle hon få en extra slant om det gick bra, hade de sagt.

I korgen fanns litet av den goda maten, berättade hon. Det var sådant som hon skurit bort av kött och fisk, av puddingar och pastejer för att göra fatuppläggningarna vackrare. Och litet sylt och geléer, och maränger som gått sönder men naturligtvis smakade lika bra ändå.

En del fint folk lämnade kvar vin i buteljer och karaffer. Hon hade slagit ihop de överblivna skvättarna i en butelj. Så nu skulle hon bjuda honom på ett riktigt kalas om de bara hittade en vrå nånstans där de kunde äta utan att väcka alltför stor uppmärksamhet.

Håkan hade funderat på hur han bäst skulle få möjlighet att tala med Charlotta om sina framtidsplaner och hennes del i dem. Det gick inte så bra bland folket på gatorna och inte i närheten av Tvätterskegården heller, tyckte han. Hennes förslag gav det bästa möjliga svaret på frågan, lyckades han inte klämma fram vad han ville ha sagt då så skulle han väl aldrig göra det.

Han kände till en bra plats, på sluttningen intill trappan som gick från Ballastplatsen i Stadsgården upp mot Renstiernasgränden på berget ovanför. De lyckades till och med hitta en flat häll där de kunde duka upp godbitarna.

Det blev en riktig festmåltid, sådana läckerheter hade Håkan inte ätit sedan han som ung fähusdräng på Barnängen snattat av resterna av herrskapsmaten, det som var avsett för svinen.

Det hade gått illa för honom, den gången. Fabrikör Apiarie

hade upptäckt honom och piskat ut honom ur tjänsten. Det var då Håkan låtit värva sig, som en sista förtvivlad möjlighet att överleva.

Den här gången riskerade han ingenting, men fick fullgoda prov på Charlottas kokkonst. Men han undrade förstås om den som ägde sådana färdigheter verkligen skulle kunna tänka sig att leva ihop med en enkel underofficer.

Vid efterrätten berättade han om anbudet han fått.

Då kommer du ju mycket närmare, då kan vi träffas oftare, sa Charlotta.

Om du nu verkligen vill träffa mej, lade hon till.

Hon var inte så van vid att bli uppvaktad. De flesta tyckte nog att hon var för stor och rund, många pojkar blev små vid hennes sida. Men bredvid Håkan kunde hon ändå känna sig liten.

Nu bekände han, berättade att han tänkt tacka nej till varvet men ändrat sig. Han frågade om hon kunde tänka sig att gifta sig med honom. Han förstod om hon inte ville, han började bli gammal, var ju mer än tjugo år äldre än Charlotta.

Det var inte något ovanligt att en man var betydligt äldre än sin hustru, många gamla änklingar gifte sig med unga flickor. Och så ung var väl inte Charlotta heller, bara några år till trettio. Men änklingarna som valde unga flickor var oftast förmögna herrar som hade något att bjuda – trygghet och välstånd, som Håkan inte kunde ge.

Jo, Håkan, sa hon. Det vill jag – fast jag inte riktigt har hunnit tänka så långt ännu.

Jag hade nog väntat litet med frågan om det inte var så att jag måste ge varvet besked i morgon, sa han. Och om du verkligen vill ha mej så tänker jag begära en ordentlig bostad, inte bara för en ensam karl utan för en familj.

Nu skrattade hon.

Du är svår, sa hon. Jasså, du har redan börjat tänka på barn, en hel familj.

Hon flyttade sig närmare honom, lade sina kraftiga, runda armar kring hans skuldror och hals, vände sitt ansikte mot hans och såg in i hans ögon. Då kysste han henne, försiktigt och litet prövande och fumligt först, sedan intensivt och länge tills hon måste dra sig undan för att andas.

Det är lika bra att vi gör det hela ordentligt, sa han och flåsade litet. Om allt går bra i morron på varvet så går vi till prästen så snart vi kan och tar ut lysning.

Charlotta nickade bifall, drog upp det stickade täcket ur korgen och lade det över deras axlar. Det hade börjat skymma, skutorna på det ljusblå vattnet avtecknade sig som mörka skuggor långt nedanför dem. Hennes kropp var stor och mjuk och varm. Och han kände en stark glädje, en lugn trygghet. Äntligen var den långa vandringen genom ensamheten slut.

Malin stod vid vindsrummets fönster. När hon såg dem komma med korgen emellan sig drog hon sig försiktigt tillbaka in i mörkret så att de inte skulle se henne.

Håkan hjälpte Charlotta in med korgen. Avskedet var avklarat, de hade bestämt att de skulle träffas redan nästa dag sedan Håkan varit på varvet. Charlotta skulle göra upp sina affärer med madam Rundström på morgonen och sedan vara ledig, som en ersättning för de två helgdagarnas arbete.

De skildes hastigt. Malin, som stod kvar vid fönstret, såg Håkan gå.

Båten hade kanske kommit senare än man räknat med, de där nya ångarna var förmodligen inte så pålitliga som folk trodde. Det var nog ingenting allvarligt mellan Håkan och Charlotta, den där stora, tjocka flickan kunde knappast vara något för honom. Förresten var han säkert inte intresserad av kvinnor överhuvudtaget.

Ändå kände hon sig litet bitter, övergiven av alla människor.

Modern hade dött och lämnat henne ensam med ansvaret för tvätten och hushållet. Dottern Lisa hade sina vänner och försvann hemifrån så snart hon hade en ledig stund. Fadern hörde dåligt och satt mest tyst i sina egna funderingar.

Tidigare, under många år, hade Malin främst hållit ihop med Amalia Lilja. Amalia hade varit förlovad med Malins bror Per som dött i lantvärnssjukan.

Malin och Amalia hade odlat ensamheten, beklagat sig inför varandra. Malin hade talat om Axel som så hänsynslöst hade övergivit henne, Amalia om den glade och starke Per vars liv offrats så meningslöst och brutalt.

Men nu hade Amalia svikit både Per och Malin, hon hade

träffat en annan man och skulle väl gifta sig så småningom.

Skulle också Håkan överge och svika henne?

Egentligen var hon inte intresserad av honom, ville inte gifta sig med honom. Men han hade varit mycket snäll emot henne, alltid redo att hjälpa. Han hade blivit gudfar för Lisa och skämt bort flickan med presenter och vänlighet.

Hon ville inte ha honom. Men hon ville att han skulle finnas i hennes närhet, beundrande, alltid beredd att ge henne hjälp och ett vänligt ord.

En gång hade Malin haft så lätt för att skratta, varit så orädd, så öppen och glad. Men hennes oräddhet och öppenhet hade vänts mot henne, blivit hennes olycka. Hon hade fått stå där ensam med skammen och horungen. Det hade gett henne ett skal att krypa in i, skiljt henne från omvärlden.

Ibland kände hon en stor oro för morgondagen. Det blev allt svårare för henne att klara upp tillvaron. Hon försökte men kunde inte hushålla. Det räckte inte att de hade hyrt ut en del av huset till Liljas och att hon avskedat den anställda tvätterskan. Hon hade förlorat flera av de gamla fasta kunderna, de äldsta dog, andra hade inte råd att skicka bort tvätt längre, några nya kom inte till.

Efter moderns död fanns ingen riktig hjälp att få, ingen som kunde ge henne kloka råd heller. Hennes smått förmögne morbror, Per Krohn, hade dött i vintras och hans barn hade hon aldrig haft någon kontakt med. Brodern Johannes tjänade inte mer på sin lilla tobaksbod än vad han och hans Kerstin själva behövde.

Oron gjorde henne lättretlig och besvärlig. Hon grälade på Lisa utan att flickan gett någon anledning till det, hon retade sig på faderns dövhet och slutade nästan att tala med honom, hon undvek Amalia, som ”svikit” Per.

Nu kände hon lust att snäsa av Håkan samtidigt som hon funderade på om hon ändå inte skulle lägga beslag på honom, om inte annat så för att reta den där dumma, tjocka flickan.

”på vingarna av dessa mefistiska dunster”

”Dag från dag, år från år, växa de massor, vilka, sammanfösta av gatsmuts, sopor, avskräden, döda djurs kroppar och all slags orenlighet -- skola snart göra dessa sjöar till avskyvärda ohjälpbara träsk -- Bör man ej häruti söka en av orsakerna till huvudstadens mortalitet, och skall ej denna orena mörja -- bliva en aldrig förtorkande källa till sjukdomar, farsoter, pestartade febrar, vilka ännu en gång skola, på vingarna av dessa mefistiska dunster, utbreda en digerdöd över Norden?”

Johan Olof Wallin, kyrkoherde i Adolf Fredrik, vid riksdagen 1815.

”Och näppeligen lär något ställe finnas, varest fullkomligt rent sjövatten till matlagning nu skall kunna erhållas: ty nästan allestädes äro stränderna fulla av samlad orenlighet, och vattenhämtningen dessutom anvist tätt inpå dem --”

Professor P.G. Cederschjöld i Svenska Läkare-Sällskapet, 1827.

Åtminstone en gång om året brukade läkaren David Drake besöka sin barndoms trakt, utkanten längst borta vid Danviks tull och Hammarby sjö på Söder. Även om föräldrarna inte längre fanns så hade han sina fostersyskon där. Och också en ekonomisk anledning till färden, han var fortfarande delägare i familjens trädgårdsmästeri med tobaksodlingar och tobaksfabrik. Den verksamheten drevs nu av fosterbrodern, Henrik Broberg.

Annars hade Drake inte så livliga förbindelser med fostersyskonen, Henrik och hans två systrar hade kommit till familjen först sedan han själv flugit ur boet och blivit sin egen. Hans mor och adoptivfadern Karl Broberg hade tagit hand om de tre syskonen sedan barnens mor, en säsonganställd plantagearbeterska, hastigt avlidit. De hade fått glädje av barnen, nu skötte Henrik odlingar och fabrik medan systern Lina hade hand om försäljningen. Man sålde såväl blommor och grönsaker som tobak.

Och varje år kunde Drake inkassera sin del av vinsten, det var följden av att han låtit sitt arv stå kvar i företaget.

David Drake hade alltid tyckt om att köra själv och kanske också helst ensam. Nu hade han begärt att hästen skulle spännas för den lilla tvåhjuliga schäsen. Så här en vacker sommardag var det skönt att åka ”öppet” – även om stanken från rännstenar och strändernas ”flugmöten” ibland kunde bli störande stark.

Han lämnade sitt hem vid Trädgårdsgatan på Kungsholmen, for Hantverkargatan ner mot Klara sjö. Den fräna lukten från garverierna vid mälarstranden stack i näsborrarna, men det var ändå bara en upptakt till kaskaden av dofter som väntade.

Intill den långa och ranka Nya Kungsholmsbron låg några ruttna, sjunkande latrinpråmar ute i det mönjebruna vattnet, vågorna skvalpade in över pråmlasten och drog med sig en del av den. I den jäsande sörjan längs stränderna stack skräp och djurkadaver upp och några roddarmadammer försökte baxa fram sin båt med passagerare genom modden intill bryggan. Luftblåsor steg upp ur dyn. Om man förde en låga mot dem skulle de genast antändas och explodera, hade en kollega sagt.

Som läkare måste Drake oroas över de där jäsande högarna och träsken. Läkarsällskapet hade i årtionden diskuterat tänkbara anledningar till den höga dödligheten i huvudstaden och funnit att den bristande hygienen måste ha stor del i skulden. Frågan hade aktualiserats för sex år sedan när kyrkoherde Wallin och flera andra riksdagsmän tagit upp saken och särskilt hårt kritiserat att Klara sjö, Träsket på Norrmalm och Fatburssjön på Söder höll på att förvandlas till pestsmittade träsk. Den vältalige Wallin hade till och med varnat för att pest och digerdöd kunde spridas över hela Norden på de hemska dunsternas vingar.

Man hade lyssnat, beklagat och beskärmat sig – men som vanligt hade ingenting hänt, träsken växte ostört vidare. Och Flugmötet vid Munkbron bredde ut sig alltmer, bakom de långa planken steg sop- och latrinhögarna i höjden.

När Drake passerade förmörkades luften av blågröna och gulskiftande flugor som lyfte från planken där de suttit i solgasset. Här låg också ett av de många allmänna avträdena. Då varm hästspillning vräktes ut intill avträdet vintertid hände det att uteliggare kröp ner i spillningen för att skydda sig mot nattkylan.

Sedan Slussen och avträdena där passerats lättade stanken något. Och uppe på Söders berg, högt över Stadsgårdens renhållningskaserner och latrinpråmar, var det som om vindarna blåst rent.

Wallin hade kanske använt överord. Men man kunde inte komma ifrån att dödligheten i huvudstaden var dubbelt så hög som ute i landet, ja att den var högre i Stockholm än i någon av de tätast bebyggda storstäderna i Europa. Och det hade medfört att invånarantalet i Stockholm praktiskt taget stått stilla i nu mer än sextio år – medan folkmängden i riket växte.

Dagen var solig och vacker, den besvärande stanken inte längre lika påtaglig. Drake hade tagit sig ledigt, önskade njuta, återvända till barndomens marker och minnen. Han var beredd att försköna, romantisera, tyda allt till det bästa och bara se det han ville se.

Ändå kunde han inte undgå att konstatera att stadsutkanten blev allt fattigare och mer förfallen ju närmare målet han kom. Det verkade som om ingenting gjorts under alla år, de eländiga kojorna och kåkarna hade bara fått stå där och förfalla, några hade rasat ihop helt. Även litet bättre folks hus verkade ovårdade, några föreföll stängda och övergivna.

De många långa och svåra krigen hade utarmat staden. Människor som försökt att stå emot och hålla sig uppe hade till sist gett upp. Även om man haft fred i sju år så hade krigets sviter ännu inte övervunnits.

Just här på östra Södermalm hade kriserna drabbat befolkningen särskilt hårt. I denna trakt hade många människor varit anställda inom manufakturerna, främst då på Barnängens klädesfabrik. När hans far varit korsmakare där hade man haft uppemot tusen anställda. Häromåret hade det inte varit mer än trettio. Överhuvudtaget hade mer än hälften av manufakturarbetarna i staden försvunnit under de senaste femtio åren.

Medan stadens förmögnare invånare skaffade sig allt större och bättre bostäder pressades de fattigare allt tätare samman i små, kalla och fuktiga kyffen där de smittade ner varann med alla tänkbara sjukdomar. Nästan tio av tusen stockholmare dog nu i lungsot varje år. Hungern knäckte motståndskraften, efter missväxten för två år sedan hade mjölet blivit så dyrt att de fattiga fick försöka överleva på salt sill och potatis. När folk fick gå arbetslösa och oavlönade i fyra-fem månader varje vinter orkade de knappast någonting när våren äntligen kom.

Han såg dem, trasiga och glåmiga figurer som hukade utanför sina kojor, deras tiggande barnungar.

Men det gamla hemmet, intill Danviks kyrkogård och nära vägen ut mot Värmdön, var nyreparerat och ommålat. Tobaksboden hade fått ny skylt och större lokal. På fälten som sträckte sig bort mot Hammarby sjö stod tobaken grön och grann, mellan raderna av plantor gick säsongarbeterskorna i öppna blusar och uppskörtade kjolar.

David var väntad, trädgårdsdrängen tog hand om hästen. Lina kom ut på trappan, hon hade låtit huspigan överta arbetet i boden medan besöket varade. Kaffet var dukat i bersån mellan bostadshuset och växthusen. Och nu kom Henrik, han hade också dukat: räkenskaper och andra behövliga papper låg framme på bordet inne i det lilla kontorsrummet.

Lina hade några år kvar till trettio, Henrik var trettiotvå. Båda var fortfarande ogifta medan den äldre systern, Brita, var gift med en hökare med bod vid Nytorget.

Medan de satt i bersån berättade David om sina intryck under åkturen. Syskonen bekräftade, traktens folk hade det svårt, arbetstillfällena var otillräckliga.

Fabrikör Gladberg hade ju ropat in Barnängen på auktionen efter Apiaries. Efter hans död försökte hans änka och fosterbarn driva fabriken. I fjol hade de lyckats ganska bra, de hade delat upp verksamheten på tre mindre företag och haft uppemot åttio anställda tillsammans. Men nu hade ett av företagen, lett av en svärson, gått i konkurs och man väntade att änkans firma snart skulle följa efter. Malongen, huset nere vid Nytorget som de också övertagit efter Apiarie, hade de tvingats hyra ut redan för många år sedan, där drev fattiggården nu en försörjningsinrättning för husvilla.

Närmaste grannen, Hovings färgeri vid tullen, hade bytt ägare några gånger. Också Färgargården intill Barnängen hade sålts, en färgare Wanselin drev den nu. Båda företagen var ganska små, liksom de brädgårdar som grosshandlarna Fris och brukspatron Öströms arvingar ägde nere vid Tegelviken. Det enda större företaget i trakten var numer Stora varvet.

Det betydde att de flesta som kunde arbeta fick nöja sig med mera säsongbetonade påhugg i hamnen och litet var som helst. Många av dessa tillfällighetsarbetare var dessutom alltför nerslitna och undernärda för att kunna utföra ett bra arbete.

Brobergs företag hade några män och ett tiotal pojkar anställda året runt, främst på tobaksfabriken. En del av traktens kvinnor hade nog velat arbeta på tobaksfälten under sommaren – men man hade sina trogna och kunniga arbeterskor som kom vandrande med barnen varje vår och räknade med förtjänsten.

Davids fostersyskon hade själva en gång hört till dem, kommit med sin mor. Även om de numer levde under andra villkor kunde de känna en viss solidaritet, igenkänna tidigare upplevelser och öden.

Det var mest Lina som berättade, hon var livligast och också den som David tyckte att han kände bäst och stod närmast bland fostersyskonen. Henrik satt oftast tyst, tycktes upptagen av sina tankar, ville nog helst få affärerna avklarade fortast möjligt för att sedan återvända till arbetet.

Så David tackade för förtäringen och steg in på kontoret tillsammans med Henrik. Eftersom allt som vanligt var i bästa ordning och överskådligt uppställt var genomgången närmast en formalitet.

Häst och schäs fick stå kvar medan han tog en promenad för att se litet närmare på omgivningen.

David passerade fattigkyrkogården och kom in på den av tobaksfält inhägnade Stora Bondegatan, här ute bara en ojämn och ganska eländig landsväg. Tyckte att det kunde vara intressant om än besvärligt att gå genom Vita bergen varför han svängde in i Mejtens gränd. Där slutade Nya gatan österut och just i hörnet låg ett hus som han ibland besökt.

Det var där tröjfabrikanten Per Krohn och hans hustru Greta bott under alla år som gifta. Nu var de borta båda två, Greta sedan mer än tio år tillbaka och Per sedan i mars. David hade varit med på begravningarna, hans föräldrar hade ju varit gamla vänner till Krohns.

Huset var inte så stort men såg ganska snyggt och välbevarat ut – i motsats till grannkåkarna. Vad skulle hända med det nu? Krohns barn och deras familjer bodde nere på stan och skulle väl knappast flytta hit. Antagligen ville de sälja, men man fick nog inte mycket för ett trähus långt borta i fattigutkanten.

Porten i planket mot Nya gatan stod inbjudande öppen. David tittade in. På gården satt fabrikören Per Gustaf Krohn, sin fars efterträdare som ägare av tröjväveriet på Katarinaberget och försäljningsboden nere i stan. Han samtalade med en mäklare som skulle försöka hjälpa honom med den svåra uppgiften att sälja tomt och hus till ett någorlunda förmånligt pris.

David Drake steg in och hälsade och de två herrarna konstaterade att de möttes ganska sällan numer. Egentligen bara på begravningar – bröllop och dop var inte längre anledning nog.

Och de hade egentligen aldrig umgåtts, bara varit sina föräldrars söner och följt med dem. Krohn var tre år äldre, femtiosex nu. Han kom främst ihåg Drake som en ung och kanske något besvärlig rabulist.

Just nu kändes det som om en orädd och stridbar rabulist skulle vara den rätte mannen att tala med. Krohn var upprörd över omgivningens förfall, det tycktes krypa allt närmare. Och det var inte bara husets sjunkande värde som irriterade honom utan också tankarna på hur hans fars ålderdom fördystrats av tiggande och stjälande grannar och stinkande gölar.

Han skyndade sig att avfärda mäklaren, dröjde tills mannen försvunnit. Sedan sa han: Jag ska visa något som kan vara av intresse för en läkare att se.

Gick före ner till gathörnet, sneddade över Mejtens gränd, kom in på en stig som ledde ner mot en sänka mellan bergknallarna.

Se! sa han. Håll för näsan och titta!

Synen var ingalunda ovanlig, man såg den på många håll i staden. Gropen hade naturligtvis använts för latrin och sopor som folk burit bort från de egna gårdarna och lagt här. Den stank, som sådana gropar brukade göra, vid ostlig vind spred sig stanken förstås till Krohns gård.

Under säkert tio av sina sista år förde min far en ständig kamp, berättade Krohn. Mot den här gropen och mot förhållandena runt omkring honom. Han lät tömma gropen och föra bort all smörjan på egen bekostnad, flera gånger. Han talade med folk, förbjöd och hotade med polis och åtal. Det hjälpte inte att han ägde marken. Han kom till och med på renhållningshjonen med att de släpade dit hans egna tunnor.

Till sist orkade han inte längre, han förlorade och dog. Dygropen vann, nu kommer den att växa sej allt större, flöda ut över gränden och in mellan planken till gårdar och hus här omkring. Och jag kan ingenting göra, bara sälja hela dyngan.

Varför lever mänskor sämre och smutsigare än svin? sa han uppgivet. Varför kan dom inte försöka hålla litet rent omkring sej?

De återvände till gården där en väggfast bänk och ett gammalt träbord stod kvar. Krohn tog fram en korg som innehöll en flaska och två glas och frågade om han fick bjuda på punsch. Egentligen hade han tänkt smörja mäklaren men när han sett Drake hade han funnit ett lämpligt tillfälle att tala med en läkare om sina bekymmer.

Han fyllde glasen, de skålade och drack.

Är det spriten? frågade Krohn.

Drake såg något frågande på sin värd, smuttade på glaset men kunde inte finna någon bismak.

Som gör folk till svin, menar jag, sa Krohn. Som förslöar, förråar och förnedrar.

Nog kunde man undra. Så mycket sprit som det dracks i Sverige nu hade det väl aldrig druckits tidigare. Den stora ökningen hade uppstått genom tillkomsten av kronobrännerierna som grundats på Gustav III:s tid. Kungen hade i början av sin regeringstid återinfört det tidigare gällande brännvinsförbudet. Men 1775 hade han upprättat kronobrännerier för att öka sina egna och rikets inkomster på ett mindre stötande sätt än genom stegrad direkt beskattning. Eftersom folk ändå ville supa var det bättre att det skedde i laga ordning och till rikets fromma än genom lönnbränning.

Så småningom hade kronobrännandet ändå avvecklats och husbehovsbränningen återinförts. Då hade det sagts att om bonden hemma kunde tillreda den sprit han behövde skulle han inte förnöta sin tid på krogarna. Den omfattande tillverkningen höll priserna låga, brännvinet hade blivit var mans dagliga dryck.

Vid riksdagen 1818 hade prosten Rabe i prästståndet under ämbetsbrödernas bifall deklarerat att brännvinet var nyttigt för den arbetsamme mannen vars lemmar var duvna av trötthet, nödvändigt för den som med dålig föda måste anstränga sig för att skaffa hustru och barn deras magra spis. Om svenska folket förvandlades till gräsätare och vattendrickare fruktade prosten att rikets fiender skulle begagna sig av denna svaghet.

Eftersom det var mycket billigare att supa sej full än att äta sej mätt var det inte underligt om fattiga, frysande och misshandlade människor gjorde så, sa Drake. Brännvinet hjälpte dem att fly från en outhärdlig verklighet.

Som läkare hade han funnit det oroande att man gav sprit även till spädbarn. När barn blivit avvänjda från bröstmjölken fick de en brödbit doppad i brännvin för att dövas och tystna då de skrek av hunger. Det hände också att man av samma anledning gav dem vallmosirap, som innehöll opium. Sådant måste fördärva barnen, göra dem slöa och mindre motståndskraftiga. Det kunde också vara en anledning till den stora spädbarnsdödligheten.

Och smutsen...

Ja, vad kunde man begära av fattigt folk när förhållandena var sådana som de var, när så gott som varje vattendroppe måste släpas långa vägar. Bättre ställda, som hade hus med stora tak, kunde tillvarata en hel del regnvatten – men de fattiga i sina kyffen fick inte mycket att dela på.

Läkare hade talat om bristen på renlighet som ett nationalfel hos svenskarna i allmänhet och hos den fattigare och arbetande klassen i Stockholm i synnerhet. De flesta svenskar, sades det, fick sina kroppar rengjorda endast två gånger – då de fötts och då de dött. Barnen tvättades sällan eller aldrig efter den första rengöringen. Hos de mera upplysta och bildade klasserna tvättades barnen kanske en gång i veckan under det första levnadsåret men sedan upphörde man med den goda vanan eller skedde det åtminstone alltmer sällan.

Myndigheterna gjorde inte heller något för att förbättra situationen. I stället förbjöd de bad vid stränderna och fridlyste alla för allmänheten mera lättillgängliga badställen. På så sätt hade de fattigare stadsborna ingen möjlighet att hålla sig rena ens sommartid.

I någon mån hade deras gemensamma gamla hemtrakt utgjort ett undantag, Drake visste inte om det hade varit tillåtet eller om folk brutit mot lagar och förordningar – men nog hade man badat i Hammarby sjö under hans barn- och ungdom.

Drakes mor hade berättat att Per Gustaf Krohns faster, Sofia Ekberg, varit den som kanske mer än alla andra tyckt om att bada, hon hade till och med kunnat simma.

Kanske det berodde på att hon var tvätterska – men hur som helst var hon nog den renligaste människa jag mött, sa Drake. Åtminstone en gång i månaden såg hon till att hela familjen badade. Det hade naturligtvis varit omöjligt om de inte haft den stora bykgrytan, som hon använde i sitt arbete.

Hon var en märkvärdig människa, sa David Drake. Hon gav aldrig upp, förlorade aldrig modet trots allt som drabbade henne.

Per Gustaf Krohn hade aldrig sett fattiga faster Sofia i det ljuset. För honom hade hon varit en misslyckad släkting som man kanske hade anledning att skämmas för.

Minnet av Sofia väckte hos Drake en önskan att besöka Tvätterskegården – det passade bra nu när han ändå var så nära. Sedan han skiljts från Krohn klättrade han den branta stigen upp till Bergsprängargränden.

Här ovanför Tjärhovs tvärgränd upplöstes Bergsprängargränden i något som kunde likna ett torg – om inte området bestått av hindrande klippor och stenig mark med dypölar i svackorna. Husen tycktes ha växt upp litet var och hur som helst, några stod tätt och stöttade varann, andra hade byggts där det råkat finnas plats. De flesta var vinda och skeva, fönsterluckorna hängde snett från enstaka bevarade gångjärn, sönderslagna rutor hade stoppats igen med trasor eller papper. Förfallet hade gått långt. Men samtidigt tyckte han att det alltid sett ut ungefär likadant. Det var här den värsta skjulslummen låg och de allra fattigaste och eländigaste bodde.

Tvätterskegården låg vid grändens motsatta sida, ovanför Borgmästargränden och närmare Nytorget. Det var den bättre biten, den mera välordnade. Eller hade åtminstone varit det när han senast var här.

Förr hade han ganska ofta besökt Ekbergs. Som pojke och ung hade han kommit flera gånger i veckan. Sedan hade han varit ute i de finska krigen och under mellankrigsåren vidareutbildats som läkare, då blev det mera sällan. Men när han återvänt till föräldrahemmet våren 1809, sjuk och trött efter strapatserna under det olyckliga andra finska kriget, hade umgänget blomstrat upp på nytt en tid. Sedan hade han fått sin fasta tjänst, gift sig och flyttat till Kungsholmen och fått så mycket annat att tänka på. Det var tio år sedan och under de åren hade han inte varit här. Hans mor hade berättat om Sofias död men var själv alltför gammal och sjuk för att orka gå på begravningen. Och då hade det inte blivit av för honom heller.

Nu stod David framför porten i planket vid Tvätterskegården och tyckte att allt var sig ganska likt. De yviga fläderbuskarna stack upp därinnanför och bären var ännu så lätta och ljusgröna att klasarna sträckte sig mot ljus och sol. Och David kom ihåg hur han tillsammans med Ekbergs en gång hade spritt massor av fläderblommor över de döda lantvärnsmännens gravar för att hedra minnet av deras son Per. Sonen hade dött i fältsjukan och jordats inte så långt ifrån Galgbacken.

Kunde någon annan än Sofia fått en sådan tanke – och förverkligat den?

David öppnade porten, tittade in. Nils Ekberg satt vid bordet på gräsplanen och svavlade torrvedsstickor. Han hade tillverkat en hög långa, smala trästickor som han nu doppade i burken med svavel och sedan lade på bordskanten att torka. Kanske han inte hörde så bra längre, hade tydligen inte märkt att någon kom.

Men nu vände han sig om, såg först bara förvånad ut. Så kände han igen, plirade och log.

Är det inte David som kommer? sa han. Eller om man nu ska säja doktor Drake?

Det är David, sa Drake, ingen annan än David.

Ekberg undrade om han skulle tända i spisen och sätta på kaffepannan. Men David tackade nej, förklarade att han vandrat mellan stugorna och redan fått mer än nog. Han kunde inte stanna så länge heller, ville bara titta in och hälsa.

Nils Ekberg försökte inte övertala, det fanns inte mycket av det dyrbara kaffet i burken och Malin blev kanske misslynt om den var tom när hon kom hem. Dessutom hade hans händer blivit fumliga med åren, det var inte så lätt för honom att göra eld längre. Han hade svårt för att få stålet och flintan att fungera som de skulle så att sköret i sköräsken började glöda. Först när skrapet i asken, små halvbrända linnetrasor och pappersbitar, osade, kunde svavelstickan antändas och flamma upp så att elden kunde vidarebefordras till de torra vedpinnarna i spisen.

Malin och hennes dotter Lisa var nere vid Hammarby sjö och klappade tvätt, berättade Ekberg. De fick fortfarande hålla till på Brobergs brygga vilket de var tacksamma för eftersom det alltid var trångt och bråk om platserna på den allmänna klappbryggan.

En stor nyhet kunde Ekberg berätta: Håkan Rapp skulle gifta sig. Det hade väl knappast någon räknat med, Håkan som varit ungkarl så länge. Nu hade han lämnat sin militära tjänst och blivit förvaltare och föreståndare för Stora varvets materialbodar. Genom varvets försorg hade han fått löfte om en riktigt bra bostad intill Sågargränden, helt nära varvet vid Tegelviken. Det var ett litet bra hus med kök och en kammare.

Men inte ens Tvätterskegården motsvarade riktigt den minnesbild som David haft. Också här kröp förfallet närmare, lurade fattigdomen och uppgivenheten.

Han tog farväl och återvände till sin häst och schäs. Hästen, som fått vila och betat på ängen ner mot klappbryggan, travade villigt på. Det hade svalnat något, kvällen nalkades och dofterna från sophögar och rännstenar kändes inte längre lika påträngande.

Även om David Drakes upplevelser under dagen inte riktigt motsvarat hans förväntningar måste han ändå le.

Den filuren, sa han för sig själv. Som på gamla dagar gifter sej med en ung flicka. En kokerska, till och med.

”det milda könet”

”För det milda könet, vars verksamhet för livstiden bör stanna vid utövningen av stilla dygder inom det enskilda livets husliga krets, är den enskilda uppfostran, under en öm husmoders aldrig avbrutna tillsyn, andligen den bästa och tjänligaste.”

Ärkebiskop Carl von Rosenstein, 1821.

I skymningen kom några trötta tvätterskor vandrande från Brobergs brygga i Hammarby sjö, där de legat på knä hela eftermiddagen och klappat och sköljt sin tvätt.

Närmaste vägen mellan sjön och bergen, där de bodde, var ojämn och brant och oframkomlig med kärran varför de bar tvätten i de två stora lockförsedda tvättbunkarna av trä. Varje bunke var upphängd på en lång stör som de lagt över axeln, och som de bar två och två. På samma sätt bar renhållningshjonen sina latrintunnor, men deras hantering avslöjades redan på långt håll av den mindre behagliga doften och hjonens eländiga kläder.

Tvätterskorna kunde naturligtvis inte kallas välklädda men deras kläder var hela och rena och även om de var trötta, som nu, fanns det något stolt i deras gång. De var inte några hjon utan sina egna, fria, och det var de medvetna om. Det gällde främst de båda yngre kvinnorna. Även om de bar sina stora bruna förkläden över klänningarna så hade de draperat dem så att midjan tycktes ha flyttat upp mot barmen. Klänningarna var ganska urringade och hade korta puffärmar, på huvudena hade flickorna stora solskyddande hattar som de prytt med färgglada band och fjädrar.

De två äldre kvinnorna, mödrarna, var litet gråare och frusnare, de hade dragit på sig yllekoftorna och deras bahyttliknande hattar var också grå – även om bandet som höll fast hatten och knöts kring hakan var blått eller rött.

Någon kunde kanske tycka att flickornas klädsel var ”utmanande”. Men flickorna var snälla och arbetsvilliga, stillsamma och ganska dygdiga. Och de hade till och med kunskaper som de flesta flickor från fattiga hem saknade, de kunde hjälpligt läsa och skriva och kunde också räkna en del, åtminstone känna igen siffrorna och lägga ihop och dra ifrån när det gällde tal under hundra.

Flickorna gick först och fortare än mödrarna, som kom allt längre efter. Det var inte omedvetet som de unga ökade avståndet, det gav dem möjlighet att prata friare.

Lisa Ekberg och Karolina Skog hade varit vänner sedan de var små. Karolinas mor, Fredrika, hade tidigare arbetat i Tvätterskegården men nu blivit sin egen. Tack vare det gamla samarbetet och bekantskapen med Brobergs hade hon och hennes dotter fått behålla möjligheten att använda den privata bryggan.

Det fanns gott om barn och ungdomar i husen kring Bergsprängargränden och efterhand hade det blivit en kvartett flickor som höll ihop. Förutom de två tvätterskorna var det Hedda, som nyligen blivit piga hos trädgårdsmästaren vid Vintertullsgatan, och Maja-Greta, som diskade och hjälpte till på en av krogarna intill bondkvarteren vid samma gata.

Ingen av de fyra flickorna hade tiggt eller löpt med korgen för att sälja kramvaror. De hade fasta arbeten och stod under uppsikt av mödrar och husmödrar. Eftersom de tillhörde den arbetande och fattiga klassen begärde ingen att de skulle stanna ”inom det enskilda livets husliga krets”, ett sådant liv krävdes bara av borgerskapets och de högre klassernas flickor.

Under de senaste hundra åren hade det skrivits mycket om behovet av skolor och föreslagits att alla barn skulle få obligatorisk undervisning i innanläsning och kristendomskunskap.

Kyrkskolor, främst avsedda för de fattigas söner, hade funnits länge men bara kunnat nyttjas av en del. Alltför många saknade kläder och skor och kunde inte ta sig ut vintertid, andra måste börja arbeta för att bidra till familjens försörjning. Och många uteslöts från undervisningen sedan de uppträtt ohyfsat eller visat brister när det gällde flit och förmåga.

För omkring femton år sedan hade en fattigvårdsutredning kommit med önskemål om att även fattiga flickor skulle få undervisning. Några hade också tagits emot i stadens fattig- och kyrkskolor. Under fyra år hade det funnits en flick-klass i Katarina kyrkskola vid Högbergsgatan och till den hade Hedda fått komma. Det var i sista stund, hon var redan tretton år gammal då. Men kort efteråt hade stadens konsistorium beslutat att klassen skulle dragas in eftersom de medel man hade inte ens räckte till för pojkarnas undervisning. Kyrkskolans inspektor hade läst upp underrättelsen vid våravslutningen 1812 och noterat att flickorna åhörde den under högljudda snyftningar.

Hedda hörde till dem som måst avbryta skolgången. Hon hade inte lärt sig att skriva men kunde läsa tryckt text även om det gick stapplande och osäkert.

Lisa hade undervisats av sin morfar, som gammal underofficer kunde Nils Ekberg läsa, skriva och räkna. När Lisa bett att Karolina också skulle få lära sig hans konster hade morfadern gått med på det. Karolinas föräldrar hade tacksamt godkänt detta, särskilt som Ekberg inte tagit betalt för tjänsten.

Maja-Greta hade inte fått några bokliga lärdomar men påstod att hon levde lika bra utan.

De två unga tvätterskorna hade tillägnat sig kunskaper som deras mödrar inte ägde. Varken Malin eller Fredrika kunde läsa, än mindre skriva. Däremot hade Malin lärt sig att räkna till hundra vilket var till nytta för henne i arbetet.

När flickorna klättrat uppför stigen bakom Krohns hus och kommit till Bergsprängargränden satte de ner tvättbunken och pustade ut. Mödrarna var så långt efter att de inte längre syntes.

Har du sagt något ännu? frågade Karolina.

Lisa skakade på huvudet.

Vad tror du hon säjer?

Vad kan hon egentligen säja? sa Lisa. Det var ju likadant för henne själv en gång. Ja, mycket värre, hon blev ju lämnad ensam också. Han som var min far bara försvann, hörde aldrig av sej mer.

Skjut inte på det längre, rådde Karolina. Säj det redan i kväll. Det är bättre att du säjer det själv än att hon ser det och frågar. Snart kan du inte dölja det längre. Och du behöver inte vara så orolig, du har en far till barnet. Gustaf tänker ju inte överge dej. Om du hade bekänt litet tidigare hade det rentav kunnat bli dubbelbröllop.

Lisa skakade på huvudet igen. Nej, det skulle det inte bli. Det var nog bäst om gudfar och Charlotta fick fira sitt bröllop utan att dela ståten med ett annat par – där bruden stod med magen i vädret. Fältväbeln, numera förrådsförvaltaren Håkan Rapp och hans Charlotta väntade besök av fint folk: doktor Drake med fru, regementsväbeln från Andra gardet och flera av ”ståndspersonerna” från Fiskargången och Syltgången skulle komma, hade Lisa hört. Madam Rundström och hennes man skulle stå för bröllopet för sin föräldralösa fjärrsläkting Charlotta Lilja.

Fast Lisa hade bestämt sig nu. Karolina hade rätt, det fanns ingen anledning att dröja och förlänga oron, det var bättre att ha det gjort. Hon visste att hon inte längre kunde hoppas på något under.

Som om ungdomen och livet var över innan det riktigt hunnit börja.

De ställde in tvättbunken i boden och skildes åt. Karolina bodde bara några hus därifrån.

När Lisa kom in i köket tog hon av sig sin granna hatt. Höll den i händerna, såg på den. De där stora färggranna fjädrarna var inte lika roliga längre, nästan opassande, fick folk att se efter henne. Som det var nu kände hon behov av att bli liten och grå, försvinna i mängden. Hon drog ut fjädrarna, försökte trycka ihop hålen efter dem. Först tänkte hon kasta dem i spisen men så ångrade hon sig, gömde dem längst ner i korgen där hon hade sina tillhörigheter.

Nu var hon redo att ta på sig oket, den vuxna kvinnans, moderns, börda och ansvar. Men inte redo att ge upp och foga sig under sin mors starka vilja. Beslutet var hennes eget, hon skulle gå sin egen väg, leva sitt eget liv. Tillsammans med Gustaf, förstås, fast han var inte alls lika svår att komma överens med.

Hon dröjde tills efter kvällsmålet, då morfadern gått in i sin kammare och lagt sig och hon var ensam med modern i köket. Det var mörkt inne nu, några vedpinnar glödde svagt i spisen men gav inget ljus. Av sparsamhetsskäl brukade de undvika att tända ljus när de inte arbetade.

I mörkret rådde tystnaden. Som om båda väntade på att den andra skulle tala först.

Jag väntar barn, sa Lisa. Det blev inte mer än en viskning.

Ja, så är det, lade hon till och fick rösten att låta litet säkrare.

Jag undrade nog, svarade modern. Det är förstås Gustaf som är fadern?

Malin hade gjort sina iakttagelser de senaste veckorna. Nog hade Lisa blivit rundare om magen. Och samtidigt oroligare, mera nedstämd än hon brukade vara. Först hade Malin blivit förbittrad. Velat straffa flickan, ge henne en örfil, låsa in henne, neka henne att träffa den där pojken. Men sedan hade hon beslutat sig för att vänta och se, låta Lisa själv berätta hur det var och förklara sig. Trots allt var det här något ganska vanligt, något som väl måste ske förr eller senare. Skulle de fattiga vänta med att få barn och gifta sig tills de hade råd så skulle det väl aldrig bli av.

Malin kunde inte heller undgå att tänka på hur hon själv ställt till det för sig en gång i tiden.

Fast själv hade hon ju blivit tagen med våld, brukade hon försvara sig.

Nog kunde jag ha gjort större motstånd, tänkte hon nu. Inte var det något grövre våld som han behövt tillgripa. Visst hade hon kvidit och sagt nej – men hade hon inte kommit honom tillmötes också? Och bara legat kvar där i stället för att stjälpa honom åt sidan och försöka befria sig ifrån det han gett henne.

Själv hade hon blivit lurad. Inte bara pålurad ett barn utan också lurad på Axels hjälp och solidaritet. Han hade försvunnit och låtit henne ensam möta skammen och följderna.

Så illa var det antagligen inte för Lisa. Visst hade de unga varit oförståndiga, barnsligt ansvarslösa. Lisa borde ha tagit lärdom av sin mors misstag. Men hur många gjorde det?

Ja, det är naturligtvis Gustaf, sa Lisa. Men det var inte bara hans fel. Och vi ska gifta oss, innan ungen föds.

Det kunde kännas som en anklagelse. Lisas barn skulle inte bli någon oäkting, som hon själv. Malin kunde inte heller tänka sig att den snälle och kanske litet barnslige och veke Gustaf skulle smita sin väg. Han skulle stanna kvar, hjälpa till, ta sin del av ansvaret. Något annat var otänkbart.

Kan han verkligen försörja hustru och barn? sa hon ändå. En trädgårdsdräng har väl inte mycket att komma med.

Den tjugofyraårige Gustaf Boman hade sedan tre år tillbaka

arbetat i amiralitetskammarrådet Strandbergs berömda trädgård vid Stora Bondegatan. Eftersom växter och orangerier behövde tillsyn året runt var det ett stadigvarande arbete. Så sämre yrke kunde Gustaf onekligen ha haft.

Han har fått löfte om bostad åt oss i alla fall, svarade Lisa. Nu ligger han i samma kök som en annan dräng men det finns ett rum som står tomt. Kammarrådet är en snäll herre, säjer Gustaf, och han har sagt att han tycker att Gustaf sköter hans fina växter så bra. Det tar tid att lära sej det så herrn vill ha Gustaf kvar.

Inte ska ni bo där, sa modern, i något kyffe. Ni ska bo här, vi har ju utrymme nog.

Vi ska ha vårt eget hem, invände Lisa. Det är redan uppgjort. Och det går inte på annat sätt heller, drängarna måste alltid vakta växthusen med alla märkvärdiga plantor och det fina lusthuset med alla dyrbarheter.

Malin försökte se dotterns ansikte i mörkret. Motståndet förvånade henne, Lisa brukade inte svara henne på det här sättet utan mera undvikande, mildare. Malin förstod att dottern inte skulle ge sig och att det förmodligen var nödvändigt att Gustaf bodde på arbetsplatsen – om han skulle kunna behålla sitt arbete och försörja sin familj.

Hon gav upp.

Du får väl försöka fortsätta med tvätten så länge som du orkar, sa hon. Sen får vi se. På något sätt ska jag väl reda mej.

Malin reste sig, gick fram till spisen och tog en av svavelstickorna som låg på spiskanten. Förde stickan mot en av de svagt osande träpinnarna och höll den där tills svavlet blossade upp. Med stickans hjälp tände hon talgljuset i lyktan som stod på bordet.

Jag lyser dej upp, sa hon. Gå och lägg dej nu så får vi tala mer om saken senare. Själv sitter jag en stund och funderar, har ju inte varit säker på hur det var förrän nu.

Lisa gick, tacksam och förvånad över att modern inte blivit mer upprörd eller försökt driva sin vilja igenom när det gällde bostaden. Modern var så oberäknelig, ibland kunde hon bli ursinnig för någon småsaks skull, gräla och tjata i timmar. Och nu, nu hade hon inte sagt ett ont ord, när det verkligen funnits anledning.

Malin kom ner i köket igen, ställde lyktan på bordet. Den fick brinna, när hon var ensam kändes mörkret obehagligt, som om faror gömde sig i det. Kostnaden för talgljuset var också ganska obetydlig i det stora sammanhanget.

Hon tog fram flaskan som hon hade gömt under sina kläder i byrålådan, satte den och en kaffekopp på bordet. Fyllde koppen till hälften med brännvin och drack. Grimaserade, egentligen tyckte hon inte att det smakade gott. Men det lugnade, dövade. Och hade blivit en vana. Om hon inte tog något skulle hon inte kunna somna.

Allt elände hade börjat vid moderns död för fem år sedan, våren 1816. Sofia hade varit sjuk i flera år då men ändå övervakat det hela, varit den som ytterst bestämt och som gett sina order. Hon hade kontrollerat varje tvättat plagg, godkänt eller underkänt arbetet, hade bestämt vad som skulle köpas hem till hushållet och övervakat kassan. Men visst hade man kunnat tala med henne också, göra upp tillsammans – som när Malin ansett att de måste dra in på utrymmena och hyra ut en del av huset.

Och så var mor Sofia plötsligt borta, det fanns ingen att fråga till råds längre.

Fadern försökte hjälpa till och vara till nytta. Han kunde reda sig själv och han hade sin lilla pension. Som gammal sjöman tvättade och lappade han sina egna kläder. Men när det gällde tvättarbetet och hushållet så begrep han just ingenting, sådant hade han aldrig behövt syssla med.

Tidigare hade Malin haft Amalia Lilja som vän och stöd. Några gånger hade det också hänt att Amalia druckit en mugg brännvin när de suttit tillsammans och begråtit de förluster de lidit i sin ungdom. Men Amalia hade alltid varit försiktig och aldrig druckit för mycket eller låtit det bli en vana. Så småningom hade hon dragit sig undan också, kom inte så ofta, gick tidigt de gånger hon kom. Sedan Amalia börjat sällskapa med en dragare vid Järnvågen var samvaron i Tvätterskegårdens kök slut. Malin ansåg att Amalia hade svikit sin döde fästman Per, Malins bror. Och det hade hon också sagt henne.

Så hade Malin blivit ännu mer ensam. Ibland arbetade hon tillsammans med Fredrika Skog men de umgicks inte. Fredrika hade varit anställd hos Malin tidigare och tyckte nog inte att

Malin alltid varit den bästa arbetsgivaren. Deras döttrar var däremot bästa vänner. Men inte heller Karolina kom särskilt ofta till Tvätterskegården, hon och Lisa möttes ute eller hemma hos Skogs.

Som ung hade Malin varit glad och orädd, en flicka som på ett lustigt och avväpnande sätt sa vad hon tänkte. Själv tyckte hon väl att hon gjorde så fortfarande, märkte inte att orden fått en kallare klang, förstod inte att de kunde såra och skada.

Det kändes tomt och kallt omkring henne, det lilla ljuset kunde inte rädda henne från det stora mörkret. Värre skulle det bli, omöjligen bättre. Ännu fanns Lisa kvar hemma men mycket snart skulle hon försvinna. Och fadern kunde knappast leva så många år till, redan nu hade han flytt in i sin dövhet. Också familjen Liljas hem hotades av upplösning, änkan skulle inte kunna bo kvar sedan Amalia gift sig med dragaren och Charlotta med Håkan. Sonen Ture Lilja hade flyttat hemifrån för flera år sedan, han bodde på Owens verkstad där han arbetade.

Något måste hända med huset. Ibland tyckte Malin att de borde ha sålt det för länge sedan, när det var i bättre skick. Men varken fadern eller hennes bror Johannes ville sälja. Och visst var det bra för henne att ha plats för bykning, mangling och strykning även om sådant kunde skötas i bykstugor och mangelbodar där man kunde hyra in sig. Om inte annat måste de åtminstone hyra ut det lilla vindsrummet och sedan skaffa nya hyresgäster om Liljas flyttade. Kanske det inte räckte med det, kanske skulle hon också bli tvungen att ta inneboende.

Även om brännvinet var billigt så fick man det inte utan att betala. Malin brukade köpa det hos en bryggare och brännare nere vid vintertullen. Sedan hon visat sig vara en trogen kund hade hon beviljats kredit. Men när skulden växte hade fabrikören krävt någon säkerhet. Malin ägde inga dyrbarheter och sina arbetsredskap kunde hon inte pantsätta. Då hade hon kommit att tänka på den där fint arbetade silverskeden som Håkan Rapp givit Lisa som dopgåva. Den var för fin att använda, låg där bara i en låda, nästan bortglömd. Och den var naturligtvis en mycket bra säkerhet, gav till och med ökad kredit.

Visst hade hon tänkt lösa ut den. Men så gick tiden och skulden växte och en dag sa fabrikören att om han inte fick betalt innan månaden var slut skulle han sälja skeden.

Det fanns ingen möjlighet för henne att få ihop pengar både till gamla skulder och nya inköp. Dessutom var det vid den tiden som Malin börjat förstå att Håkan var intresserad av Charlotta. Malin hade känt en önskan att bestraffa honom, utplåna minnet av honom.

Så var skeden borta.

Det som hänt denna kväll gjorde allt svårare. Nu visste hon att Lisa skulle bilda ett eget hem, flytta ifrån det gamla och ta sina tillhörigheter med sig. Skeden var flickans dyrbaraste egendom även om den väl inte var den mest behövliga.

Malin fyllde koppen, som om hon hoppades och trodde att brygden skulle kunna lösa hennes problem, ge råd och tröst.

Hon kunde inte berätta hur det var, avslöja sin hemlighet om beroendet och vad det lett henne till. Hon måste spela okunnig. Skeden hade ju legat i lådan, funnits där under alla år. Det var länge sedan den tagits fram och beundrats.

Vad kunde ha hänt? Kunde Lisa ha slarvat bort den? Hade någon anställd tvätterska sett den och tagit den? För någon tjuvaktig skata kunde väl knappast ha tagit sig in i huset och öppnat lådan.

Skulden måste flyttas över på någon annan. På Lisa, på Fredrika Skog som varit den senast anställda, på varje människa som trätt in i Tvätterskegården under det senaste året. Det enda säkra var att det bara fanns en enda som inte fick misstänkas – Malin själv.

Några dagar senare gick Lisa och Gustaf till komminister Bergegren i Katarina för att be om lysning. De var ganska bleka och rädda när de gav sig av, fruktade att prästen skulle underkänna deras kristendomskunskaper och vägra att skriva ut lysningssedeln.

Lisa hade en gång fått låna doktor Mårten Luthers lilla katekes av sin morbror Johannes och försökte nu påminna sig så mycket som möjligt av det hon läst och också lära Gustaf. Men det var inte lätt. Tio Guds bud och Herrans bön gick väl an men vad som stått i Sakramenten och Hustavlan hade hon bara svaga minnen av. Något ur Hustavlan kom hon faktiskt ihåg – men det var inte sådant som hon ville få Gustaf att kunna utantill: ”Hustrurna vare sina män underdåniga, såsom Herranom. Ty mannen är hustruns huvud. Såsom nu församlingen är underdånig Kristus så skola ock hustrurna uti allting vara sina män underdåniga.”

De hade inte behövt vara så oroliga. Prästerna i Katarina hade hamnat i kaos och hade ingen tid att förhöra brudpar.

Komminister Neuström, som sedan trettiofem år tillbaka varit den fasta klippan och den som skulle allt bestyra, hade avlidit för två månader sedan. Det var han som en gång för länge sedan hade förrättat jordfästningen av Lisas mormorsmor, Maja Krohn.

Komminister Bergegren hade valts till komminister i Nikolai. Även om han inte skulle tillträda förrän i början av nästa år så var hans intresse delat, han längtade från det fattiga Katarina till det betydligt förnämare Nikolai. En vicekomminister hade tillsatts för en månad sedan men knappast hunnit komma in i arbetet. Och kyrkoherde Ruus hade otaliga uppgifter som tog hans tid, han var assessor i konsistoriet, ledamot av rikets allmänna fattigvårdskommitté och fullmäktig i Riksgäldskontoret.

Det blev inte många minuter som pastor Bergegren hann ägna det blivande brudparet. Att börja förhöra utkantens fattiga analfabeter fann han ganska meningslöst. Man fick vara tacksam och nöjd om de överhuvudtaget gifte sig och födde sina barn inom äktenskapet, det var ju långt ifrån alla som kom så långt. Trots att paret väntade barn noterades fästmannen som ”hedersam” och fästmön som ”dygdesam”. De berömmande orden skulle föregå deras namn då det lystes för dem i kyrkan.

Mer än så kunde de inte gärna begära.

På hemvägen fick Lisa följa med Gustaf in i trädgården där han arbetade. Kammarrådet var där i dag och han hade sagt att han gärna ville hälsa på Bomans kvinna, som ju skulle bo i hans hus. Trädgården fyllde hela det stora kvarteret intill Renstiernasgränden mellan Stora Bondegatan och Nya gatan. Förutom växthusen fanns där bara några få hus varav ett var ett ståtligt lusthus. Kammarherren var i lusthuset där han förvarade några fina gamla kartor, den vackraste visade det heliga landet och inramades av bilder med bibliska motiv.

Kammarrådet Strandberg hade just visat kartorna för några intresserade besökare, sådana kom ganska ofta. Han var en vänlig och tillmötesgående herre, som tyckte om att få demonstrera sina dyrbarheter. Nu berättade han för trädgårdsdrängens tillkommande: den bilden visade Jerusalem med Golgatas berg och den hur Israels barn vandrade genom öknen. Han förklarade också att kartorna och de vackra tapeterna måste skyddas mot det blekande solskenet, det var alltså viktigt att man såg till att gardinerna var dragna samman.

Kammarrådet följde också med ut i trädgården där apelsinträden stod utställda i stora krukor. När det blev svalare mot hösten fick de bäras in i växthusen igen, i "orangerierna". I andra växthus frodades ananasplantor i stora bänkar, deras frukter var långtifrån mogna ännu, det blev de först någon gång i mars eller april. I sydliga länder kunde frukterna bli mycket stora, här blev de knappast större än äpplen men ändå var människor villiga att betala uppemot tio riksdaler banco för en enda sådan frukt.

Till trähuset där de skulle få sin bostad följde kammarrådet inte med. Sådana lokaler visade han inte, det kunde Gustaf klara själv. Så han hälsade farväl och Lisa neg djupt och tackade.

Trädgårdsmästaren med fru bodde en trappa upp, förklarade Gustaf. På nedre botten fanns ett rum på ena sidan av förstugan som också var trappuppgång, på andra sidan låg ett kök. Köket skulle de nyttja tillsammans med den andre drängen medan rummet skulle vara deras eget. Rummet var inte stort men hade fönster mot den vackra trädgården. Det stod tomt nu, de båda drängarna sov i köket.

Ännu så länge kändes tanken att hon skulle bo här något främmande och oroande. Nu förstod Lisa att det kanske inte skulle bli så lätt att lämna Tvätterskegården ändå. Ibland hade hon längtat därifrån, främst kanske för att komma ifrån moderns övervakning. Skulle hon en dag komma att längta tillbaka dit?

Hon följde Gustaf genom trädgården, han berättade om de olika plantorna. Ibland såg han till att någon växt fick bättre stöd, att ett hänge hakades fast vid de uppspända trådarna. Hans händer kunde förefalla stora och litet fumliga men de rörde sig så försiktigt och mjukt, rättade till utan att skada eller bryta av.

När hon såg honom blev hon lugn, kände glädje. Det fanns

något hos Gustaf som också fanns hos hennes älskade gudfar: en mild kraft, en förmåga att hjälpa och stödja utan att tvinga eller skada.

Det skulle nog gå bra, Gustaf var inte svår att leva tillsammans med.

”i lust och nöd”

”Blive många,
blive lugna
deras oåtskilda år!
Barn, som deras hjärtan hugna,
träde fromt i deras spår!
Endräkt, flit och kristligt hopp
bygge deras lycka opp,
trygge deras hela lopp!
– – –
Låt dem, Herre, i din fruktan
glädjens dag till mötes gå,
tåligt böjas för din tuktan,
när du lägger korset på;
för varandra, som du bjöd,
vara allt i lust och nöd,
vara ett i liv och död!”

J.O. Wallin, ur psalm 335
i Svenska Psalm-Boken, av Konungen gillad
och stadfäst år 1819.

Bebyggelsen vid Tegelviken låg omsluten av berg och vatten. På dess västra sida stod Erstaklippan, på den östra Fåfängans berg, i söder Vita bergens utlöpare, Tjärhovsberget. Och i norr fanns vattnet, Strömmen med stora segelleden.

Bergen och vattnet bildade en barriär som skyddade östra Södermalm. Därför hade man i tre århundraden kunnat samla eldfarlig verksamhet av olika slag omkring Tegelviken. Där hade funnits ett tegelbruk på 1500-talet, där låg det stora tjärhovet med sitt beckbränneri på 1600-talet. Vid 1600-talets slut hade tjärhovet flyttats till Beckholmen på andra sidan vattnet och Stora varvet anlagts. Även varvets verksamhet var i hög grad brandfarlig.

Vägen till viken gick genom en smal och sluttande dalgång. Ännu för hundra år sedan hade en strid bäck åtminstone på vårarna brusat fram där och fört med sig slam och modd från Katarinabergen. Det låglänta området kring viken hade fyllts ut av slammet och gett plats för varvets bodar och verkstäder.

Varvsområdet bildade en trekant mellan Tjärhovsgatan och Erstaberget och ut mot vattnet. Nere i viken låg stapelbäddarna och utanför dem hamnen som omgavs av bråbänkar med kranar och material som nyttjades vid kölhalning av fartygen. Under Erstabergets brant fanns bodar av olika slag samt slupskjul och spruthus, kontorsbyggnaden som också innehöll skeppsbyggmästarens och kamrerns bostäder låg intill Tjärhovsgatan. Mot gatan avskärmades varvet av en stenmur och höga plank.

Av varvets uppemot hundra anställda var det förutom skeppsbyggmästaren och kamrern bara varvssmeden, blockmakaren och några verkmästare som bodde inom området. Arbetarna, varav större delen var timmermän, bodde på bergen omkring, de flesta vid Sågargränden och Skräddargränden på andra sidan av Tjärhovsgatan. Det var också där som den nye förrådsförvaltaren Håkan Rapp fått sin bostad.

Sågargränden var egentligen bara en brant bergsstig där små hus klättrade på hällarna på ena sidan och ett fallfärdigt plank lutade på den andra. Trots alla förordningar om gatubelysning fanns bara en enda lykta i gränden, den hängde ut från en stång i planket.

Huset som varvsledningen skaffat sin förrådsförvaltare låg vid backens övre del. Det var en liten träkåk med tegeltak som vände gaveln med sitt enda fönster mot gränden. Man tog sig in genom en port i det korta planket som förband huset med ett något större trähus strax ovanför. Gården var ganska liten och kal, utan buskar eller träd. Från den klev man in i köket som upptog större delen av huset, innanför köket låg en liten kammare.

Huset hade inte varit i bästa skick varför en av varvets timmermän under några veckor fått reparera det. Åtgärden hade medfört att hyresgästerna fått vänta något längre med bröllopet än beräknat men i början av september var arbetet utfört och tiden inne. Då var också bostaden inredd och möblerad, en stor säng som Håkan själv snickrat till fyllde större delen av kammaren, köket hade fått bord och några stolar och ett skåp där de kunde förvara husgeråd, mat och kläder. Ute på gården fanns en vedbod fylld med ved samt avträdet.

Detta var det första riktiga och egna hem som Håkan haft i sitt liv. För backstugan som hans föräldrar bott i kunde knappast kallas hem, den hade bara varit en jordkula nedgrävd i en sandbacke där man sovit bland getter och höns. Sedan hade svälten tvingat ut familjen på vägarna under missväxtåren i början av åttiotalet, de hade vandrat från by till by och sökt tillfälliga arbeten eller tiggt sig fram. Han hade skiljts från föräldrar och syskon och aldrig återsett dem. Under en kort tid hade han arbetat på Barnängen och sovit i fähuset innan han jagats därifrån och blivit tvungen att låta värva sig. I mer än trettio år hade han sedan varit soldat och legat i baracker och tält innan han under de senaste åren som fältväbel fått ett eget rum och en egen säng. Även om han trivts i det kala rummet i det militära förrådshuset kunde han knappast tycka att det varit ett hem. Åtminstone inte nu när han kunde jämföra det med huset där han och Charlotta skulle bo.

Han njöt när han stod där inne och såg sig omkring. Charlotta hade verkligen förmått göra det hemtrevligt. Hon hade sytt och satt upp gardiner för fönstren, lagt dukar på bord och skåp och en trasmatta på golvet. Den stora sängen hade fått en bullig halmstoppad madrass, lakan och kudde och ett väldigt lapptäcke. Några grytor som hon ärvt stod i den öppna spisen och uppe på spiselhyllan fanns en liten trälåda fylld med svavelstickor. Ja, det stod till och med blomkrukor på fönsterborden och uppe i taket hängde brödkakor på en stång. Inte ens i Tvätterskegården hade de så fint som här.

Håkan var ensam i sitt nya hem. Egentligen bodde han inte här ännu, varken Charlotta eller han själv hade övernattat i huset. Charlotta hade bott kvar i Tvätterskegården och Håkan hyrt ett rum och en säng hos varvssmeden. Men i går kväll hade de tagit hit det sista som de hade kvar i rummen de bott i – och sedan dess hade han inte sett Charlotta. Hon var i bröllopsgården, hos Rundströms, och kläddes väl som bäst till brud nu. Själv skulle han få möta henne där först kort före vigseln. Men när de sedan kom hit någon gång i natt, då var de äntligen hemma, då var det här deras hem.

Han hade tagit fram den svarta rock med byxor som han skaffat sig när han lämnat det militära. Det var första gången som han använde de nya kläderna och han hade låtit sy dem främst med tanke på bröllopet.

Medan han klädde sig tänkte han på Charlotta, undrade hur hon skulle se ut i brudstassen. Det var madam Rundström som ordnat med den och Charlotta var nog litet orolig för att den skulle bli alltför uppseendeväckande. Madammen vurmade för urringade klänningar med koketta puffärmar och klädde sig gärna i sådana själv. Charlotta hade nog helst velat ha en enkel, höghalsad svart taftklänning med långa ärmar – och kanske med brett rött skärp. Men hon hade fått finna sig i att bli klädd i vitt, svart såg så förfärligt stelt och sorgligt ut, tyckte madam. Släp hade Charlotta ändå sluppit – men korta puffärmar, hög midja och vid urringning kom hon däremot inte ifrån. Charlotta fruktade att hennes stora bröst, som sköts uppåt och framåt av den höga åtsnörda midjan, skulle bli alltför framträdande och ohöljda. Hon skulle försöka dölja dem med hjälp av en gul sidenhalsduk, halsduken och ett guldspänne att fästa ihop den med hade hon fått låna. Men Rundströmskan, som själv var fyllig och stor, skrattade åt flickans oro – inte skulle en ärbar ung kvinna skämmas för det vackra hon hade. Och brudens bröst skulle ju en dag bli barnens tröst.

Sedan Håkan klätt om sig kunde han just ingenting göra, finklädd som han var. Det var bara att sätta sig ner och vänta. David Drake hade lovat att hämta honom med sin vagn. Drakes hustru Maria och deras tre barn skulle också vara med på bröllopet.

Det var tyst och söndagsstilla i huset, solen lyste in över taket på det högre huset intill, in i köket, fick de nylagda och nytvättade golvtiljorna att glänsa, glittrade i den nypolerade kaffepannans koppar. Som Håkan satt, på den fasta träbänken och inne i hörnet, kunde han se över hela köket och genom den öppna dörren in i kammaren. Och han tyckte om det han såg, kände stor tacksamhet och förväntan.

David Drake kom och hämtade Håkan, den täckta vagnen väntade nere vid Tjärhovsgatan. Sågargränden hade visat sig vara alltför ojämn och backig för att man skulle våga köra in i den.

Håkan hade för tio år sedan varit med på Drakes bröllop. Nu såg han detta äktenskaps frukter – en nioårig och en treårig flicka och en sexårig pojke. I vanliga fall skulle Håkan väl ha pratat mer med barnen men han var litet skakad inför allt som väntade och satt därför ganska tyst.

Färden blev inte så lång, Tjärhovsgatan fram till Tullportsgatan och den upp mot Mosebacke. Det rundströmska huset låg vid Hökensgränden och redan på långt håll kunde man se att något skulle ske där – folk hade samlats och tittade nyfiket på de festklädda gästerna som kom åkande och gående.

Av buketten som Håkan fäst på rockuppslaget kunde åskådarna ana att det var brudgummen som kom.

Det var en stor gumse, sa en liten gumma. Men Håkan var alltför uppskärrad för att höra henne, med Drake som föregångare lyckades han ta sig fram till porten och försvinna in. Strax efter honom kom några uniformerade underofficerare med sina fruar, det var regementsväbeln och den nye fältväbeln, han som efterträtt Håkan.

Sammanlagt var ett fyrtiotal gäster inbjudna. Där fanns Charlottas släktingar och ungdomsvänner och folk från saluhallen och försäljningsgångarna intill Slussen. Särskilt värdfolken Rundströms och Nordbloms familjer var rikt representerade, som man kunde vänta sig. Håkan hade inga släktingar men vänner – Ekbergs och Drakes och tidigare kamrater från Andra gardet.

Han fick slippa in i den kammare där Charlotta stod färdigklädd och väntade på honom. Madam Rundströms myrten hade skattats hårt och gett Charlotta både krona och krans. Och det gick nästan inte att känna igen henne, så ståtlig hade hon blivit. Den vita klänningen trycktes ihop kring en midja som placerats mycket högre upp än den egentligen fanns och gav ett intryck av att hon hade mycket långa ben. Ovanför åtsnörningen växte klänningen ut till en vid skål där brösten vilade. Röda broderier markerade den djupa urringningen och avslutade de korta puffärmarna och klänningens nederkant.

Hon höll på att sätta den gula halsduken kring halsen när Håkan kom. Det lyckades inte riktigt som hon ville och då drog hon loss den, höll den i handen och vände sig mot honom.

Kan jag verkligen gå så här? frågade hon. Det känns ju nästan som att visa sej naken.

Visst såg man kupornas övre del, också springan mellan dem.

Men så skulle det väl vara när man var fin och nog hade han, när han tjänstgjort vid officerarnas fester, sett både brudar och andra festklädda kvinnor som visat mer än så. Särskilt för en del år sedan när de så kallade chemise-klänningarna varit så omtyckta, då kunde man verkligen tala om nakenhet.

Du är mycket vacker så där, sa han. Jag blir mycket stolt när jag ser dej.

Jag får väl finna mej fast det känns konstigt, sa Charlotta. Men nog vill jag ha halsduken på mej när vi vigs åtminstone.

Han hjälpte henne att placera den och att knäppa spännet som höll fast den. Och nu kom madam Rundström och meddelade att allt var klart, prästen hade kommit, gästerna var placerade i ett av rummen där man förvandlat ett lågt bord till altare och ställt fram en lång knäpall åt brudparet.

Det var den nye vice-komministern Gabriel Lindström som skulle viga dem.

De gick in i rummet och sorlet steg och omslöt dem och dämpades först när prästen trädde fram. Vigseln gick som den skulle, brudparet svarade tydligt och högt att de ville ha varann, ringarna kom på plats, prästens tal var kort och mera vänligt än förmanande.

Så stämde musikanterna, två fiolspelare, upp och man tågade till bords. Vaxljus och talgljus hade tänts överallt, på bord och i fönster.

Maten var, som man kanske kunde kräva när sakkunniga var värdfolk, mer än god. Där fanns gratäng av kräftor och blomkål, timbaler av à la daube på höns, sillsallat med äpplen och lök. Men också oxtunga, saltgrön skinka med senap, hummerpastejer och kalvstek kom på bordet. Och rött vin och brännvin, riskräm och hallongelé med dessertvin, kaffe och punsch.

Under måltiden bad madam Rundström att Charlotta skulle ta av sig halsduken så att det vackra broderiet kring urringningen kom till sin rätt. Madam tog också hand om halsduken och det dyrbara guldspännet så att inget skulle försvinna i vimlet. Och Charlotta, som kanske dövats av värme och vin, lät det ske utan protester. Förresten hade hon nu sett att flera av de litet finare damerna var minst lika urringade.

Det hade mörknat ute och herr Rundström, som gång på gång tittat ut genom fönstren, meddelade att man nog inte vågade vänta längre med brudvisningen. Det började bli oroligt bland folket ute på gatan som krävde att få se bruden, fick de vänta för länge kunde det hända att de började kasta sten mot fönstren.

Brudvisningen var något av en skärseld som få brudar kunde undgå. Man fick räkna med speord och närgången granskning, sårande och stötande kommentarer.

Charlotta såg sig omkring efter halsduken – men den var ju borta. Hon reste sig upp och David Drake och Ture Lilja tog kandelabrarna, som marskalkar var det deras uppgift att belysa henne så att de skådelystna kunde få se bruden i så starkt och klart sken som möjligt.

Husets kusk gick före dem och slog upp de båda porthalvorna. Bruden och marskalkarna stannade på det översta av de fem trappstegen som gick ut i gatan.

Folket trängde närmare, mest gummor, pigor och barn men också gesäller och lärpojkar och några litet finare herrar som antagligen tillbringat eftermiddagen på källarmästare Löfwenmarks värdshus längst ute på berget ovanför slussområdet.

Några lärpojkar visslade, storögda pigor bligade avundsjukt, en gumma grät av rörelse.

Marskalkarna höjde kandelabrarna, förde dem så att ljuset lyste över bruden.

Hon är för stor och bullig enligt min smak, sa en av herrarna. Pattor som kålhuvuden och rumpa som en grävling.

Det är inget fel, sa den andre, det blir dom bara bättre av i sängen.

Vet hut, röt David Drake.

Marskalkarna ska inte lägga sej i det här, sa den kritiske herrn. Enligt gammal god sed är dom bara med för att sprida ljus över fruntimrets former och möjligen förekommande behag.

Men de två herrarna drog sig ändå försiktigt tillbaka, skrämda av ilskan i marskalkens blick och åtbörder.

Efter några minuter fick man väl anse att plikten var uppfylld och att åskådarna fått vad de kunde begära. Marskalkarna lyste bruden in i farstun och kusken låste porten ordentligt.

Drake var upprörd, fortfarande arg. Sådana här dumma och

för kvinnan kränkande traditioner måste brytas.

Men Rundström, som stod inne i portvalvet, försökte lugna honom. Folk måste ju få sitt, som de var vana vid. Bruden fick finna sig i vad traditionen bjöd, det gjorde säkert Charlotta också. Fick folk inte se bruden och kommentera hennes utseende så skulle de väl slå sönder varenda ruta i hela kvarteret. Dessutom var Charlotta van vid att munhuggas och ta emot en del tillmälen, tonen var inte alltid så fin nere i Fiskargången och Syltgången heller.

Nej, Charlotta var inte så lättsårad. Nu när persen var över skrattade hon. Värre hade hon hört – och kanske väntat sig också. De där stackars gubbarna kunde inte reta henne.

Så småningom, efter dans, förfriskningar och nattmat, var festen över. David Drake med familj hade brutit upp och också kört de två äldsta hem, Charlottas farmor och Nils Ekberg. De yngre dröjde sig kvar i det längsta och följde sedan brudparet. Många av gästerna hade handlyktor med sig, en glittrande ljusorm ringlade fram genom mörka gator förbi tysta hus.

Äntligen var de ensamma, också de enträgnaste hade avlägsnat sig. Dörren var stängd, nyckeln omvriden och haspen pålagd. När Håkan såg ut genom kammarens fönster låg backen utanför tom och stilla, bara den ensamma lyktan vid det långa planket lyste.

Han tände ljusen på kammarens lilla byrå och på köksbordet, satte upp de täta tygstyckena som skulle hindra insyn genom fönstren.

En förut okänd men oändligt skön känsla genomströmmade dem. De hade varit vana vid att dörrar kunde öppnas, folk kliva på – att man aldrig kunde vara helt ostörd utan riskerade att ständigt bli iakttagen och avslöjad.

Nu var de som inneslutna i ett skyddande hölje. Bara de två fanns, överlämnade åt varandra.

Charlotta hade stannat mitt på köksgolvet medan Håkan tände ljus omkring dem och avskärmade yttervärlden. Hennes händer sökte hyskorna på klänningens rygg, befrielsen från den nästan kvävande åtstramningen. Men hon kom inte åt riktigt, måste nog be Håkan om hjälp.

Håkan hade kommit så nära henne under månaderna som gått.

Som om han blivit en del av henne och hon av honom. Hon hade aldrig upplevt gemenskap och förtrolighet så starkt förut.

Snälla Håkan, hjälp mej, bad hon. Jag är nästan kvävd nu, jag måste få andas.

Han ställde sig bakom henne, sköt henne litet åt sidan så att han skulle se i skenet från ljuset. Hon hade ofta förundrat sig över att hans stora händer var så smidiga och gjorde det igen, lekande lätt öppnade de raden av små hyskor, från nacken till den konstgjorda midjan. Puffärmarna gled ner och hon lät klänningen falla till golvet.

Inte ens ett linne kunde jag ha under den här märkvärdiga klänningen, sa hon. Bara underkjol och strumpor.

Charlotta tog upp klänningen, slätade till den och lade den över en stol. Och nu stod Håkan framför henne, tog henne i sin väldiga famn och fick henne att känna sig liten och nätt. Han lyfte henne upp mot takbjälkarna och satte henne sedan på köksbordet.

Strumpebanden är brudgummens, sa han och drog av de blombroderade banden och stoppade dem i sin ficka. Strumporna tog hon av själv.

Han bar henne in i kammaren och lade henne på täcket ovanpå sängen. Hon låg kvar så som han lagt henne medan han klädde av sig, såg honom medan hon väntade på honom.

Låt ljuset brinna, sa hon. Jag vill se dej.

Han lydde henne gärna. Han hade inte alls sett sig mätt.

Det var som det hette i psalmen de sjungit – ”ett i liv – – allt i lust”.

Nöd och död tycktes avlägsna, utlåsta.

Denna gemenskapens natt satt Malin ensam i Tvätterskegårdens kök. Fadern och Lisa sov väl nu men själv ville hon sitta uppe en stund och fundera. Inte bara fundera ändå, flaskan hade kommit fram också. Hon var värd en belöning för att hon varit så försiktig under festen och undvikit att dricka för mycket.

Tillställningen hade varit plågsam för henne. De flesta kände hon inte, av dem hon kände hade hon gjort sig osams med flera. Hon hade väl hälsat på alla men knappast talat med andra än brodern Johannes och hans Kerstin. Förutom att hon kommit i gräl med madam Nordblom.

Men hon kunde inte låta bli att säga vad hon tyckte – om Amalias svek, om Håkans tjocka flicka eller om de oanständigt höga priserna på varorna som försåldes i Fiskargången. Om vänskap krävde oärlighet så var också det priset för högt för att hon skulle kunna godkänna det.

Ändå kom självanklagelserna krypande som spindlar strax utanför talgdankens ljuskrets.

Jag har inte talat med en enda mänska utan att det slutat med gräl, tänkte hon. Jag driver samtalet dit, som om ärligheten krävde det. Ändå kan de väl få ta vilka priser de vill i Fiskargången, jag handlar ju aldrig där.

Och angår det mej om Amalia gifter sej – hon har ändå väntat i mer än tio år efter Pers död, vem kan begära mer? Nu är Amalia ändå över trettio och om hon inte ska bli ensam, hon också, så är det hög tid att slå till. Även om hon inte fått något finare än en eländig dragare att nappa på kroken.

Varför ska jag reta mej på Charlotta? Flickan är antagligen bra för Håkan, han verkar förtjust i henne. Passar honom, rund och glad, litet lagom dum för att inte vara besvärlig, lagar god mat dessutom – och det tycker han ju om.

Vad kunde jag själv ha gett Håkan? Kan jag vara ett stöd för någon, ge tröst och hjälp?

Nej, måste hon erkänna, det var hon själv som behövde allt det som hon inte kunde ge någon. Och egentligen var hon inte alls svartsjuk, hon ville inte ha Håkan. Däremot var hon avundsjuk, den glädje, värme och gemenskap som strålat ut från brudparet var allt sådant som hon själv bittert saknade.

Då återkom Axel i hennes tankar. Oro och osäkerhet, förtvivlan och strid hade han gett. På något sätt hade det passat henne bättre än Håkans lugn och vänlighet.

Varför gick du, Axel, varför stannade du inte i ett livslångt gräl, varför sitter du inte här vid bordet och super tillsammans med mej? Vårt barn ska gifta sej nu, Axel. Men då får du inte vara med, då ska ingen ens nämna ditt namn. Inte ens skammen ska du få, bara något ännu värre: glömskan.

Två veckor kvar nu tills det var dags för bröllop igen.

Oron när det gällde den försvunna skeden var ändå över. Gåtan hade setts som olösbar, ett mysterium. Ingen kunde anklagas.

Lisa hade till sist godkänt att skeden inte längre fanns.

De hade beslutat att inte säga något varken till Håkan eller någon annan, han kunde bli ledsen och andra kunde undra vad det var för ordning som rådde i Tvätterskegården.

Men Malin visste trots allt vad som hänt och vetskapen gav skuldkänslor. Hon hade varit ovanligt snäll mot Lisa sista tiden, intresserad och hjälpsam. Malin skulle inte skämma ut Lisa heller, hon hade redan späkt sig under Håkans bröllop och skulle vara försiktig med spriten den närmaste tiden också.

Ja, hon hade bjudit till på alla sätt. Hon hade lånat pengar av Johannes och varit på Assistansen och pantsatt de kopparkärl som fanns. När hon hade något godtagbart att skylla på gick det att sätta det de ägde i pant.

Fast det skulle förstås inte bli något stort och dyrt bröllop, inte alls som Håkans och Charlottas. Det ville inte Lisa heller, i det tillstånd hon befann sig i.

Lisa och Gustaf gick tillsammans med sina vittnen, Karolina och Jöns, till pastor Bergegren, som de tidigare tagit ut lysningen hos. De fick vänta en stund över den utsatta tiden eftersom prästen hade ytterligare några brudpar att viga. När de återvände till Tvätterskegården hade gästerna samlats. De var knappast mer än hälften så många som vid Håkans och Charlottas bröllop: Lisas närmaste släktingar och den ende kvarlevande faddern Håkan med hustru, Gustafs mor och bror, parets bästa vänner. Och så Liljas, Malin hade inte tänkt bjuda dem men eftersom Lisa så gärna ville att de skulle vara med hade hon gett efter.

Malin var väl ingen riktigt skicklig matlagerska och hon hade inte velat be Charlotta om hjälp. Men tillräckligt fanns det och de flesta var inte bortskämda utan lät sig väl smaka.

Man hade försökt att hålla tyst om vad som skulle ske men ändå kunde det inte undvikas att en del folk från grannhusen och några förbipasserande samlades utanför planket och krävde att få se bruden. De var ganska skonsamma när Lisa visade sig även om det skämtades en del om brudens runda mage.

När festen var över vandrade brudparet iväg till huset inne i den fina trädgården. De som följt dem fick stanna utanför porten, brudgummen vågade inte släppa in dem i lustgården som han var satt att vakta och vårda. De uppvaktande lät sig nöja och avlägsnade sig sedan de nojsat en stund på gatan utanför.

Hösten hade kommit till trädgården. Vinden fick trädens grenar att gunga, ibland svepte en kvist mot deras ansikten. Gulnade blad föll och låg som små ljusfläckar på den mörka gången, belysta av ljuset från trädgårdsmästarens fönster i övervåningen. Apelsinträd och andra exotiska växter hade redan burits in i orangeriet.

Rummet i trädgårdsmästarhuset var litet och trångt i förhållande till de större utrymmena i gården som de nyss lämnat. I sitt nya hem tvingades de att ständigt vara nära varann, nästan trängas. Ett ögonblick kunde Lisa tycka att hon skulle tvingas bo tätt intill en främling, att hon inte längre hade något eget liv.

De hade inte känt varandra så länge, inte så väl. Allt hade bara blivit som det blev utan att de först fått växa samman.

Men det skulle väl gå, man fick vänja sig. Hon tyckte om Gustaf även om hon inte just nu kunde känna någon översvallande lycka eller lust. De skulle nog klara sig ändå, inte behöva lida någon egentlig nöd, vänja sig vid varandra och de nya förhållandena.

Höstvinden blåste genom träden där ute, trädens frukter gungade, ett äpple föll med en duns till marken. Mörkret stod tätt utanför fönstret, det fanns inte någon lykta tänd i trädgården. Något prasslade mellan buskarna och rabatterna, så hördes ilskna fräsningar och jamanden. Två kattor hade tydligen drabbat samman och snart skrek den underlägsna förtvivlat, det lät som skriken från ett övergivet eller misshandlat barn.

”denna olyckliga böjelse”

”– – –den lägsta folkklassen, varest ett överhandtagande begär för omåttligt brännvinssupande utbrett självsvåld, lättja, sedefördärv, nöd och tiggeri – – – Denna olyckliga böjelse för fylleri – – – har stigit till en sådan höjd, att den uppväxta, redan fördärvade delen av sistnämnda folkklass svårligen och icke utan de kraftigaste medel torde ifrån det omåttliga fylleribegäret och därmed förenade laster kunna avhållas eller avvänjas, och att endast den uppväxande generationen lämnar rum för hopp om lyckade bemödanden för dess förbättring.”

Stockholms överståthållare i Fem-års-berättelse för åren 1822–1826.

I den slitna och grå stadsutkanten – mellan kala bergknallar, de fattigas kojor och hantverkarnas och småborgarnas enkla hus – låg de förmögnas utposter som befästa öar, förbjudna att beträda. Höga plank och låsta portar skyddade malmgårdar, en gång byggda som sommarnöjen, och trädgårdar där man odlade frukter, bär och köksväxter och hade sällsynta utländska märkvärdigheter i växthus och orangerier.

Kring Vita bergen låg Groens malmgård vid Vintertullsgatan och Totties vid Stora Bondegatan. De mest kända trädgårdarna i trakten var den vid Kocksgatan, anlagd av arkitekten Palmstedt, och amiralitetskammarrådet Strandbergs.

Strandbergs trädgård låg nära Vita bergens högsta del, mellan Nya gatan och Stora Bondegatan. De båda gatorna sluttade här ganska brant från Borgmästargränden ner mot Renstiernasgränden. Mycket sten och jord hade en gång förts hit för att terrassera bergssluttningen och ge tillräcklig mylla.

Nu sov den nordiska växtligheten under vinterns vita täcke. Men inne i de varma växthusen höll sig de exotiska främlingarna vakna och levde sitt konstlade liv långt borta från de naturliga växtplatserna. Ananasplantornas gulrödspräckliga frukter skulle snart kunna skördas.

När Lisa gift sig hade hon inte flyttat långt från barndomshemmet, mellan Tvätterskegården och trädgårdsmästarhuset var avståndet bara några hundra alnar.

Ändå hade hon flyttat till ett helt annat liv. På ett sätt från fattigdom till rikedom, från de enkla kvarteren och de små gårdarna till de förmögnas stora och välskyddade lustgård. Men också från det gamla hemmets större ytor till drängbostadens trängsel och beroende.

Trädgårdsmästarhuset var ganska dragigt och kallt, sämre byggt än Tvätterskegården. Lisas morfar hade ägnat mycken tid och kraft åt att täta väggar, fönster och dörrar. Och där hade den stora öppna spisen spritt sin värme.

Kammarrådet Strandberg var naturligtvis mer intresserad av att skydda och vårda de dyrbara växterna än de enkla människor som skötte dem. Drängarna var snarast ett nödvändigt ont, de behövdes men fick inte kosta alltför mycket. Det var i orangeriet, persikehuset och växthusen som man främst måste hålla värmen och undvika drag, trädgårdsmästaren och hans drängar förutsattes tillhöra ett härdigare släkte som inte fick klemas bort.

Att drängen Gustaf Boman och hans kvinna fått ett spädbarn kunde knappast kammarrådet lastas för. Genom att ge det unga paret ett rum att bo i hade han redan sträckt sig längre än någon kunde kräva av honom. Ingen kunde heller påstå att drängbostaden var sämre än de andra kyffena och skjulen i Vita bergen. Där levde det säkert många barn som frös värre.

Fattigt folk kunde uthärda på ett helt annat sätt än de som var vana vid att ha det mera ombonat. Och slog kylan till riktigt hårt kunde drängens hustru och barn till och med få värma upp sig i orangeriet. Där fanns också alltid en del att göra som kvinnan kunde syssla med under tiden, som en ersättning för värmen och nöjet att få vistas bland de märkliga växterna.

Drängarna Gustaf och Alexander hade spänt hästen för släden och varit nere vid Hammarby sjö för att hämta vatten, de höll en vak öppen där. Träden och växterna krävde mycket vatten och det bars in i ämbar och stod sedan intill spisen för att värmas innan det användes.

Man behövde inte snåla så hårt med vattnet när man kunde köra med häst och hämta. I Tvätterskegården hade de fått bära det mesta uppför de branta och knaggliga backarna från Nytorget, en stor del hade ofta skvimpat ut på vägen. Den nya bekvämligheten satte Lisa stort värde på, hon ville hålla barnet och dem själva rena. De flesta i trakten var väl inte så noga med det. Men hennes mormor, Sofia, hade alltid talat om hur viktigt det var att hålla sig ren, inpräntat det i sitt enda barnbarn.

Barnet, som Lisa ammade, hade fått namn efter *sin* mormor: Malin. Hon hade också ett andra namn, Sofia. Egentligen skulle nog Lisa hellre ha velat kalla flickan för Sofia. För Lisa hade mormor Sofia en gång varit den stora tryggheten och den säkra famnen, betytt mer än modern. Modern hade alltid varit så upptagen av sig själv och sitt, liksom inte hunnit med sitt barn.

Lisa hade kritiserat sin mor ibland, också undflytt henne, sökt sig till jämnåriga. Det kunde hon förebrå sig själv nu efter bröllopet då hon ju sett hur modern gjort allt som stått i hennes förmåga för att göra dagen så festlig och glad som möjligt.

Självförebråelserna hade avgjort namnvalet, blivit Lisas offer. Kanske i onödan, modern hade inte verkat särskilt tacksam eller glad. Hon hade bara sagt att hon hoppades att den lilla skulle få ett bättre liv än hon själv haft.

Någon gång kunde Lisa undra om hon gjort fel, hon skulle kanske ha gett flickan ett annat namn. Hon hade naturligtvis hälsat på hemma i Tvätterskegården flera gånger – men varje gång känt sig betryckt när hon gick därifrån. Någonting var fel, det stod inte rätt till med hennes mor.

Modern var olycklig, förvirrad ibland, kanske sjuk – fast hon förnekade det. Namnet Malin skulle kanske bli tungt att bära, påminna om sorg och elände.

Den första april flyttade Margareta Lilja från Tvätterskegården till sin son Ture, som sedan en tid hyrde ett litet hus på Kvarnberget på Kungsholmen, helt nära verkstaden där han arbetade. Ture Lilja hade varit hos Owen i tio år nu, sista året som verkmästare. Han hade onekligen lyckats, var ju inte ens trettio ännu.

Margareta hade länge längtat efter att få lämna Tvätterskegården. Så länge Sofia styrt och ställt där hade Margareta trivts bra, efter det att Malin övertagit ansvaret hade det blivit svårare, särskilt sedan Malin och Amalia blivit ovänner.

Amalia hade flyttat ihop med sin dragare redan några veckor tidigare. De skulle väl gifta sig så småningom, åtminstone om det blev så att de väntade barn. Dragaren tyckte inte att det var så bråttom med giftermålet, man skulle inte krusa för prästerskapet i onödan.

Lisa tog barnet med sig och gick för att säga farväl till änkefru Lilja. Ture hade ordnat med häst och släde och hade med Nils Ekbergs hjälp burit ut träsoffan, bordet och de andra enkla ägodelarna och surrat fast dem på släden som väntade i gränden.

Malin bjöd på kaffe inne i stora köket. Hon var vänligare än vanligt mot Liljas, ville väl att avskedet skulle efterlämna ett gott minne. Samtidigt var hon ivrigare, oroligare, som splittrad. Skrattet och gråten tycktes lika nära, översvallande vänlighet och kall likgiltighet växlade.

Och sedan Ture och hans mor tagit plats på släden och den försvunnit ner mot Nytorget sa Malin: Det var skönt att bli av med den där lismande käringen och hennes högfärdiga avkomma.

Lisa svarade inte på orden som hon fann orättvisa, frågade bara vilka som nu skulle hyra bostaden efter Liljas.

En familj Jonsson, fick hon veta, ett par med fem barn. De hade tidigare bott intill sjön Fatburen men nu hade mannen fått arbete på en av brädgårdarna nere vid Tegelviken och ville bo närmare sin nya arbetsplats.

Familjen kom en timme senare. De ägde inte mer än vad som fick plats på en dragkälke. Av barnen var tre pojkar, den äldste en tioåring som antagligen hade något fel på rösten. Åtminstone lät han mycket hes.

Som ogift stod Malin under faderns förmyndarskap. Om hon gift sig skulle mannen varit hennes förmyndare och husbonde – och till och med haft rätt att aga henne om han så funnit lämpligt. Endast som änka skulle hon haft laglig rätt att själv förfoga över sina förtjänster och tillgångar. När fadern dog skulle brodern Johannes bli hennes förmyndare.

Men i praktiken fungerade mycket annorlunda än lagen föreskrev. Det gällde kanske särskilt för den lägsta folkklassen, lagar och förordningar hade sällan utformats med tanke på dess förhållanden och liv. Ytterst få av de fyra ståndens kvinnor hade något arbete utanför hemmen. Tvätterskor, roddarmadammer, krögerskor, försäljerskor och andra fattiga arbeterskor däremot som drev egen rörelse och inte kunde betraktas som tjänstehjon, kunde inte riktigt fångas in i lagens nät. Om de var ogifta och ensamstående kunde de rentav få behålla sina inkomster själva. Och även om de hade förmyndare var det svårt att kontrollera dem och deras verksamhet.

Många av dessa kvinnor undvek därför att gifta sig, också om de fick barn. Det var säkrare och förmånligare att förbli ogift. Ville man ha en karl i huset var det bättre att underhålla honom än att gifta sig med honom. Om en äkta man var en suput kunde han tvinga hustrun att ge honom varje öre och låta henne och barnen svälta. Som ogift kunde den självförsörjande kvinnan när som helst lämna honom eller driva ut honom ur sin bostad.

Malins mor, Sofia, hade helt rått över sina inkomster. Även om fadern, Nils, formellt ägt huset så var det ett arv efter Sofias mor. Nils Ekberg hade aldrig hävdat sitt förmyndarskap och sin husbonderätt. Det skulle heller aldrig ha gått när det gällde Sofia.

Efter Sofias död hade Nils helt överlåtit ansvaret för huset på Malin, tvättandet som hon bedrev fick hon också sköta självständigt. Han klarade sig själv på den lilla pension han hade, hans anspråk hade aldrig varit stora.

Men när fadern inte längre fanns skulle mycket bli annorlunda. Då skulle Malins bror, Johannes, ärva huset och förmyndarskapet över henne. Även om Johannes var snäll och välvillig skulle han nog ändå inte nöja sig med att låta det gå som det gått. Han var en samvetsgrann man, fick han ett ansvar ville han förvalta det väl.

Om ändå allt hade varit som det borde vara och som det varit på Sofias tid!

Men det var inte alls som det borde vara, långt därifrån.

Under de senaste åren hade Malin förlorat många av sina kunder. Mycket kunde väl skyllas på de dåliga tiderna. Fast det var långt ifrån hela sanningen, Malin visste att flera av dem hon förlorat anlitade andra tvätterskor nu. De var inte nöjda med det arbete hon gjort.

Någon kväll, när hon satt där ensam med flaskan, kunde hon erkänna att de hade rätt. Visst hade hon slarvat ibland, inte lagt ner tillräcklig kraft på besvärliga fläckar, inte behandlat ömtåliga örngottsspetsar tillräckligt varsamt, inte hållit utlovade tider. Någon gång hade det hänt att hon blandat ihop olika kunders tvätt så att plagg saknats eller bytts bort. Och fast hon visste att hon felat hade hon inte lovat bättring utan i stället förnekat vad som hänt och börjat gräla med de missnöjda.

När inkomsterna sinat men utgifterna ökat hade hon pantsatt och sålt pannor och grytor, stolar, lakan och täcken.

Det fanns inte mycket kvar i huset som det gick att få något för. Hon hade lånat pengar av Johannes i samband med Lisas bröllop och fadern hade hjälpt henne genom att ta ett lån med säkerhet i huset.

Den dag fadern dog och Johannes övertog ansvaret skulle det inte dröja förrän han såg hur illa det var. Då skulle han känna sig tvingad att bruka den rätt han hade, i tanke att det också var för Malins bästa.

Johannes var duktig, han skulle kanske kunna reda upp det hela. Men det skulle innebära att Malin förlorade sin frihet. Den dagen ville hon uppskjuta så länge som möjligt – trots att hon visste att situationen blev sämre för varje dag som gick.

Ännu levde fadern. Fast nog hade han blivit ynklig, hörde allt sämre, orkade inte mycket.

Egentligen fanns det bara en möjlighet att öka inkomsterna. Malin hade tänkt på saken många gånger men tvekat eftersom hon också då skulle förlora en del av frihet och oberoende.

Hon kunde hyra ut mer, ta inneboende.

Rummet och köket som Liljas haft och där Jonssons nu flyttat in hade egen ingång från gården. Men till vindsrummet och till kammaren, som fadern låg i, kunde man bara komma genom stora köket. I vindsrummet och kammaren fanns inga eldstäder, de uppvärmdes genom skorstensstocken till stora kökets öppna spis.

Stora köket hade främst varit en livlig arbetsplats där fintvätten strukits och tvättkorgarna packats. Förr hade de haft två anställda tvätterskor som sovit i köket, när bara en blev kvar hade hon fått flytta ut i bykhuset. Nu fanns ingen och sedan Lisa flyttat och fått sitt barn var Malin oftast ensam med arbetet. Fast stenmangeln på bykhusets torkvind måste man vara två för att sköta, när det skulle manglas brukade fadern försöka hjälpa henne.

Vindsrummet var nog lämpligast att hyra ut. Helst till ett par kvinnor, kanske en mor med vuxen dotter, de fick använda spisen i stora köket när de behövde laga mat. Själv fick väl Malin flytta in till fadern i kammaren – eller kanske hellre ut i bykhuset. I stora köket kunde hon ha fyra-fem inneboende, folk som sov där men höll sig borta på dagarna.

Det skulle inte bli svårt att finna intresserade. Många människor bodde i dragiga skjul och förfallna lusthus och sökte en bättre och någorlunda trygg sovplats. Ytterst få nya hus hade byggts i staden de senaste åren och minst av allt bostäder för utkanternas fattiga.

Allra värst utsatta var "uteliggarna", kringstrykande tiggare och helt bostadslösa som vintertid kunde hittas halvdöda under bergens trätrappor och på gator och torg. Men dem ville Malin inte ta emot, det var dessutom förbjudet. Uteliggarna bestraffades för att de låg ute och den som hyste dem straffades för att han tog emot dem.

Malin kunde välja – och rata. Redan efter några dagar hade hon funnit hyresgäster för vindsrummet, två systrar som försörjde sig som sömmerskor och gick till sina kunder i deras hem. Den ena av dem, madam Tornberg, var änka och hade en liten mager sjuårig dotter som ängsligt höll sig bakom de två kvinnorna. Malin hade visserligen inte tänkt sig att ta emot några fler barn men flickan verkade så tyst och snäll att hon väl knappast kunde bli till besvär. Och sömmerskor var minsann inte den sämsta sortens folk även om de tjänade dåligt, de gick i fint folks hus och måste hålla sig rena och lusfria.

Som inneboende i köket hade Malin tänkt ta några karlar, de höll sig säkert ute mer än fruntimmer. Att ha både män och kvinnor där kunde bara leda till bråk och osedlighet.

Tyvärr var det så att de flesta ensamma män som inte bodde på arbetsplatserna var utearbetare. Det betydde att de blev arbetslösa åtminstone under de kallaste månaderna när sjöfarten upphörde och hamnen låg tom och när kylan lamslog också många andra arbeten. Då kunde det bli svårt att få pengar från dem och då hade de ingenstans att gå på dagarna.

Men nu var våren nära, långt till nästa vinter. Den dagen den sorgen.

Två hamnarbetare, två dagsverkskarlar och en skärslipare fick flytta in i stora köket. Hamnarbetarna delade på sängen som tvätterskorna en gång sovit i, de övriga fick ligga på golvet längs väggarna. I mitten skulle det finnas en ledig gång och det skulle vara tomt kring bordet, vid spisen och intill dörrarna.

Nils Ekberg hade funnit sig i det som han antog var nödvändigt. Att Malin och han skulle kunna fortsätta att ensamma bo i två rum och kök var naturligtvis otänkbart, så bra fick inte vanligt folk ha det. Och när det gick sämre med tvätten måste man finna andra utvägar. Det var säkrast att Malin styrde och ställde, hon begrep bäst och själv kunde han inte göra mycket längre, var nog bara till besvär.

Men inte var det som förr i Tvätterskegården. Under många år hade det varit så lugnt och stilla där, Liljas hade varit tysta och hänsynsfulla, det hade inte heller funnits några barn i huset. Nu stojade Jonssons ungar på gården eller ylade i himlens sky när deras far klådde dem med svångremmen. Och i stora köket satt karlarna och drack och spelade kort, stimmade och kom i gräl ibland. Sömmerskorna märkte man däremot knappast, inte heller den lilla flickan som smög sig undan och sällan eller aldrig lekte med Jonssons barn.

Ibland var den tilltagande dövheten nästan till välsignelse, tack vare den slapp Nils Ekberg mycket. Oftast höll han sig på sin kammare, orkade inte riktigt intressera sig för livet längre sedan hans händer inte ville lyda honom som förr. Låg och tänkte på gångna och lyckligare tider. Ibland tittade han på de stora snirklade snäckorna som låg på den lilla byrån och mindes långresan som han deltagit i under sin ungdom. Det var otroligt att tänka sig att han en gång varit så långt borta i världen. Ända nere i Medelhavet där fregatten Carlberg lyckats hålla undan för härjande kapare och sjörövare.

Då måste Nils sätta snäckorna mot öronen och försöka höra om havsbruset fortfarande fanns innestängt i dem. Och trots att han hörde så dåligt numer tyckte han sig uppleva vågornas sorl.

Lisa hade hört talas om moderns planer och väl också förstått att något måste ske. Åtminstone vindsrummet kunde avvaras och sömmerskorna störde nog inte någon.

Ändå blev Lisa skakad när hon kom och såg hur det gamla hemmet förändrats. Jonssons ungar stormade omkring på gården, klättrade på hustaken och klängde i fläderbuskarna. Inne i stora köket satt några män med flaskorna på bordet, kring väggarna låg deras halmstoppade gamla madrasser och smutsiga trasor och spred sin stank. Modern syntes inte till, när Lisa frågade efter henne pekade en av dem med tummen över axeln: Ekbergskan är i bykhuset.

Med barnet på armen gick Lisa ut på gården. Dörren till bykhuset var stängd men en grå rökstrimma steg från skorstenen.

När det knackade på dörren hann Malin skjuta in flaskan under täcket, sätta sig upp och dra handen genom håret.

Vad är det nu då? sa hon strävt. Kom in då.

Jasså, är det du, sa hon när Lisa öppnade dörren. Jag trodde det var nån av dom inneboende.

Malin reste sig osäkert från bädden på golvet, måste ta fäste mot väggen för att inte falla.

Jag sov dåligt i natt så jag la' mej en stund. Då blir man lite vinglig när man ska opp, ursäktade hon sig.

Sover mor här ute nu? frågade Lisa.

Ja, det är liksom lugnare här. Morfar har inte varit så bra sista veckan... och så snarkar han också. Men han har satt upp en ordentlig bom för dörren åt mej så jag kan stänga om mej på nätterna.

Malin föreslog att de skulle gå in i kammaren och sitta där och prata en stund. Men Lisa ville inte störa morfadern som kanske sov, han låg större delen av dagen nu. Hon skyllde på att hon gått förbi och snart måste hem igen, hade bara velat höra hur det var. De satt en stund på bänken i bykrummet, tvätt bubblade i grytan. Det var inte kallt där inne men ångan låg som imma på fönsterrutan och fuktade väggarna.

Lisa sa inte mycket, vågade inte fråga, ville komma undan så snart som möjligt. Modern talade oredigt, klagade över att hon blivit ensam och övergiven av alla, upprepade sina ord om och om igen.

Först nu förstod Lisa hur illa det var ställt, hur hopplöst. Fast hon knappast kunnat göra något för att hjälpa eller hindra kände hon sig skyldig. Hon hade ju också övergivit modern. Skulden blev inte mindre av att hon förstod att hon flytt i tid.

”nödig kunskap om sina plikter”

”Kommitterade hava – – – kommit till den övertygelse, att spöstraffets avskaffande skulle sannolikt i betydlig mån bidraga till minskning av brottslingars antal, helst om, genom en förbättrad folkundervisning, de lägre folkklasserna tillika kunde bibringas nödig kunskap om sina plikter emot Gud, sig själva och samhället, varom de nu oftast sakna all kännedom – – –”

Ur Betänkande och förslag till en förbättrad fångvård, framlagt i mars 1823.

Johannes Ekberg hade snus- och tobaksbod vid Stora Nygatan sedan mer än femton år tillbaka. Ganska länge hade också han och hans hustru Kerstin bott i den lilla skrubben innanför boden – men de senaste åren hade de hyrt ett kök mot gården i samma hus. Man kunde säga att han fått det ganska bra, särskilt om man beaktade hans fattiga bakgrund och hans invaliditet.

Ibland tänkte han att det nog var hans livs stora olycka som gett upphov till framgången. När han som elvaårig skeppsgosse förlorat sin högra arm i slaget vid Svensksund 1790 hade framtiden verkat helt utan hopp. Men just detta att han var krigsinvalid medförde att han kom att höra till dem som myndigheterna tillät arbeta inom tobakshandeln. Den människovänlige fabrikören Karl Broberg hade anställt Johannes i sin bod längst ute på Södermalm och så småningom hjälpt honom att börja egen verksamhet. Han förde fortfarande Brobergs varor i sin bod.

Lokalen var inte stor men sedan Johannes börjat nyttja det inre rummet som förråd hade han kunnat utöka sitt varulager. Snusförsäljningen hade ökat alltmer och var nu större än efterfrågan på röktobak och tuggtobak. Tillbehör som näverdosor, skinnpungar, pipor, fnöske och flinta hade han sålt hela tiden. Men pisksnärtar, byxhängslen och viskor hade han börjat med senare och sedan en tid tillbaka hade han också tryckalster, nya och begagnade böcker och ”visor tryckta i år”, till försäljning.

Bokförsäljningen var han särskilt intresserad av, den gav honom möjlighet att läsa en hel del själv. Men han fick vara försiktig, han måste undvika att köpa böcker som bara han själv ville läsa och inte kunderna. De ville helst ha "Balen på Ekensberg", "Ullas händelser" och andra litet skabrösa skrifter.

Johannes och Kerstin levde i sämja. Deras enda sorg var att de saknade barn. Nu var de båda över fyrtio och hade givit upp hoppet. Ibland undrade Johannes om han mist något av livsgnistan den dagen då hans sönderslitna arm amputerades.

I stället hade Kerstin och han försökt hjälpa traktens fattiga barnungar. Under många år hade Johannes undervisat flickor i läsning, skrivning och räkning och Kerstin hade hjälpt dem att lappa kläderna och bistått dem med litet mat. Flera av dem tittade in då och då. De flesta klarade sig ganska bra och fyllde sin uppgift i tillvaron och samhället.

Nästan alla var naturligtvis tjänstefolk, som de flesta fattiga kvinnor var, tvungna att ta tjänst på de villkor som bjöds. För tjänstehjonen gällde oftast att största delen av lönen utgick in natura, de hade kost och logi hos sitt herrskap och fick också en del kläder. Den kontanta ersättningen var inte mer än fickpengar. De vågade inte säga upp sin tjänst om de inte hade löfte om en ny, eftersom försvarslösa riskerade att bli intagna på korrektionshus och tvångsarbetsanstalter. Ibland kunde det kännas som om de drabbats av livegenskap.

Tjänstehjonsstadgan var ett ständigt diskussionsämne. Några ansåg att lagstiftningen måste humaniseras och även hjonen få sina fri- och rättigheter. Man varnade också för det hot mot samhällsordningen som kunde bli följden om man pressade de fattiga alltför hårt. Men de flesta som nyttjade dem i sin tjänst menade att den pockande och lättjefulla underklassen måste hållas efter hårdare.

Många arbetsgivare ville ha gott om hjon att välja på, för att inte nödgas anställa "löst och liderligt folk". De önskade ta in tjänstefolk från landsorten – men när det blev fråga om att ställa borgen för dessa inflyttare, om de skulle sluta som fattigvårdsfall, vägrade de.

För staten var det dyrt och besvärligt att fylla anstalter och fängelser med försvarslösa. Det var också olyckligt att dessa blandades med kriminella fångar. Därför hade man för några år sedan infört en reform, som många dock menade uppmuntrade de lättjefulla hjonen: endast sådana försvarslösa som tidigare straffats för tiggeri eller stöld skulle hamna på anstalt när de blev arbetslösa. De släpptes inte därifrån förrän någon garanterat dem en anställning. Nu var det naturligtvis inte många arbetsgivare som vände sig till fängelserna när de ville anställa folk. Det fanns försvarslösa, särskilt män, som suttit på fästning i trettio år och väntat på arbete.

När sådana tidigare straffade försvarslösa togs in för andra gången – nu för att de var arbetslösa – var det lidande de utsattes för en orättvis ny bestraffning, hävdade en del. En sekreterare Risell hade sänts ut av justitiekanslern för att besöka de fängelser där försvarslösa satts in. Han hade funnit dem fjättrade med järnbult kring ena benet, boende i samma rum som förhärdade förbrytare.

För att utreda vilka åtgärder som borde vidtagas hade Kunglig Majestät tillsatt en kommitté som skulle lägga fram förslag till den kommande riksdagen.

Johannes Ekberg försökte följa diskussionen om de försvarslösa, den intresserade honom. Han kunde få en del uppgifter genom de kanslister och kopister vid Kunglig majestäts kansliexpeditioner som hörde till hans kunder. Några av de unga herrarna var mycket språksamma och det var genom dem han hade hört om Risells undersökning.

Den som pratade mest var kopisten Hultgren vid justitiekanslersexpeditionen, en – åtminstone utanför ämbetslokalen – mycket självsäker herre som starkt kritiserade den tillsatta kommitténs sammansättning och arbete.

Där satt sju herrar, de flesta adelsmän och höga militärer, tillsammans med sin sekreterare, som var en greve Snoilsky. Hur skulle dessa herrar kunna förstå hur för dem helt okänt fattigt folk drabbades? sa Hultgren. Kommittén hade också diskuterat de vanärande straffen och funnit att offentlig spöslitning nog borde avskaffas så småningom, även om det var omöjligt just då. I en tidigare utredning, tillsatt av riksdagen, hade det sagts att spö- och ris-straffen egentligen var ganska genialiska – ekonomiskt fördelaktiga för staten och ett ganska snabbt övergående lidande för den straffade. Men den kommittén hade också fastslagit att ändamålet med kroppsstraffen skulle förfelas om de inte verkställdes på allmän plats.

Om de intagna försvarslösa hade den nu arbetande kommittén uttalat att dessa inte borde friges förrän de kunde "återföras till känsla av moraliskt värde". Det innebar att de inte kunde få tidsbestämda straff utan skulle sättas i ensamceller på korrektionsinrättningar och hållas där, utan arbete, tills deras hjärtan bevektes och de kände avsky för sitt tidigare levnadssätt. Först då skulle de få syssla med något arbete, till att börja med i enslighet men så småningom tillsammans med andra fångar som gjort liknande framsteg. Fast om någon pratade i onödan, eller svor och trätte, fick han återvända till ensamheten, i värsta fall i mörk arrest. Först sedan fången var helt kuvad skulle han få arbeta utomhus och till sist få sin frihet.

En samling lismare och lögnare skulle det systemet skapa, ingenting annat, sa Hultgren. Dessutom var planen omöjlig att förverkliga, den krävde helt andra anstalter än de som fanns. Man föreslog att egendomen Barnängen skulle inköpas för anläggandet av en korrektionsinrättning för fyrahundra man. En liknande anstalt borde förläggas till Göteborg och den som fanns i Karlskrona omorganiseras. De grövre brottslingarna skulle bli kvar på fästningarna men behandlas på liknande sätt, de skulle inte heller släppas förrän vederbörande styresmän funnit dem samhällsdugliga.

Fast det inte fanns bostäder för fattigt folk att tränga ihop sig i ville man bygga jättelika anstalter där fångar skulle hållas i egna rum i åratal för att sitta och grubbla över sina synder. Det enda som herrar kommitterade fann litet besvärande var att underhållet av en fånge redan nu kostade tio till tolv skilling banco om dagen medan soldaterna som skötte bevakningen inte fick mer än sju och en halv...

Sa den obstinate Hultgren och snörvlade in snuset som den vänlige tobakshandlaren bjöd på.

En dag ställdes plötsligt Johannes själv inför problemet med de försvarslösa. En av hans tidigare skyddslingar, Barbro, kom in i boden. Hon var illa ute och visste ingen annan än Johannes att vända sig till. Det framgick av hennes berättelse att hon varit gripen för både tiggeri och stöld. Nöden hade tvingat henne, hon hade varit utan arbete och hennes mor långvarigt sjuk.

Nu hade modern förts till fattighuset och Barbro själv fått veta att om hon inte genast såg till att hon fick sitt laga försvar skulle hon tas in på spinnhuset. Där kunde hon bli sittande i åratal såvida hon inte hamnade hos någon snål bonde, sådana brukade ibland sommartid söka tjänstepigor i fängelserna.

Barbros bön var att Johannes Ekberg skulle förbarma sig över henne, ge henne laga försvar tills hon lyckades få någon tjänst.

Hon visste att det var mycket hon begärde. Att han skulle ta ansvar för henne, ge henne husrum och nödtorftig föda. Men hon låg gärna under tobaksbodens disk på nätterna, skulle göra all nytta hon kunde.

Hon fick sitta kvar i boden medan han gick upp i köket och talade med Kerstin.

Kerstin och Johannes hade aldrig haft någon huspiga utan alltid klarat sig själva. Trots att Johannes försökte uträtta allt han förmådde med sin enda hand och arm hade Kerstins arbetsuppgifter blivit fler och tyngre än de annars skulle ha varit. Och även om hon inte var så många år över fyrtio hade hon fått svårare att orka med.

Nog kunde hon behöva hjälp, med tvätt, städning, vattenhämtning och mycket annat. Kostnaderna skulle inte bli så överväldigande stora och de hade inte sämre ställt än många som höll sig med både rum och kök, flera barn och två pigor. Men fattigdomen som de växt upp i en gång hade gjort dem försiktiga och de hade inte vant sig vid dyrare seder än de ärvda. Därför hade de heller aldrig kommit på tanken att anställa någon.

Nu ville de gärna rädda flickan. Och fann att de samtidigt utan att behöva anklaga sig själva för slöseri kunde förbättra sina förhållanden. Eftersom kunderna blivit ganska många behövde de ofta vara två i boden och det var svårt för Kerstin att komma ifrån när hon skulle sköta andra uppgifter eller se till sina gamla föräldrar uppe på Söder.

Men kunde de lita på Barbro? Hon hade gjort sig skyldig till stöld, kanske till mer än så?

Som liten flicka hade hon varit snäll och lydig fast hon kanske inte hört till de allra bästa. Också nu hade Johannes tyckt att hon uppträtt ärligt och övertygande, det verkade snarare vara förhållandena än flickans karaktär som fört henne in i olyckan.

Johannes visste att det fanns människor som betraktade honom själv som mindervärdig, en "vanför usling". Därför var han sträng mot sig själv, krävde att han skulle klara det mesta med sin enda hand. Och då kunde han också ibland bli sträng mot andra, tycka att de som var helbrägda borde kunna klara sina uppgifter i tillvaron.

Men han begärde bara det möjliga – åtminstone av andra.

Av de svaga krävde han inte mer än vad han ansåg måste krävas också av dem. Att inte ställa några krav alls skulle vara detsamma som att svika dem.

Johannes ömkade inte dem som misslyckats, grät inte med dem, snarare kunde han ibland förefalla kyligt saklig. Men han sökte utvägar.

Kerstin och Johannes kom ganska snart till beslut och besked. Barbro skulle få stanna hos dem, till att börja med för det halvår som tjänstehjonsstadgan krävde. Hon skulle få sin sovplats i lagerutrymmet innanför boden, mat och kläder skulle hon få och dessutom en slant. Det var ett gott anbud för vilken piga som helst och Barbro grät igen, nu av glädje.

Några dagar senare, en lördagseftermiddag i april, vandrade Kerstin upp till Söder. Barbro skulle hjälpa Johannes i boden, ännu hade flickan inte lärt sig så mycket att hon fick expediera kunderna men väga snus och sno ihop strutar kunde hon klara.

Kerstin kände sig nästan oansvarigt fri. Hon skulle börja med att hälsa på föräldrarna och sedan mot kvällen uppsöka Håkan och Charlotta. En stund funderade hon också på om hon skulle titta in i Tvätterskegården och hälsa på svärfadern och Malin. Som unga hade Kerstin och Malin hållit ihop men sedan hade de kommit ifrån varann trots att de blivit svägerskor. Och nu drog sig Kerstin litet för ett möte, Malin hade blivit så bitter och grälsjuk under senare år.

Eftersom besöket hos föräldrarna drog ut på tiden kunde Kerstin utan dåligt samvete skynda direkt från dem till Sågargränden, där Rapps bodde. Där skulle hon passa på att be om ett råd.

Till sin förskräckelse hade hon funnit Barbros rygg full med inflammerade sår. Det kom fram att flickan efter stölden fått slita ris offentligt på Träsktorget i stadens norra utkant, där straffpålen numera stod.

Barbro hade inte kunnat förmå sig till att berätta något för dem om bestraffningen, skammen brände fortfarande. Men nu gick det inte att dölja längre. Små mörka rester av vassa bladknoppar och grenanlag hade piskats in under huden och några av de uppslitna såren varats.

Håkan hade ju sysslat en hel del med sjukvård under sin militära tid, han kanske kunde hjälpa.

Charlotta och Håkan hade just kommit hem från sina arbeten och satt och åt sitt aftonmål. De bjöd Kerstin att delta, ville inte höra talas om något annat.

Charlotta var rundare än vanligt och det var inte svårt att se att hon väntade barn och att både hon och Håkan var glada över det. Ja, Håkan var så stolt att han berättade det nästan innan Kerstin hunnit över tröskeln.

Kerstin nämnde anledningen till besöket och Håkan gav goda råd och hämtade salva. Han rådde Kerstin att försiktigt peta bort skräpet med en ren nål, klämma ur varet och sedan stryka på några droppar brännvin. Visst sved det – men det var viktigt att få såren rena och salvan skulle snabbt lindra svedan. Om något skräp satt kvar och växte in skulle huden för all framtid vittna om bestraffningen och den ville nog flickan helst försöka glömma.

Det var bra att Kerstin kommit, sa Håkan. Han hade annars tänkt gå över till dem under morgondagen. Något oroade honom. Han ville inte gå med skvaller, inte förtala. Men efter att ha funderat hade han ändå kommit fram till att han måste underrätta dem innan det var för sent och en olycka hände.

Det gällde Malin – och också Nils. Gamle Nils hade säkert inte lång tid kvar, fruktade Håkan, han var sängliggande nu och hade förlorat livslusten. Och han fick inte den vård han behövde, man kunde nog utan att överdriva säga att han vanvårdades.

Men Malin, sa Kerstin. Försöker inte Malin hjälpa honom?

Håkan sökte svaret, hur skulle han så skonsamt som möjligt

kunna berätta sanningen? Han gav upp, de måste ändå få veta hur illa det var.

Han hade gått till Tvätterskegården häromdagen när han haft en stund ledig, egentligen bara för att hälsa på Nils och ge honom litet tuggtobak. Naturligtvis kände Håkan till att mycket förändrats sedan Malin tagit inneboende. Men nu var gården en rövarkula där ett tiotal dagdrivare trängdes i stora köket, fulla och eländiga. Spyorna stank på gården, Nils låg inne i kammaren med otömd natthink och utan mat och dryck. Sömmerskornas lilla skräckslagna flicka vågade inte gå genom köket och upp till rummet där hon bodde.

Håkan hade röjt upp det värsta och sett till att Nils fått litet hjälp.

Och Malin?

Hon låg berusad på golvet i bykstugan där elden slocknat och kylan tagit överhand. Han hade försökt tala med henne men inte fått några rediga svar.

Strunta i mej, hade hon sluddrat, du bryr dej väl inte om hur jag har det. Gå till din Charlotta du! skrek hon sedan.

Då gick han, visste inte vad han annars skulle ha gjort. Någon rätt att ingripa hade han väl inte heller. Men om Johannes ville ha någon i sällskap när han gick dit skulle Håkan gärna gå med.

Det ville han säkert, sa Kerstin. Hon tänkte att hon måste hindra Johannes från att gå dit utan Håkan. För hur skulle Johannes kunna freda sig mot en skock berusade karlar och en kanske ursinnig Malin?

Johannes var ganska trött och förvirrad när han gick hemifrån på söndagsmorgonen. Han hade knappast sovit under natten, legat som i dvala och möjligen slumrat till någon stund.

Först hade han tänkt på fadern, oroat sig för honom, känt skuld för att han själv haft så små möjligheter att titta till honom. Johannes måste ju hålla boden öppen till sent på kvällarna. Och han hade inte förstått att det var så dåligt med fadern som det tydligen var.

Sedan var han upprörd över att Malin inte skött sina plikter. Hade hon inte alltid slarvat och saknat ansvarskänsla? Han kom ihåg hur han som ung irriterats av hennes litet slamsiga sätt mot

Axel. Eller såg han det så därför att han själv varit så blyg då och tagit kärleken så allvarligt, inte tyckt att han på minsta sätt fick förleda Kerstin till att fästa sig vid honom, en enarmad pojke utan framtid.

Det hade gått på sned ganska snart för Axel och Malin. Axel hade försvunnit, bara gått sin väg, och Malin hade suttit där med skammen och barnet. Hon hade våldtagits, sa hon då, men man kunde ju undra hur mycket våld som hade behövts.

Nu hade Malin tydligen misskött såväl fadern som arbetet. Hon hade en gång haft alla möjligheter, fått överta deras mors välskötta tvättföretag och huset som fadern gjort så fint och praktiskt. I stället för att träget arbeta vidare hade Malin supit ner sig, gjort sig till ovän med folk, tvingats ta emot inneboende.

Johannes hade redan för flera år sedan anat något av nedgång och förfall. Men så länge som fadern hade det egentliga ansvaret ville Johannes inte gripa in, det skulle vara som att anklaga fadern. Sina föräldrar kritiserade man inte, man litade på deras klokhet och erfarenhet, deras förmåga att veta bäst.

Egentligen hade Johannes aldrig närmare tänkt på att den dag fadern inte längre fanns skulle han själv få överta ansvaret för Malin.

Nu stod det klart för honom att den dagen kunde vara nära förestående och han ryggade tillbaka inför uppgiften. Han hade ju mer än nog redan nu – boden, deras hem och existens, även Barbro. Hur skulle han få tid och möjlighet att också ta ansvar för gården med hyresgäster och inneboende. Och – än värre – för Malin och hennes leverne?

Om det var så illa ställt som Håkan sagt fanns det väl knappast någon annan möjlighet än att sälja huset och låta Malin flytta till något litet rum, kanske helst på så nära håll att han kunde kontrollera henne. Men samtidigt var han rädd för att få henne alltför nära, då skulle han ha henne pockande i boden var och varannan dag. Och tvingas leva i ständig oro för hur hon skötte sig.

Han ville inte ha ansvaret för hennes liv, han såg helst att hon skötte sig själv. Men lagen tvingade honom.

Så länge fadern fanns kunde Johannes knappast göra något ändå. Att försöka flytta fadern och avslöja allt för honom vore alltför grymt. Dessutom ville fadern förmodligen inte att något skulle ske. Han förmådde inte längre fatta några beslut, orkade inte med några förändringar.

Johannes hämtade Håkan och de gick tillsammans upp till huset vid Bergsprängargränden. I aprilförmiddagens klara ljus avslöjades förfallet obarmhärtigt. Fläderbuskarna var ännu kala och de nakna grenarna med sina avslitna och brutna kvistar kunde inte dölja spyor och exkrement eller skräpet som låg utslängt på den förr så välansade gårdsplanen.

Besöket ledde inte till något avgörande, egentligen var det helt resultatlöst. Malin verkade förkrossad, erkände att hon misskött sig och lovade bättring. Men Johannes kände alltför väl att det hon sa inte var att lita på, allt var för sent. Malin hade förlorat förmågan att ge svar som betydde något, det hon hade kvar var bara ord som saknade mening och värde.

Fadern försäkrade att han inte hade något att klaga på, han behövde ingenting, ville att allt skulle vara som det var. Hur det än förhöll sig var det viktigast för honom att han slapp bråk, att Malin inte blev uppretad.

Johannes och Håkan skildes vid Stora Bondegatan, nu skulle Johannes fortsätta norrut och Håkan ta av österut. Båda visste att något snart skulle ske, de hade bara råkat komma någon dag före stormen.

När Håkan gick den korta vägen hem kände han saknaden. Tvätterskegården hade en gång varit som ett hem för honom, ja till och med som drömmen om ett hem. När han till sist fått ett eget hem hade han nog ibland försökt efterlikna idealet.

Den verklighet som han nu sett skrämde, gav en känsla av osäkerhet, av alltings förgänglighet. Nils, som alltid varit i färd med att bygga till och förbättra deras hus – nu fick han se det förfalla. Och han tänkte på Sofia som en gång gett huset dess själ. Det var ändå skönt att Sofia slapp se hur det gått med hennes tvätterskegård. Liksom det var skönt att Lisa blivit gift med en hygglig karl och kommit undan i tid.

I slutet av veckan dog Nils Ekberg, somnade bara in lugnt och stilla. Avgörandets dag var inne.

”Herre Gud, hav vård om elden!”

”Aldrig höres annat än oroliga händelser, och i år tycks som det vore en sjukdom på hästar att skena – Gud bevare både människor och hästar samt elden som av tjänstefolk ofta missvårdas och åstadkommer stora olyckor.”

”Herre Gud, hav vård om elden!”

Märta Helena Reenstierna i sin dagbok 18.1 och 8.2 1823.

Sedan de inneboende fyllt Tvätterskegården hade familjen Ekberg förlorat sin naturliga mötesplats. Johannes' bostad var liten och låg avlägset, Lisas ännu mindre och svårtillgänglig i sin stängda trädgård dit drängfolkets besökare inte var särskilt välkomna. Men Håkan Rapp, som så ofta varit gäst hos Ekbergs, ville gärna ta emot dem när de samlades efter begravningen. Inte var hans och Charlottas hem så stort men de skulle heller inte bli så många, bara de närmaste.

Dagen var kall och mulen, ovanligt mörk för årstiden. Mörkret fanns inte endast runt omkring utan också inom dem. Det var inte bara så att de sörjde en gammal sjuk man som dött, de sörjde också sitt barndomshem, förtroendet och gemenskapen som försvunnit.

Malin kände sin skuld och sitt misslyckande. Hon anade att de andra tyckte att hon missskött fadern och slarvat bort deras gemensamma arv. Och hon visste att hon inte orkade med någon förändring och att heller ingen trodde på några löften längre. Lisa bar på en stark oro för modern, både för hennes framtid och för vad hon kunde ta sig för eller säga denna dag. Johannes skruvade sig inför beslutet han måste fatta, tyckte att han fått en bödels uppgift. Även om han inte skulle beröva Malin livet måste han frånta henne livets mening, oberoendet, rätten att vara sig själv.

Håkan och Charlotta försökte bjuda till, lätta stämningen något. Men varken Charlottas kokkonst eller Håkans vänlighet tycktes räcka till. De kunde kanske för en stund trösta Kerstin och

Gustaf men Malin, Lisa och Johannes var oåtkomliga, instängda i sin förtvivlan.

Malin talade knappast alls, sa ja eller nej när hon tillfrågades men inte mer. Hon hade försökt undvika brännvinet det senaste dygnet och även om hon inte lyckats helt så hade avhållsamheten ändå gett upphov till en fruktansvärd oro. Hon längtade hem till flaskorna hon gömt, den ro de kunde bjuda, utslocknandet av medvetandet. Något mer fanns inte längre, allt annat hade hon förlorat.

Hon tyckte sig känna – och ansåg sig förtjäna – de andras misstroende. De behandlade henne annorlunda än förr, som någon som inte var helt tillräknelig. Inte bara lagen utan också hennes närmaste omyndigförklarade henne. Hon kunde inte förneka att de hade rätt men utsattheten tvingade henne ändå till motstånd. Ännu hade hon inte funnit ord, bara känt en förtvivlad önskan att slå tillbaka.

Men de gav inga tillfällen, angrep henne inte, sa inte ett ont ord. Tvärtom var de förstående och vänliga. Som om de till varje pris ville hålla henne lugn och förhindra ett uppträde, söva henne så att de lättare skulle kunna sätta på henne bojorna och beröva henne friheten.

Hon hade ingenting att sätta emot, måste bara foga sig. De gav henne inte ens en möjlighet att slåss för sitt oförtjänta, omöjliga och olagliga oberoende.

Malin gav upp, flydde. Förklarade att hon var trött, ville gå hem. Lisa sa att hon och Gustaf skulle följa henne, det var också dags för den lilla att komma till sängs. Och de hade ju samma väg.

Malin fick sällskap med dotterns familj fram till hörnet av Borgmästargränden. Sedan var det inte så många steg kvar att gå och visst skulle hon klara sig det korta stycket ensam, sa hon – som ett bittert och alltför övervakat barn.

De skildes. Malin dröjde ett ögonblick uppe på backkrönet och vinkade till dem. Lill-Malin, som låg med huvudet mot Gustafs axel, vinkade tillbaka. Och Lisa och Gustaf vände sig om och vinkade de också.

Regnet hängde i luften, de försvann i diset.

Eftersom det var lördagskväll och utearbetarna fått sin avlöning var det ganska tomt i stora köket. De flesta hade väl gått till krogen, bara de två mest försupna var inne. Skärsliparn låg och sov i sitt hörn och vedhuggarn satt vid bordet med sin flaska.

Sömmerskorna och deras flicka var också borta, skulle visst besöka någon släkting. Och hos Jonssons var det tyst, de hade väl gett sig ut de med.

Vedhuggarn var inte mycket att tala med men Malin hade behov av en olyckskamrat. Hon var ute på gården och tog in några vedträn som låg utanför bykhuset och fick eld i spisen. Sedan hämtade hon en av de gömda flaskorna och en bit rökt fläsk, satte sig vid bordet bredvid vedhuggarn, skar några skivor av fläsket och bjöd honom.

Något tilltugg ska han väl ha, sa hon.

Han var för trött för att tacka men tuggade och sköljde ner.

Snart är det slut med det här, sa Malin. Då åker ni ut, allihop.

Han förstod inte vad hon menade men mumlade ändå: Då åker väl hon också.

Hon skrattade till och tömde koppen hon fyllt.

Vedhuggarn vände upp och ner på sin flaska. Den var tom nu. Malin hämtade en kopp åt honom och hällde i.

Inte ska han behöva sukta en lördagskväll...

Ekbergskan är rejäl, sa vedhuggarn och drack. Nu kände han sig livad, blev mera talför.

Ett rejält fruntimmer, sluddrade han. En sån skulle man ha hittat i tid, då satt man inte här.

Hon blev inte arg, som hon annars så lätt blev, karlen menade ju inget illa.

Drick, uppmanade hon, när det bjuds. Och ta en bit till av fläsket.

Hon lutade sig med händerna mot bordet, reste sig halvt för att ta kniven. Och fick en vänlig klapp i baken av vedhuggarn som sa: Fint sittfläsk har hon också.

Malin tänkte kanske protestera men hur det var så blev det inte av. Det var länge sedan någon man gripit efter henne, hon hade skrämt bort dem med sin argsinta min. Nog hade hon kunnat längta efter en mans kärlek under åren, minnet av Axel kom så starkt ibland, deras korta, heta tid tillsammans, den tiden hon levde. Men samtidigt kunde hon aldrig glömma hans svek, att han övergivit henne.

Håll sej till det fläsk han fått, sa hon ändå. Mer än så blir det inte.

Vedhuggarn somnade snart med huvudet mot bordet. Malin fick dricka ensam. Eldskenet från spisen fladdrade kraftigare nu, de fuktiga vedträna hade antänts ordentligt. Ibland knäppte det till när små vattenbubblor sprängdes och blänkande eldgnistor sprättes ut.

Malin hade lagt armarna över bordet och lutade huvudet mot dem. Hon kände att hon druckit alltför mycket alltför fort. Golvet gungade, bordet seglade, den tomma flaskan föll, slog i golvet. Sedan märkte hon ingenting mer.

Några brinnande små kol från den sprakande veden flög ut över golvet och skräpet som låg överallt, antände en halmmadrass.

Skärsliparn som väckts av skrällen när flaskan slog i golvet såg sig yrvaken och bakfull omkring. Rök och lågor steg från madrassen, röken hindrade honom från att se om någon fanns i köket. Han öppnade dörren mot gården och skyndade ut, skrek: Det brinner! Elden är lös!

När dörren stod öppen gav draget elden ökad kraft, den spred sig mot väggar och tak.

Ett år tidigare hade en ledamot av brandförsäkringsbolagets överstyrelse, grosshandlaren Schwan, uttalat att goda författningar, förbättrade eldsläckningsmetoder och stabilare hus – näst försynens nåd – åstadkommit att Stockholm under en följd av år skonats från förödande bränder.

Men redan en månad därefter utbröt den stora eldsvådan på Blasieholmen, i juni 1822. Holmkyrkan och ett halvdussin fastigheter brann ner och slaktarhuset kunde räddas endast genom slaktardrängarnas heroiska kamp. Det var den svåraste eldsvåda staden upplevt sedan ”Maria brand” drygt sextio år tidigare. Under sommaren drabbades sedan också Norrköping och Simrishamn av stora bränder.

Efter katastrofen på Blasieholmen hade kunglig majestät anbefallt överståthållaren att inkomma med förslag till ny brandordning för staden. Vid årsskiftet hade också det nya förslaget överlämnats men mötts av stark kritik, främst från brandförsäkringskontoret. Enligt förslaget skulle hela brandväsendets börda övervältras på kontoret och stadens magistrat helt befrias från ansvar. Brandförsäkringskontoret hade bildats av försäkringstagarna för deras gemensamma säkerhets skull och de fann det orättvist om de med sina privata insatser nu också skulle överta brandskyddet för hela staden med statliga byggnader och andra oförsäkrade hus och hyrda våningar. Det var ett underligt tack för de stora insatser de redan gjort för stadens brandskydd.

Frågan måste utredas vidare. Under tiden fick 1796 års brandreglemente, undertecknat av den avsatte Gustav IV Adolf, fortfarande gälla.

En eldsvåda i staden gav, helt reglementsenligt, upphov till ett massuppbåd.

De första som var skyldiga att engagera sig var naturligtvis de som fanns närmast brandplatsen. Envar som lade märke till ”ovanlig rök eller os, gnistor, lysande, eller annat tecken till eldsvåda” måste underrätta folket i huset där detta förekom. Det skulle ske ”genom anskri samt klappande på portar och luckor”. Sedan skulle man ”genom ropande den ena från den andra” föra larmet vidare samtidigt som bud på snabbast möjliga sätt sändes till närmaste vakt eller tornväktare.

I kyrktornen vakade tornväktarna dag och natt. När de upptäckte – eller fick bud om – eld började de genast klämta med den största kyrkklockan. Vid brand på Södermalm klämtades två slag tätt på varandra, därefter gjordes uppehåll och så kom två slag igen. Klämtningen pågick så länge elden varade men ”långsammare när elden synes sakta sig”. Var det fråga om skorstenseld klämtades bara ett slag i sänder och endast från kyrktornet i den församling där det brann.

Om elden bröt ut medan det var ljust hängde väktaren också ut en röd flagga från tornet, sedan mörkret fallit en lysande lykta, ”vettande åt den sidan varest elden är”. Allt eftersom klämtningen uppmärksammades följde de andra tornväktarna efter så att varningssignalerna snart ljöd över hela staden. Så snart vakten på Skeppsholmen uppmärksammat dem avlossades kanonskott därifrån, två skott vid brand på Södermalm. Från de militära vaktstationerna sändes alla tillgängliga trumslagare ut för att med "brandtrumslag" varna och väcka stadens invånare. De trumslagare, som råkade vara lediga, skulle från den plats där de befann sig trummande vandra genom staden i riktning mot branden.

Om kungen hade möjlighet att delta var han högste befälhavare i kampen mot elden, i kungens frånvaro trädde överståthållaren in, närmast följde sedan underståthållaren.

När alarm gått satte stadens magistratspersoner rosor av röda och vita band på sina hattar. Deras vikarier fäste band med rosor om armen, så gjorde också stadsarkitekten och stadsbyggnadsbokhållaren, vilka skulle infinna sig för att delta i beslut om rivningar som kunde krävas för att begränsa elden. Stadens timmermän tog fram sina yxor, de skulle verkställa sådana beslut.

Stadens enklare tjänstemän hade tofsar av rött och vitt kamelgarn att sätta i hattarna medan borgerskapets funktionärer bar korta blå stavar med respektive brandsprutas nummer. Direktörerna vid brandförsäkringskontoret fäste kontorets delvis förgyllda silvermärke i hatten medan tjänstemännen satte samma märke i oförgyllt silver på ett blått band om vänster arm. Kontorets arbetsfolk bar ett mässingsmärke på bröstet. Sprutmakarna hade förgyllda mässingsbrickor som visade en sprutande drake, märket fästes med rödvita band i rockens knapphål. Deras gesäller satte mässingsbrickor med draken på vänster arm. Sprutlangarna iklädde sig sina svarta rockar av buldanstyg med gult lärftskärp om livet. Stadens fiskaler och poliser fick nöja sig med sina vanliga ämbetstecken medan stadens arbetsmanskap bar bleckbrickor som visade vid vilken spruta eller tillbringare de tjänstgjorde.

Reglementsenligt utstyrda skyndade alla till samlingsställena, oftast spruthusen i de olika stadsdelarna. Det fanns sammanlagt tolv större sprutor med tillbringare – kärror med mycket stora, tunnliknande träkärl för vattnet. Spruthuset vid Nytorget, där sprutan nummer tolv förvarades, låg närmast till den här gången. Ännu så länge stod sprutan i ett fallfärdigt träskjul men ett nytt spruthus av sten höll på att byggas efter stadsarkitekten Gjörwells ritningar.

Varje spruta och tillbringare hade en av stadens rådmän som förman. Från borgerskapet kom sprutmästare, brandmästare, rotemästare och vattumästare. Lägre tjänsteförrättare hade uppbådats genom poliskollegiet, det gällde sprutlangare, strålförare, slanghållare, pumpare, vattuösare och vattuförare.

Sprutförmännen skulle inte gå till spruthusen utan till brandplatsen för att där förbereda släckningen. Tillbringarnas förmän tog sig fram till lämpligt vattuställe, denna gång Hammarby sjö intill Vintertullen.

Även sprutmakarna med gesäller gick till brandplatsen för att ta emot och leda sprutlangarna i deras arbete.

Stadens åkare, som förvarade järnbandade vattentunnor med tratt och handtag att nyttja vid bränder, spände för hästarna och gav sig iväg med sina åtminstone enligt reglementet alltid vattenfyllda tunnor. Andra agerande hämtade från spruthusen redskap av olika slag – hackor och brandsegel, läderämbar och linor att hissa upp slangarna med, yxor, järnstörar och koffötter. Redskapen utlämnades och antecknades av spruthusmästarna.

Militärerna tillhörande stadens garnison samlades under tjänstgörande generaladjutantens befäl vid sina larmplatser på Riddarhustorget och Rådhusgården, halva styrkan i gevär och den andra halvan i ”släpkläder”. De arbetsklädda marscherade snabbast möjligt mot elden medan de bevärade stannade på larmplatsen i väntan på nya order. Vakten vid Södermalmstorg sände ut en så kallad jaktspruta som snabbt kunde komma i gång och börja släckningen, i väntan på att de större sprutorna skulle anlända och iordningställas.

Av den styrka som fanns som livvakt vid Slottet, satte sig hälften i rörelse mot brandplatsen. Den skulle främst bidra till ordningens upprätthållande – ”med saktmodighet och anständigt bemötande” när det gällde hyggligt folk och ”med mandom och styrka” när det gällde bråkstakar. Vid bränder samlades inte bara nyfikna utan också sådana som ville vara med och ”rädda” hotade inventarier.

Poliser gav sig iväg för att se till att obehöriga åkande och ridande inte försvårade framkomligheten på de gator och vägar som behövdes för sprutornas och vattenkärrornas framförande.

De skulle också ordna det så att den bästa och närmaste vägen användes av vagnarna som skulle fram med vattnet medan de tomma tillbringarna och kärrorna kunde sändas en något längre väg när de skulle förnya vattenförrådet.

I hamnarna gjorde sig sjöfolket redo att rycka ut om order kom. Pråmsprutorna kunde inte användas vid en brand högt uppe i bergen utan fick ligga i beredskap om elden skulle sprida sig. Vid brädgårdarna och varvet intill Tegelviken samlades arbetsfolket för att skydda sina lättantändliga arbetsplatser.

Sprutor nalkades nu från alla håll utom från Kungsholmen, när det brann på Södermalm skulle kungsholmssprutan ligga i reserv intill Norrbro.

Många av männen som var på väg gick med en viss tvekan. Det regnade nu. Skulle de verkligen hinna fram medan det fortfarande brann, kunna göra någon nytta? Men hur det än var skulle de få böta om de inte infann sig när larm gått så de hade knappast någon möjlighet att hålla sig undan.

Folk samlades på bergen där man hade utsikt över branden, de som stod i vägen motades bort av militär och poliser. En åkarkärra kom i vägen för nytorgssprutan, åkarhästen blev skrämd och föll i sken, vattentunnan rullade av och knäcktes.

Några olyckliga kvinnor berättade för en polis att allt de ägde fanns i det brinnande huset. Han beklagade men nu var det för sent och helt omöjligt att rädda något. Den lilla flickan i kvinnornas sällskap grät tyst. Kanske hon allra mest sörjde trasdockan som brunnit inne, för henne en nästan levande varelse, hennes bästa vän.

En ung kvinna sökte sin mor, modern bodde i det brunna huset, hade förmodligen lagt sig att sova. Då fanns inget hopp.

I grannhusen hade man börjat bära ut möbler och husgeråd på gårdarna, försökte vakta ägodelarna.

Men nu blev regnet allt kraftigare och drev många av de nyfikna från platsen. Snart strömmade vattnet ner, över staden och över det brinnande trähuset. Gnistor och flarn som under vanliga förhållanden skulle ha antänt grannhusen släcktes effektivt utan mänskligt ingripande.

De tidigare så kraftiga eldkvastarna minskade i omfång, slocknade och ersattes av rök och ånga. Men av huset som kallats Tvätterskegården återstod knappast mer än skorstensmuren, grunden och några halvbrända uthus.

Grannhusen hade bara fått mindre skador och aldrig direkt hotats av elden. Om inte regnet kommit, om det i stället varit blåsigt, skulle väl inte bara de närmaste husen utan hela bebyggelsen där uppe på berget ha brunnit ned.

Trumslagarna behövde inte slå några brandtrumslag längre, Katarinas kyrkklocka klämtade allt mer sakta och klockorna längre bort tystnade, den ena efter den andra. Soldater i släpkläder gick in i de rykande resterna, slog ner hängande bräder och bröt upp pyrande golvbjälkar. Liken av två innebrända bars till politikärran. Den unga kvinnan som oroligt sökt sin mor fick visshet.

De flesta av de uppbådade hade aldrig behövt sättas in, många anlände fortfarande. Nu fick de stå i regnet och vänta tills underståthållaren, som var befälhavare, ansåg det dags att ta till orda.

Först tillkännagav han att generaladjutanten kunde slå tropp och låta militären avtåga. Därefter beslöt han att nytorgssprutan med tillbringare skulle hållas kvar med sin besättning för att tillsammans med stadsvakten sköta eftersläckning och bevakning, övriga sprutor kunde återgå. Brandmästerskapets arbetsfolk, som bestod av drängar och arbetsföra pojkar med spadar och skyfflar, fick ta över upprensningsarbetet. De nu obehövliga sprutorna fördes till sprutmakarna för att ses över, rengöras och smörjas och därefter köras till sina spruthus. Det ålåg sedan spruthusmästarna att kontrollera att allt som utlånats kom tillbaka.

Mönstring hölls med manskapet och de som inte infunnit sig antecknades för senare förhör och bestraffning.

Några belöningar för rådiga ingripanden kunde det knappast bli tal om den här gången.

På brandförsäkringskontoret kunde man konstatera att det brunna huset var ett av de närmare sexhundra hus i staden, de flesta ganska värdelösa, som var oförsäkrade.

De två som omkommit befanns efter undersökning och förhör med närboende vara fyrtiosexåriga tvätterskan Malin Ekberg och trettionioårige vedhuggaren och dagakarlen Fritiof Persson. Branden hade förmodligen uppkommit genom vårdslöshet i samband med eldning i spisen. De som hyrt bostad i huset, två systrar varav den ena med dotter, och en familj med fem barn hade förlorat sina ägodelar och blivit hemlösa, detsamma gällde fem inneboende.

Malins hastiga och hemska död drabbade hennes närmaste hårt. De var uppskakade, bestörta. Någon möjlighet att betvivla sanningen fanns inte. Malin var borta.

I sorgen fanns ändå en vag strimma av befrielse. Trots allt hade Malin fått frid, undkommit. De ville knappast medge det ens inför sig själva – men Malin hade själv löst problemen som hon skapat. Nu behövde de inte vara oroliga för henne längre.

Hade Malin sökt döden, begått självmord för att undgå deras krav på henne? De ville inte tro det. Även om hon varit desperat och önskat sin egen död skulle hon inte ha offrat någon annans liv. Att hon hittats i köket tillsammans med resterna av vedhuggaren måste tydas så att det varit en olycka, en vådeld och inte en mordbrand.

Som så ofta när någon var död kom de nödvändiga bestyren som en befrielse, tvingade dem att resa sig ur vanmakt och förlamning och börja handla.

Lisa ordnade för begravningen medan Johannes förberedde boutredningen efter både fadern och systern. Han måste också finna en lösning på frågan vad de skulle göra med tomten och resterna av huset.

Någon försäkring hade aldrig funnits. I stället fanns skulder, det lån som Nils Ekberg tagit i samband med Lisas bröllop, och skuldsedlar som Malin skrivit på. Det fanns ingen möjlighet för dem att bygga något nytt, det gällde bara att försöka sälja marken och få tillräckligt för att betala skulderna. Då räknade Johannes ändå inte med de pengar som han själv lånat Malin.

Hus och tomter i de svårtillgängliga, ofruktbara och ganska ökända Vita bergen var i allmänhet inte mycket värda. Det värde som Trätterskegården haft hade främst bestått i det ganska välbyggda huset som nu inte längre fanns.

Johannes lyckades till sist hitta en köpare som var beredd att betala kontant. Summan täckte utgifter och skulder och tolv riksdaler banko blev över, som Lisa fick som arv efter sin mor.

Familjen Jonsson med sina fem barn kunde flytta in i ett kök i det som kallades Nilssonska huset vid Pilgatan. De två sömmerskorna och den lilla flickan fick hyra ett rum i Mejtens gränd. De av elden drabbade väckte medlidande och medlidandet skapade möjligheter där sådana annars inte fanns.

Så hade de förlorat Tvätterskegården. Den hade byggts åttio år tidigare av en duktig timmerman som varit gift med Sofias moster. För snart femtio år sedan hade Sofia och Nils flyttat in där som nygifta och Nils hade byggt till.

Borta var den lilla vackra byrån som Sofias mormor en gång ägt och de märkliga snäckorna som Nils hemfört efter den långa sjöfärd han deltagit i som ung.

När Johannes för sista gången gick över gårdsplanen tyckte han att det förflutna låg helt i mörker, hade utplånats. Av allt arbete och liv som funnits fanns ingenting bevarat. Och nu var han ensam kvar av de tre syskonen som växt upp här. Efter dem fanns bara Lisa och hennes lilla Malin.

De gick där tillsammans med honom, Lisa och den lilla, och tog farväl. Johannes följde dem hem. Lisa vände sig om, såg mot berget och berättade att uppe på krönet hade hennes mor stannat och vinkat till dem. Det var något ovanligt, modern brukade inte stanna, inte vinka heller.

Nu tycktes det dem att hon fortfarande stod där som en skugga i dunklet och vinkade farväl.

”åt varjes fria behag”

”Det har först och allmännast blivit anfört att alla fattigordningar vore vådliga, att de endast ökade tiggeriet och gåve en slags rättighet åt den late till de bekvämligheter han själv icke gittat förtjäna – att barmhärtighet vore en kristlig men ej samhällsplikt, vilken emot sin natur icke borde överflyttas utur hjärtat och på papperet; samt att således fattigvården aldrig bör bliva föremål för beskriven lag, utan överlämnas åt varjes fria behag, att efter samvetets plikt fullgöra.”

Ur sammanfattning av ståndens betänkligheter mot förslag om ny fattigvårdsstadga, 1823.

Sommaren kom, husens dörrar öppnades, livets och glädjens möjligheter blev fler. Trångbodda och deras inneboende flyttade ut på gårdarna och bergssluttningarna, grönskan kryllade innanför planken och hittade till och med rotfästen i bergens skrevor. Uteliggare kröp fram ur sina gömslen och gonade sig i solskenet, unga hamnarbetare och lärpojkar möttes på kvällarna vid Hammarby sjö för att bada och fiska.

Tvätterskan Karolina Skog hade länge drömt om att kunna samla sina vänner en lördagskväll. Det kunde inte ske utan ordentliga förberedelser. Hon själv och hennes Jöns hade lättast att komma ifrån, Lisa inte heller så svårt. Men Gustaf måste i god tid få lov av sin trädgårdsmästare eftersom den fina strandbergska trädgården alltid krävde sin bevakning.

Svårast var det för Hedda och Maja-Greta, som tjänstehjon var de helt beroende av sina herrskaps godtycke. I tjänstehjonsstadgan fanns inga andra ledigheter omnämnda än de få dagar som kunde bli fria i samband med byte av tjänst. Det fanns inget lagstadgat utrymme för hjonens ”fria behag”.

Fritid för tjänstehjon sågs som något onödigt och kanske till och med skadligt. Vad skulle de med ledighet till – varelser som inte förmådde använda den till något nyttigt? Att gå i kyrkan ibland kunde man inte förmena dem. Men tillåta dem att träffa jämnåriga att sladdra med och kurtisera var däremot att lägga hyende under lasten.

Ändå hade både Hedda och Maja-Greta fått löfte om ledighet. Hedda hade skött sig så väl att hon var värd en uppmuntran och Maja-Greta hade utan att det fanns sådana goda skäl ändå lyckats övertala sin husbonde. Hedda sällskapade med en hökardräng och han skulle försöka komma så fort han kunde. Och om Maja-Greta hade någon vän så var han naturligtvis välkommen.

Karolina och Jöns hade flyttat ihop och bodde i det lilla hus som Karolinas mor, Fredrika, hyrde intill Bergsprängargränden. De unga väntade barn nu men hade inte gift sig.

Jöns arbetade sedan några år tillbaka i hamnen vilket innebar att han blev arbetslös under vintrarna när isen hindrade sjöfarten och då måste söka tillfälliga påhugg. Karolina och hennes mor var fortfarande tvätterskor och efter Malins död hade det blivit så att de åter slagit sig ihop med Lisa och arbetade tillsammans. När Tvätterskegården brann hade Lisa förlorat bykstugan, torkvinden och mangeln och några sådana lokaler och hjälpmedel fanns inte hos Fredrika Skog. De fick nu hyra in sig i den bykstuga som låg intill allmänna klappbryggan nere vid Hammarby sjö. Oftast hade Lisa sin lilla Malin med under arbetet, någon gång kunde Gustaf ta hand om barnet.

Det var under arbetet och samtalen tillsammans med Lisa som Karolina börjat tala om att vännerna borde samlas. Det var så länge sedan sist och det vore synd om de som haft så mycket gemensamt skulle komma ifrån varandra.

Lisa skulle nog gärna ha sett dem hemma hos sig men var osäker på om trädgårdsmästaren skulle tillstyrka en sådan samling och om kammarrådet skulle ge sitt tillstånd. Därför var det lämpligast att träffas hos Karolina även om också Lisa stod för inbjudan. Tillsammans kunde de två skaffa det som behövdes och deras karlar kunde hjälpa till med att låna ihop några bänkar och bord.

Huset som Fredrika Skog hyrde var litet men de ville gärna tro att kvällen skulle bli så vacker att de kunde sitta ute. Plank och buskar skyddade från insyn och uteslöt omvärlden, också Tvätterskegårdens svartbrända skorstensstock som fortfarande stod kvar. När Lisa gick till Karolina försökte hon undvika att se åt sidan, mot den plats där det gamla hemmet legat och där hennes mor omkommit. Hon hoppades att man snart skulle bygga något nytt där så att de synbara resterna av det gamla och svåra försvann in i något nytt och okänt. Nu ville hon helst av allt bara glömma det som hänt de senaste åren. Kanske skulle mötet med de andra flickorna kunna återuppväcka de tidigare och gladare minnena och barn- och ungdomsårens starka gemenskap.

Skymningen föll över berget, Karolina tände ljusen i lyktorna och ställde ut dem på bordet medan Lisa hällde upp kaffe i kopparna. Lilla Malin sov inne i kammaren hos Fredrika Skog. Kvällen var fortfarande varm även om några av flickorna tagit på sina tröjor.

Det var inte ofta som de hade möjlighet att mötas så här, träffas nästan som herrskapsfolk. Nu njöt de av vad de fått, av samvaron och undfägnaden. Men de var ändå inte blinda för tillvarons orättvisor och kunde knappast godkänna att vanliga och fattiga människors glädje måste vara så sällsynt och kortvarig.

Lisa hade nyligen träffat sin morbror Johannes i samband med deras gemensamma angelägenheter. Han hade sagt sådant som hon tidigare inte hört eller riktigt förstått trots att det gällt hennes egen vardag.

Genom några av kunderna i tobaksboden fick Johannes upplysningar om vad de höga herrarna – riksdagsmän, ämbetsmän och andra – tyckte och tänkte och vilka beslut de fattade. Deras ord och vilja blev de fattigas lag.

Under den pågående riksdagen fördes en häftig debatt om behovet av en ny fattigvårdslag. I högvördiga prästståndet hade fattiga Katarina församlings kyrkoherde, hovpredikanten Ruus, protesterat mot en föreslagen paragraf som krävde att staten skulle vara skyldig att anvisa arbete åt sådana fattiga som ägde arbetsförmåga men saknade anställning. Ett sådant krav kunde ställas eftersom en del arbetslösa – de som tidigare straffats för tiggeri eller stöld – som försvarslösa riskerade att ånyo hamna på korrektionsinrättning. Men kyrkoherden menade att förslaget var demoraliserande och bara uppmuntrade arbetarna till slöseri. Om de visste att de kunde få arbete behövde de inte spara under goda dagar för att ha något kvar till de onda tiderna. Ja, det kunde till och med befaras att de skulle avstå från att ta ett dåligt arbete i förhoppning om att få ett bättre. Alla lättingar som gjorde så borde i stället sättas på tukthus och sådana inrättningar finnas i varje län.

Det föreföll, hade Johannes Ekberg sagt, som om de flesta ståndspersonerna – åtminstone inom adeln och borgerskapet – ansåg att fattigvård uteslutande borde bedrivas genom privat välgörenhet. De förmögna och bestämmande ville inte ta på sig några skatter för de fattigas skull och fruktade att understöd bara skulle ge upphov till lättja och superi och krav på högre löner. Barmhärtigheten kunde rädda de arbetsoförmögna, ansåg herrarna, medan rädslan för att hamna på korrektionsanstalt skulle skrämma de lata och arbetsskygga till att ta de arbeten som fanns.

Lagen förbjöd tiggeri, sa Hedda. Men det var tillåtet för tidningarna att införa böner om hjälp. Hennes husbonde brukade högläsa sådana stycken, kanske för att hans anställda skulle förstå hur bra de hade det.

Där vädjade en mor att hennes fyra barn skulle slippa förgås av hunger och elände. Och en kvinna med sin man på bår och med sju nakna barn sökte dolda välgörares hjälp. En döende sjömanshustru som fått tvillingar undrade om någon ädelmodig kristen ville ta emot hennes barn. En nybliven mor, som låg på bara golvet sedan hon gått i fyrtio mil för att söka sin man, bad om lån – liksom en änka med ett blint och ett vanfört barn.

Det var förbjudet att tyst sträcka fram sin kupade hand men tilllåtet att blotta sitt elände och förödmjuka sig för att få hjälp. Och så blev det väl om hjälp bara gavs av barmhärtighet.

Hedda skrämdes av välgörenheten. Visst var den nödvändig, när världen var sådan som den var. Naturligtvis hade den räddat många från undergång. Men den hade också förstört människor, tagit från dem det sista av självkänsla, stolthet och mod. De som skrek högst, som mest upprörande skildrade sitt elände, blev de som uppmärksammades och hjälptes.

Det som kändes som en rättighet för den frie och starke var en nåd för den svage och beroende.

Hedda hade försökt undvika välgörenheten för egen del. Hon

hade tagit de arbeten hon kunnat få, slitit så hårt hon förmått, aldrig unnat sig något mer än hon haft råd till. Det kunde tydas som om hon blivit en idealisk tjänarinna, böjt sig under oket. De som kände henne visste att det snarast var tvärtom – hon hade inte låtit sig besegras. Hon tänkte och talade på ett annat sätt än de jämnåriga kamraterna, klarare och strängare. Erfarenheterna hade gjort henne illusionslös, kanske något bitter. Men starkare.

De sänkte rösterna när de talade om orättvisorna och förtrycket. Ingen trodde väl att någon av polisens spioner smög på andra sidan planket men säker kunde man ändå inte vara. Till och med höga ämbetsmän hade hindrats från att samlas därför att man fruktade att de skulle kritisera regimen.

Men ungdomarna hade ju inte träffats för att klaga och kritisera utan för att få möta varann och känna glädje. Rösterna blev snart livligare och högre, skratten porlade.

Den gladaste bland dem, den som skrattade oftast och högst, var Maja-Greta. När de talat om nöd och elände hade hon suttit tyst, inte haft något att säga. Inte för att hon hade det bättre än någon annan, snarare tvärtom. Arbetet på krogen var smutsigare och tyngre än arbetet i ett hem, behandlingen sämre. Kunderna var ofta närgångna och hårdhänta, krogflickorna var till för att antasta.

Men på något sätt flöt Maja-Greta undan, lät sig inte retas till ilska eller drivas till förtvivlan. I stället kunde hon försöka förvandla tillvaron till en lek, ett spel. Hon gled fram mellan krogkunderna, besvarade förbannelser med leenden, klappade vänligt de betryckta. Fick hon en dask på baken skrattade hon och nöp den skyldige i näsan. Ibland fick hon en slant och någon gång en present av bönder som sålt sina varor i stan och blev spendersamma när de druckit några glas. De flesta tyckte om henne.

Pojken hon tagit med sig var bonddräng fast inte så långt ifrån att han behövde ligga i bondkvarter när han kom till stan, han arbetade på Hammarby gård på andra sidan sjön och tog sig över med roddbåt. Just nu hade han ganska goda möjligheter att ta det litet lugnare i arbetet eftersom gårdens arrendator nyligen avlidit och efterträdaren ännu inte kommit.

Om det var något allvarligt och bestående eller bara tillfällig vänskap mellan Maja-Greta och Åke Svensson var svårt att avgöra.

Den fria kvällen försvann bara alltför fort. Hedda, som bodde hos sitt herrskap, ville inte vara alltför sen och då bröt också Maja-Greta upp, kanske för att få en stund ensam med sin bonddräng. De fyra som blev kvar hjälptes åt att diska och ställa in allt.

Medan de skötte bestyren tillsammans berättade Jöns att han träffat Jonsson, som tidigare bott med sin familj i Tvätterskegården och sedan fått ett rum i det Nilssonska huset vid Pilgatan. Det var en ganska vanskött huslänga, omtalad för sin osnygghet. Jonsson var vid en av brädgårdarna intill Tegelviken, den arbetade väl mest för varvets räkning. Äldste pojken, han som var så hes, hade också fått anställning där, han sysslade med att plocka bort brädstumpar och annat spill. Pojken var elva år nu och fick nog slita hårt för minsta tänkbara betalning. Barnungarna på brädgården hade omkring nittio timmars arbetsvecka, de fattigas barn var den billigaste arbetskraft som fanns och togs också ut till det yttersta.

Det var svårt att tänka sig att de som utnyttjade barnen var så hjärtnupna att de började idka barmhärtighet. Jöns trodde inte att herrarna kände samvetets plikt så starkt att det inte behövdes någon lag för att lindra nöden.

Vid sommarens slut födde Karolina sitt barn, en knubbig liten flicka som fick namnet Johanna. Under några veckor skötte Karolinas mor och Lisa tvätten men ganska snart försökte Karolina börja igen. Så länge hösten varade tog Lisa och Karolina oftast med sig barnen i arbetet, då vädret var dåligt och det blev kallare skiftade de unga mödrarna så att en av dem tog hand om barnen och den andra deltog i tvättandet.

Någon månad tidigare hade Charlotta och Håkan blivit föräldrar, deras barn blev en pojke som kallades Olof. Charlotta hade ingen som kunde hjälpa henne med barnet och avstod därför för en tid från att arbeta hos madam Rundström. Hon erbjöd Lisa och Karolina att lämna sina barn hos henne under arbetsdagarna. De tog tacksamt emot erbjudandet och lovade att någon av dem i gengäld kunde ta hand om Olof om Charlotta behövde hjälp. På så sätt kunde Charlotta träda in i arbetet hos Rundströmskan när det blev dags att tillaga läckerheter för julen för försäljning i stånden – och tvätterskorna kunde med någorlunda gott samvete hålla sig hemma några av de kallaste och svåraste vinterdagarna.

Charlotta var inte mer än sex år äldre än Lisa. Men hon var hustru till Lisas gudfar och på något sätt föreföll hon äldre än hon var, så stor och rund bredvid den smalt flickaktiga Lisa. För Lisa blev Charlotta en äldre vän, en ersättning för den förlorade modern. Ja, nästan mer än så eftersom modern ibland varit något av en främling, en utomstående.

Charlotta hade all den värme och vänlighet som Lisa ofta måst sakna. Charlotta slöt de tre barnen i sin stora famn, månade om dem, tröstade dem, lekte med dem. De log och jollrade förtjust så snart de fick syn på henne, ibland hände det att de två flickorna började gråta när det var dags för dem att gå hem.

Vintern, vars stränghet Lisa fruktat, kunde med Charlottas hjälp överlevas och till och med upplevas som en hoppfull och bättre tid än den förgångna. Dödens och skräckens udd var bruten.

Kvällen då vännerna mötts hade gett Hedda en ny oro. Hon tyckte sig ha skymtat maskorna i nätet som höll de fattiga och förtryckta fångna, tyckte sig kunna ana de besuttnas planer.

Ännu var bilden oklar. Men Lisas morbror, tobakshandlaren, hade förmodligen vetat och sagt mer än vad Lisa kunnat återge. Av det som Hedda hört hade ändå framgått att allt inte nödvändigtvis var så som präster, lärare och husbönder predikade. Det var inte Guds vilja att fattiga skulle ta dåliga arbeten till låga löner eller att arbetslösa skulle sättas i bojor på korrektionsanstalter. Kanske var det i stället så att självisketen, önskan att få lydiga och billiga arbetare, av de höga herrarna upphöjts till lag och rätt. Då blev inte heller barmhärtighet och välgörenhet hjärtesaker och kristliga plikter utan bara uttryck för behoven att muta Gud och tysta de lidande.

Det var herrarna som skapade och skrev lagar på sina riksdagar, inte Gud som dikterade dem.

Hon måste få veta mer om hur det gick till när fångstnätet knöts, hur herrarnas skiftande åsikter förvandlades till stränga budord. Johannes Ekberg visste tydligen en del om det.

Hedda hade mött honom några gånger, senast på Lisas bröllop. Men knappast mer än hälsat, aldrig talat med honom. Han hade kanske verkat litet stel och tillbakadragen men inte alls högfärdig eller ovänlig där han stått i en ganska lång rock med skärp. Den ena rockärmen, den tomma, satt fasthållen av skärpet och det hade känts litet konstigt att ta honom i hand eftersom det var vänsterhanden som han sträckte fram.

Han hade hjälpt Lisa mycket efter hennes mors död, sett till att allt ordnades till det bästa. Och Lisa hade också berättat att han och hans hustru nyligen tagit hand om en försvarslös flicka och räddat henne från tvångsarbete.

Hedda ville gärna få tala med honom, fråga om det hon grubblade på. En kväll då hon fick ledigt gick hon till Lisa för att höra om det var möjligt.

Hedda hade tur, Johannes Ekberg var där. Fast hade hon vetat det hade hon nog inte vågat komma just den kvällen.

Johannes Ekberg kunde berätta en del om hur det var och hur landet styrdes, men mycket hopp kunde han inte ge.

Det hade inte blivit något av med den nya fattigvårdslagen som en kommitté arbetat med under tolv år. Adels- och borgarstånden hade gått emot och riksdagen till sist avgjort att ingen ny stadga behövdes utan att allt fick förbli vid det gamla. Det som särskilt irriterat riksdagsmännen var att kommittén antytt att det skulle finnas någon *rätt* för fattiga människor att få vård och hjälp.

Men något litet framsteg hade ändå uppnåtts. Enligt den gällande legostadgan hade den del av tjänstehjonen som kallades ”mindre godkända”, de som fått mindre goda vitsord av sina husbönder, hindrats att flytta utanför det län de bodde i – ”vid äventyr av krigstjänst eller allmänt arbete”. Den bestämmelsen hade man tagit bort eftersom den fråntog människor rättigheten att bereda sig lovlig bärgning var som helst. Det innebar också att försvarslösa män från och med detta år, 1824, inte längre kunde tvångsrekryteras till krigsmakten.

Johannes Ekberg fruktade att fattigvårdslagen snart, kanske

redan vid nästa riksdag, skulle komma att skärpas. De fattigas antal växte och många av riksdagsmännen hade talat för att alla försvarslösa borde sättas på anstalt. Andra klagade över bristen på tjänstefolk och hoppades att med lagens hjälp få tjänare nästan utan att betala något.

Men vem bestämde?

Ja, kungen ägde ju enligt regeringsformen "att allena styra riket". Han hade beskurit tryckfriheten hårt och gjort sin hemliga polis mäktigare. Hans statsråd var strängt konservativa herrar som tyckte som kungen och sällan opponerade sig. Några hade väl någon gång haft avvikande åsikter men då fått avgå.

Riksdagen samlades med några års mellanrum men hade egentligen inte så mycket att säga till om. Den bestod av de fyra stånden, av adel, präster, borgare och bönder, men representerade bara en liten del av folket. Det gällde särskilt de tre förstnämnda stånden, de representerade tillsammans inte ens fyra procent av befolkningen. Bönderna var däremot många men inom ståndet dominerade storbönderna.

Tjänstehjon, gesäller och arbetare, torpare och brukens folk representerades naturligtvis inte av någon. Då var det konstigare att andra och mäktigare grupper stod utanför, sådana som brukade kallas för ofrälse ståndspersoner. Det kunde vara officerare, läkare och lärare.

Men tidens tand gnagde på det gamla ståndssamhället, tyckte Johannes Ekberg. Adeln hade mist mycket av sin ställning och sina privilegier, inte minst inom den statliga förvaltningen. Prästerna hade fått maka åt sig för vetenskapsmän och lärare och förlorat en del av makten över utbildningen. Vid fjolårets riksdag fanns i prästståndet folk som inte var teologer, en av dem var skalden Geijer.

Inte heller borgarståndet gynnades av tiden, stora och viktiga grupper stod utanför de burskapsägandes krets och den ökade näringsfriheten hotade borgarnas gamla positioner.

En dag måste något ske, en stor förändring. Men det tog tid, allt gick så långsamt. Johannes skulle fylla fyrtiofem detta år, han var väl inte någon åldring ännu men vågade knappast tro att han skulle få uppleva förändringen.

Kan vanliga människor, som jag, inte göra någonting alls? undrade Hedda.

Inte mycket mer än förbereda sig, sa han. Försöka följa med vad som händer, hjälpa dem som har det ännu sämre.

Han undrade om hon kunde läsa. Och Hedda svarade att läsa kunde hon men inte skriva.

Försök att lära dig det, sa han, och anteckna vad som händer, hur människor behandlas och lever. Hjälp den som kan behöva få något skrivet.

Det kanske låter obetydligt, alltför litet. Men det är ändå mer än ingenting. Och så länge som vi inte har gett upp har vi ändå något av frihet, sa Johannes Ekberg.

”ett orubbat fredslugn”

”Den Gudomliga försynen, som vakar över konungar och folk, har under denna av betydelsefulla händelser utmärkta tid skänkt den skandinaviska halvön ett orubbat fredslugn, och de båda förenade folken, skilda genom hav och ofruktbara landsträckor från en mera omedelbar beröring med fasta landet, hava varit lugna åskådare av de yttre stormar, som hotat flera andra staters bestånd eller förlamat deras verkningsförmåga.

Kungl. Maj:t, som fortfar att med alla främmande regeringar befinna sig i vänskapliga förhållanden, skall å dess sida ej hava någon möda ospard, att, så vitt av Kungl. Maj:t beror, förekomma allt, som för framtiden kunde leda till rubbning av denna lyckliga politiska ställning.”

Konungens berättelse om åren 1824–1828, till 1828 års riksdag.

En vintermorgon kom Håkan Rapp att tänka på att han just den dagen för tio år sedan, den tolfte december 1814, hade kommit hem från kriget i Norge. Sverige hade alltså levt i fred i tio år nu. Och man hade vant sig vid freden, upplevde den som något naturligt.

Förr hade det alltid pratats om krig som väntade men det talet hade tystnat. Inte ens Håkans gamla underofficerskamrater trodde på krig för Sveriges del, även om de ibland klagade över att ständerna snålade när det gällde pengar till militära övningar. ”Beväringen” kallades sällan till några möten numera, blev det av så nöjde man sig med att öva i en vecka eller allra högst två. Och när bonden Rutberg i fjol talat för att ersätta de indelta soldaterna med inkallade värnpliktiga hade de flesta av hans ståndsbröder velat väcka åtal mot honom.

Norrmännen konstrade förstås fortfarande fast de kunde knappast åstadkomma något allvarligt. De hade återupptagit sitt sjuttondemajfirande, till kungens förtret. Men värre än så var det inte.

Däremot var det oroligt ute i Europa, så trassligt att Håkan Rapp fann det helt omöjligt att hålla reda på vad som hände. Inte ens Johannes Ekberg kunde beskriva hur det var. Men Napoleon var död sedan några år tillbaka så han kunde inte ställa till med något längre.

Nu var det ryssar och preussare som grälade om vem som skulle ha mest av Polen och under tiden slukade preussarna Westfalen och Rhenlandet och bytte till sig det forna svenska Pommern från danskarna. Österrikarna slog ner italienare och på Balkan stred grekerna mot sina herrar, turkarna. Fransmännen ryckte in i Spanien. Överallt var det förtryckets kejsare och yrkessoldater som segrade över frihetslängtande människor och malde ner dem och deras drömmar under kanonhjulen.

Håkan tänkte ibland att Sveriges nuvarande gränser, dragna av kung Karl Johan, kanske skapat grunden för den svenska freden. Sverige och unionsbrodern Norge omslöts till större delen av hav. Ingen kunde klampa in där utan vidare – utom möjligen vid gränsen till det ryska Finland. Men där långt borta i norr var ju mest bara ödemarker så dit begav sig väl ingen frivilligt.

Men nere i Europa fanns det inga klara gränser, det kom han ihåg sedan han själv marscherat där. Man gick ur det ena landet och in i det andra och visste knappt var man befann sig. Ibland visste inte ens invånarna själva var de hörde hemma, på båda sidor om gränsen kunde de tala samma språk. Det var ingen riktig ordning där nere så det var inte underligt om de inte kunde hålla fred.

Annars tänkte han sällan på krigsåren. Det han upplevt då framstod mer och mer som en ond dröm, någonting overkligt. Han kunde inte föreställa sig att hans son skulle behöva vara med om något liknande.

Håkan Rapp hade utan större bekymmer funnit sig tillrätta som förrådsförvaltare på Stora varvet. Han hade sitt kontor i ett hörn av den stora materialboden och därifrån gick han varje dag sina inspektionsronder till plank- och tackelbodarna och övriga upplag som han hade ansvar för. Under sig hade han förrådsdrängarna som bar fram varor ur förråden. Håkan sammanställde och kontrollerade deras uppgifter, när det var dags att förnya förråden meddelade han bokhållaren. Om inköp skulle göras i brädgårdarna nära varvet fick han ibland själv sköta beställningarna.

Under sommaren som gått hade en av brädgårdarna fått ny ägare. Det var en ung grosshandlare som av ett sterbhus övertagit såväl ett bostadshus intill Tjärhovsgatan som brädgården. Den ännu inte trettioårige Carl Fredrik Liljevalch verkade vara en driftig karl, Håkan hade mött honom på brädgården. Ännu så länge visste unge grosshandlarn nog mer om charkuterivaror än om trä men han hade redan börjat tala om att utöka driften. Grosshandlarfrun tycktes också ha framtidsplaner, det påstods att hon beställt flera stora roddbåtar för att med anställda dalkullors hjälp upprätta trafik mellan Tegelviken och Slussen.

Håkan började känna sig hemma där nere vid Tegelviken. De flesta kände igen honom. Uppe på mallvinden utanför bokhållarens rum nickade mallritarna, de kröp på alla fyra och gjorde sina väldiga detaljritningar i full skala – efter dessa skulle sedan de olika byggdelarna sågas och formas. Tunnbindare, blockmakare och varvssmeder tittade upp och hälsade när Håkan passerade deras verkstäder.

På stapelbädden närmast stranden hade en köl lagts ut och för- och akterstävarna höll på att resas, de stöttades noga innan timmermännen började sätta spanten på plats. Just nu höll man på att bygga ett ångfartyg som så småningom skulle få en av Owens pannor placerad i sitt inre, en bjässe på åttio hästkrafter. Det var inget lustfartyg utan en stor och bullig bogserare vars uppgift skulle bli att släpa segelfartyg genom krokiga och besvärliga skärgårdsleder ut mot fria vatten där vindarna bar. Hercules skulle bogseraren heta och ritningarna hade gjorts av Per Wahlbäck själv, varvets skeppsbyggmästare.

Överallt hälsade man glatt på förrådsförvaltaren. Många av arbetarna hade haft nära kontakt med honom. Sedan det blivit känt att Rapp i det militära inte bara varit förrådsförvaltande väbel utan också sjukvårdare hade de börjat uppsöka honom när de råkat ut för mindre olyckor eller skador i arbetet. Med skeppsbyggmästarens tillstånd plåstrade Rapp om dem när så behövdes, och både företaget och de anställda var nöjda.

Håkan kände vänligheten som strömmade emot honom och

värmde honom i vinterrusket. Han var deras vän, de var hans vänner. Här i sin nya hemtrakt vandrade han trygg. Kunde en människa ha det bättre?

Och hemma, där hade han ju Charlotta och den lille också. Och det var det bästa och viktigaste av allt, tänkte han när han vandrade hemåt efter dagens arbete.

Charlotta arbetade två dagar i veckan för madammerna Rundström och Nordblom. Fyra dagar i veckan brukade hon ha hand om barnen, deras egen pojke och Lisas och Karolinas flickor. De båda tvätterskorna hade varsin ”barndag” och efter hand hade de fått som ett fast mönster att följa. Men det var inte fastare än att det kunde ändras när Charlotta behövde arbeta mer, som vid syltnings- och saftningstiden eller inför de stora helgerna.

Så nu före jul var Charlotta i Rundströmskans kök så gott som alla vardagar och ofta blev det ganska sent på kvällarna. Därför fick Håkan ta vägen förbi Lisa och hämta sin son där.

Han brukade knacka i väggen när han kom, Lisas familj hade sitt enda fönster mot gården och kunde inte se ut mot gatan. När Lisa hörde signalen gick hon och öppnade den låsta porten i planket och släppte in honom.

Karolina hade redan hämtat sin Johanna, så här års när det var kallt och mörkt hade tvätterskorna kortat ner sina arbetsdagar. Den här dagen var det Karolina som hade arbetat tillsammans med sin mor medan Lisa sett efter barnen. De hade varit ute och åkt kälke i Nya gatans backe ner mot Renstiernasgränden, fått låna dragkälken som Gustaf brukade använda när han drog ved.

Lilla Malin, som nyligen fyllt tre år, pratade på, berättade om deras äventyr. Olof, liksom Johanna, var ju bara ett och ett halvt och hade inte så lätt att hitta ord ännu. Malin kunde vara ganska tystlåten och blyg men Håkan kände hon väl.

Håkan satte sig på en stol medan Lisa tog på pojken ytterkläderna. Nog skulle Håkan ha kunnat sköta påklädningen men när det fanns en kvinna närvarande tyckte han inte att han kunde hindra henne. I stället öppnade han tygpåsen som han haft med sig och plockade fram några stelfrusna strömmingar. Han hade fått en kvarts val av en timmerman som varit ute på isen och fiskat, som tack för att mannen fått hjälp med ett sår. Nu fick Lisa hälften och nyfångad strömming var inte det sämsta som hon kunde bjuda Gustaf på till kvällsmat.

När Håkan kom ut på gatan igen lyfte han upp pojken och placerade honom på sina axlar.

Nu får du rida, sa han. Håll i dej ordentligt.

Pojken grep tag i faderns stora öron som stack ut under mösskanten och Håkan skumpade iväg medan den lille skrek av fröjd och spänning. Folk som såg dem storma förbi kunde inte avgöra om det var mannen eller barnet som hade roligast.

När snön smultit bort och våren kom med långa ljusa kvällar hade Håkan många arbetsuppgifter hemma. Den lilla gården utanför huset hade varit kal när de flyttat dit. Intill planket och vid husknutarna hade det växt några glesa strån, ogräs mest, och på en sophög – i en smyg bakom huset och intill planket mot gården innanför – höga brännässlor.

Han hade fått bort sophögen, grävt i det hårda gruset på gårdsplanen och varit hos Brobergs och köpt jord och några plantor. Under de tre somrar som gått sedan de flyttat in på höstkanten tjugoett hade deras välansade små odlingar växt till sig. Det var inte mycket det fanns plats för men i alla fall några blommor, till och med en praktfull krusbärsbuske på den plats där skräphögen legat tidigare.

Främst månade de om den lilla syrenhäcken som Håkan planterat mitt på gården, ett stycke framför köksdörren. De hade sina skäl – den skulle skydda för insyn från det något högre huset ovanför dem i backen. Så länge det var någorlunda varmt stod deras tvättbalja ute vid syrenbuskarna.

Charlotta hörde till de få som ville tvätta sig så gott som dagligen, inte bara händer och ansikte utan helst hela kroppen. Särskilt under sensommaren när hon stått hela dagarna i Rundströmskans varma kök och kokat sylt och saft. Då kände hon sig klibbig av alla de söta bär- och fruktångorna som omvärvt henne och av svetten som spisvärmen drivit fram.

Att bada kunde det inte bli fråga om, åtminstone inte till vardags när hon kom sent hem. Lördagskvällar hade de vandrat ner till Hammarby sjö och ibland hyrt en båt och tagit sig litet längre ut där de kunnat hitta någon ostörd plats. Det hade varit sommarens högtidsstunder när de vadat ut i det skylande mörkret.

Förmodligen var det både omoraliskt och olagligt men samtidigt befriande skönt. De hade känt sig som änglar i himmelen, hade Charlotta sagt.

Till vardags hemma på gården kunde det inte bli fråga om något badande. Så kunde man inte slösa med vattnet när nästan allt måste bäras, det lilla husets tak gav inte mycket regnvatten. Oftast blev det väl inte mer än att man gned sig med en våt trasa.

Tvättvattnet hämtade Håkan nere vid Tegelviken, dricksvatten fick han ta ur brunnen vid varvet. Brunnsvattnet var "hårt", gult och litet grumligt men luktfritt. Det fanns en brunn i Sågargränden också men det vattnet både luktade och smakade illa.

Första åren hade syrenerna varit så låga och glesa att de inte gett mycket skydd, då hade de spänt upp ett tygstycke mellan några störar. Det hade inte varit särskilt vackert så det var skönt att slippa det nu när de åtminstone kunde inbilla sig att grönskan dolde dem.

En del kvällar regnade det. Då undvek Håkan helst kvällstvätten men Charlotta klev glatt ut och stod en lång stund i regnet och lät det skölja av sig. I stället satte han sig gärna innanför den öppna köksdörren, tände sin pipa och blossade förnöjt medan han beundrade henne. Ibland lade han några torra grenar på glöden i spisen så att hon kunde få stå och värma sig framför den uppblossande elden när hon kom in. Sådana kvällar brukade sluta med att han kom in i henne, att de hade varann.

Ja, han var en lycklig man. Ändå var han försiktig, orolig för att hon skulle få flera barn. Han var ju så mycket äldre, räknade med att hon en dag skulle bli ensam. Blev barnen många kunde hon få fattigt och svårt. Och det ville han undvika.

Men det var inte så lätt. När de brungula höstlöven började falla berättade Charlotta att hon väntade deras andra barn.

En kväll i slutet av november satt Håkan och Charlotta i sitt kök och åt då de plötsligt hörde det fruktade ljudet: klockorna klämtade.

Håkan reste sig hastigt och öppnade dörren till gården. Det regnade, regnet var snöblandat och fördes av vinden mot hans ansikte när han vände sig i riktning mot kyrktornet varifrån ljudet kom.

Tre slag. Då var det på Norrmalm, Kungsholmen eller Ladugårdslandet som det brann. Och vinden gick mot öster. Var det fråga om en stor eld kunde den föras österut och kanske också kasta sig över vattnet till varvet och brädgårdarna vid Tegelviken.

Han skyndade sig in, berättade för Charlotta om sina iakttagelser, klädde sig för uppgiften som väntade och gav sig iväg. Det var han som skulle utlämna spruta och släckningsredskap från varvets förråd.

Folk var redan på väg nerför Sågarbacken, timmermän, arbetare i hamnen och vid brädgårdarna. Erstaberget skymde sikten men de hörde kanonskotten från Skeppsholmen och när de kom ner till viken syntes bålet på andra sidan vattnet – i nordväst, intill Kungsträdgården och Jakobs kyrka.

Det måste vara Makalös som brann, det tidigare arsenalshuset som numera var Mindre teatern. Då var också Operan i fara. Möjligen kunde vindens riktning och blötsnön förhindra eldens spridning.

Nu var det som om en explosion inträffat, elden som först synts vid byggnadens grund flammade plötsligt från alla de fyra tornen och taket.

Förmodligen hade branden utbrutit mitt under pågående föreställning. Varvsbokhållaren, som också anlänt, sa att man spelade en ganska tråkig pjäs, ”Redlighetens seger över förtalet”, varför man kunde hoppas att publiken var fåtalig. Det var väl inte heller många som ville ge sig ut en så ruskig kväll som denna.

Timmarna gick, tornen hade störtat in, den ståtliga tegelborgen från 1600-talet förvandlats till en väldig glödhög. Man tycktes ändå ha fått elden under kontroll och klockan i Jakob klämtade saktare.

Skeppsbyggmästare Wahlbäck bjöd sina anställda på öl och berättade att han just fått uppgifter om vad som hänt. Elden hade brutit ut när ridån gått ner efter fjärde akten, den näst sista. Då hade sufflören kommit upphoppande ur sin lucka och klagat över den röklukt som han känt där. Branden hade tydligen börjat på bottnarna under scenen, där nere fanns bland annat ugnar för uppvärmningen av huset. Skådespelaren Lars Hjortsberg hade fått uppdraget att vädja till publiken att lugnt avlägsna sig och de inte alltför många åskådarna hade stillsamt gett sig av. Men sedan hade elden stigit genom trätrummorna i vilka loden drogs, det behövdes sådana anordningar för att väga upp de tunga dekorationerna och ridån. Explosionen som de sett hade kommit när elden nästan samtidigt nått alla de fyra tornen och vinden.

Kungen och kronprinsen ledde släckningsarbetet.

Vid fyratiden på morgonen kunde brandberedskapen vid Tegelviken upphöra. Håkan Rapp räknade in sina redskap och fann att ingenting försvunnit. Han kunde låsa boden och återvända hem för några timmars sömn.

Charlotta satt uppe och väntade på honom, hade inte vågat sova. Men nu kunde de båda somna lugnt, faran var över för deras del.

Under dagarna som kom fick de veta mer om branden. Skådespelarna hade måst fly i sina scenkläder, berättades det. Men herr Hjortsbergs betjänt, som försökt rädda sin herres galoscher, och två tjänsteflickor anställda hos några av skådespelarna, hade bränts inne.

Som vanligt klagade man över att redskap och sprutor varit i dåligt skick, tornväktarna i Jakobs, Adolf Fredriks och Kungsholms kyrkor skulle dessutom ställas till ansvar för försumlighet och slarv. Väktaren i Jakob hade inte funnits på plats när elden utbröt och den på Kungsholmen hade klämtat ömsom två slag och ömsom fyra i stället för de tre som gällde vid brand på Norrmalm. Man kritiserade också att det saknats utgångar för teaterns skådespelare och övrig personal. De anställda hade fått ta sig genom hela teatern och ut samma väg som publiken.

Håkan tyckte att branden var en påminnelse om tillvarons osäkerhet. Också i en för landet fredlig tid hotade ständigt faror. Steget mellan lycka och olycka var så kort, att leva som att gå på ett gungfly. Och de vanliga enkla människorna var alltid de som drabbades värst, ingen hade tänkt på deras säkerhet. Man talade om att *alla* hade räddat sig. Utom några tjänstehjon som inte lyckats ta sig ut.

Bara några veckor senare brann det igen. Det var en betydligt mindre eldsvåda som knappast skulle få något omnämnande i stadens digra brandhistoria. Men den utbröt vid Tegelviken, vilket innebar att de män som nästan sysslolösa och på tryggt avstånd kunnat bevittna Makalös' brand nu blev de som fick gå i elden.

Grosshandlare Liljevalch och hans svärfar, en kofferdikapten, hade tillsammans köpt den finskbyggda briggen Adolphine och förberett en stor försäljning av matvaror till Finland. Främst var det dyrbara specerier, kryddor och delikatesser av olika slag, som skulle utskeppas. Varorna hade lagrats i ett magasin intill hamnen och byggnaden hade antänts genom ovarsamhet vid uppvärmningen.

Magasinshuset av trä brann snabbt, det fanns ingen möjlighet att rädda något. Men vatten fanns ju nära och man fick främst inrikta sig på att begränsa elden så att den inte spred sig till varvet eller brädgårdarna och bostadshusen. Det lyckades man med ganska fort, folket som fanns på platsen hade nästan klarat uppgiften innan de första sprutorna från andra håll hann fram.

För grosshandlare Liljevalch var det ändå fråga om en katastrof, en ruinerande förlust. En tid såg det ut som om han skulle bli tvungen att lämna sina företag och gå i konkurs. Men äldre kolleger, som uppskattat den unge grosshandlarens framåtanda, beslöt att tillsammans rädda honom ur den svåra situationen och erbjöd hjälp och lån så att han kunde ta upp verksamheten på nytt. Men nu hade Liljevalch tappat lusten att exportera specerier och i stället beslutat sig för att syssla med trävaror. Han planerade uppförandet av ett ångdrivet sågverk av engelsk modell, det skulle utrustas med två fembladiga sågar och två cirkelsågar för upp till fyrtio fot långa bräder.

Liljevalch diskuterade möjligheterna med skeppsbyggmästare Wahlbäck och man gjorde upp om framtida affärer. Brandolyckan lade en grund för kommande verksamhet, brädtorklada, grovsvarv och färgmalningskvarn anlades under våren som kom. Nykomlingen Liljevalch blev en alltmer betydande man nere vid Tegelviken. Och hans hustrus roddbåtar – kraftiga, svarta, inuti grönmålade – avgick varje hel- och halvtimme till staden. De omtyckta, glada och pratsamma kullorna från Rättvik och Mora satt vid årorna.

I april 1826 föddes familjen Rapps andra barn, en dotter som fick namnet Gertrud. Fredrika Skog, Karolinas mor, biträdde – hon hade tidigare hjälpt såväl Olof som Malin och Johanna till världen.

Några veckor senare dundrade kanonskotten från Skeppsholmen, det var den tredje maj. Charlotta gick ut på gården för att höra bättre. Hon räknade skotten, när hon kommit upp till sextiofyra tänkte hon att om det inte blev fler så var det en prinsessa som fötts. Men så kom det sextiofemte och ännu fler och då behövde hon inte räkna längre, det skulle bli hundratjugoåtta och markera en arvprins' födelse.

Han döptes en vecka senare till Carl Ludvig Eugéne och kronprinsessan stiftade till minnet av födelsen Sällskapet till uppmuntran av öm och sedlig modersvård, som skulle ge understöd åt fattiga mödrar och deras barn.

Under våren och sommaren arbetade Charlotta inte så mycket åt madammerna eftersom hon ammade barnet. Men vid syltnings- och saftningstiden var hon igång som vanligt även om hon måste ta den minsta med sig.

Barnen artade sig väl, tyckte hon, både hennes egna och Lisas och Karolinas flickor. Och den korta häcken utanför köksdörren frodades och tätnade den sommaren, gav ett gott skydd när hon tvättade sig i baljan efter dagarna i Rundströmskans varma kök.

Trots allt levde Håkan och hon i ett ganska orubbat lugn, de hade det bättre än hon vågat tro att vanligt folk kunde få ha. Men utanför deras hus och port fanns staden och världen, hunger och sjukdomar, brand och krig, lidande och död.

”allmogens barn”

”Allmogens barn leva och växa upp i stor okunnighet. De sakna det förstånd i allmänna ärender och enskilda viktiga stycken, som de borde äga för att med rätta vara ett fritt folk, sådant som vår Konung själv och vi alla önska hava det. När de bliva män kunna de nu för tiden ofta ej hjälpa sig själva utan falla i händerna på bedragare.”

Johannes Andersson i Ullevi,
representant för bondeståndet,
i riksdagen 16.3.1829.

Vid ett triangelformat kvarter nedanför Sågargrändens backe förenades Pil- och Tjärhovsgatorna till en enda utfartsväg mot Tegelviken och tullen. På norra sidan av Kilen, som kvarteret hette, gick den gamla huvudgatan, Tjärhovsgatan, på den södra dess allt starkare konkurrent, Pilgatan.

Vid Pilgatan, mitt emot kvarteret Kilen, låg en lång stenhuslänga – Nilssonska huset. Den innehöll mest små kyffiga lägenheter där fattiga familjer och deras inneboende levde som i fållor. Tre bostäder var rymligare, en var husägarens, en hyrdes av en sjökapten och en av kryddkramhandlaren som hade affär i huset.

Bakom längan stod några höga popplar och där fanns en gårdsplan som nästan fylldes av sophögar och dasslängor. Gårdsplanen sträckte sig dock inte till den del av huset som innehöll ägarens bostad, där gick en trädgård ända fram till huset. Trädgården var stor men vildvuxen och förfallen, den låg bakom plank och var stängd för andra än husägaren. Men husets barn hade bänt isär några brädor och brukade ta sig in för att stjäla frukt och bär, bryta trädgrenar att elda med och plocka blommor att sälja.

Inne i ett av de tre portvalven låg en öppen brunn där man hämtade vatten. Vattnet var gult till färgen, luktade och smakade illa – men användes ändå, även vid matlagning.

Den Nilsson som fått ge namn åt huset var en coopvardieskeppare Nielson, död sedan många år tillbaka, på hans tid hade det förmodligen varit ett ganska fint hus. Den nuvarande ägaren var adelsmannen och kaptenen Fredrik Leonard Rosenqvist af Åkershult.

Rosenqvist var känd som radikal, ja rentav som rabulist. Vid årets riksdag hade han hört till dem som yrkat på rätten för allmänheten att åhöra riksdagsförhandlingarna. Alla som så ville skulle få strömma in tills samtliga åhörarplatser var fyllda. ”Tiggaren och miljonären, arbetskarlen och magnaten, allt som främst kommer, bör äga fritt tillträde”, hade Rosenqvist sagt.

Ännu större uppståndelse hade han åstadkommit genom att föreslå att alla fyra riksstånden skulle begära drottning Desiderias övergång till den evangelisk-lutherska läran. Men såväl drottningen som kronprinsessan Josefina hade blivit tillförsäkrade rätten att få behålla sin katolska tro. Övriga oppositionsmän tröstade motionären med att han hade all anledning att vara drottningen tacksam för att hon gjorde så litet väsen av sin tro. Försiktigvis nämndes då inte kronprinsessan, hon var känd för sin fromhet och hade till och med fått ett ”papistkapell” inrett åt sig på Slottet.

Ja, kapten Rosenqvist var en väldig oppositionsman – men han fick sällan någon mer röst än sin egen för förslagen han ställde. Och hans hyresgäster hade förvisso ingen anledning att betrakta honom som en folkets vän. Dem hade han aldrig visat någon vänlighet och än mindre någon omtanke. Han såg inte deras elände och hörde inte deras böner.

Direkt illvillig eller elak var Rosenqvist ändå inte. Antagligen var det bara så att de stora idéerna och de häftiga ordstriderna upptog hans liv och tankar så att han varken hade tid eller lust för något annat. Huset fick förfalla, brandsynsmyndigheterna klagade förgäves över sprickor i skorstensmurarna och avsaknaden av brandsäkra plåtar eller plattor framför spisar och kakelugnar.

Nilssonska huset hade blivit ökänt, en skamfläck. Men folkvännen Rosenqvist fortsatte oförfärad och oberörd sin Don Quixotestrid i Stora riddarhussalen.

En lördagskväll i maj kom tre unga män släntrande genom det mellersta av husets tre portvalv. När de steg ut ur det mörka valvet såg de västerhimlen flamma röd bakom Katarina kyrkas bulliga kupol som stack upp över bergknallar och husgytter. Men österut, mot Tegelviken och Fåfängan, började mörkret samlas och molnen tätnade som stora, grå dammtussar.

På berget vid Lilla Ersta hade man halat flaggan från stången ovanför utsiktstornets lilla veranda. Tornet av trä hade byggts några år tidigare och ägdes av "kungens tanddoktor", den från Frankrike invandrade Jean Baptiste Dubost. Man kallade tornet för "Tandpetaren".

En gång hade stengalgen stått där uppe och missdådarna hängt som avskräckande exempel, till stadsbors och sjöfarandes varnagel. Man kunde inte annat än tycka att tiden gått framåt, sederna mildrats. Nu stod galgen i alla fall utanför stadsstaketet och hade inte använts under de senaste tio åren eftersom de grövsta missdådarna numera halshöggs.

Tornet var traktens prydnad och en sevärdhet där det stod överst på berget, omgivet av en trädgård med drivhus, orangerier och blomstergårdar klättrande på terrasserna. Från torn och trädgård var utsikten vid över staden och stora segelleden. Goda lokalpatrioter menade att "tandpetaren" gott kunde jämföras med de omtalade antika kolonnerna i Rom och Vendôme-kolonnen i Paris. Hur som helst var det en byggnad av sällsam beskaffenhet som inte hade någon föregångare inom fäderneslandet.

Traktens enklare invånare var naturligtvis inte välkomna till tornet eller innanför staketet, det sköna fick inte vanhelgas. Utsikten kunde man inte hindra dem från att se – men de fick hålla sig på gatorna och i de kala delarna av bergen.

Naturligtvis lockade det stängda och förbjudna. En gång i vintras hade de tre ynglingarna tagit sig över staketet och försökt peta upp låset i porten till tornet. De hade inte lyckats och inte heller vågat sparka upp porten eftersom en vaktare bodde i ett hus inom området.

Kungen måste ha en bred käft, menade Alfred. Det lät som om han viskade för att ingen utomstående skulle kunna höra honom. Men de andra två visste ju att hesheten hindrade honom från att tala annorlunda.

Om doktorn ska peta honom med den där i tänderna så... skrattade den brede Ville.

Skit i petarn, fnös Hugge, som inte tyckte om att påminnas om deras misslyckande då i vintras. Nu ville han komma igång med lördagsfirandet. Han hade ordnat en kanna brännvin som stod i gott förvar hos portvakten vid bryggeriet i kvarteret intill, det var där Hugge arbetade och fick köpa billigt. Han aktade sig noga för att ta hem det han köpt, risken att få det beslagtaget av den alltid lika törstige fadern var alltför stor.

Han började gå, de andra följde efter. Hugge vände sig om och skrek: För mej får doktorn gärna köra opp den i arslet på kungafan!

Stora Ville skrattade högt medan Alfred gnäggade på sitt väsande sätt.

Uppe i Vita bergen syntes sällan någon polis, där var fortfarande något av en otämjd vildmark, blommande hästhovsörter och gällt gröna ogrässtrån lyste ur skrevorna. Sedan man passerat kåkarna och skjulen vid Bergsprängargränden och den odlade dalgången kring Mejtens gränd reste sig det kala berget högt ovanför Barnängsområdet och sjöstranden med färgerier och bryggor.

Barnängen hade varit traktens livgivare, den stora arbetsplatsen. Sedan några år tillbaka stod hela anläggningen stängd, tyst och tom. Gladbergs hade gjort konkurs och försvunnit därifrån, fabrikör Feiff som hyrt lokalerna en tid hade också tvingats upphöra med sin verksamhet. Sidenkramhandlaren Medberg, som nu var ägare, hade aldrig brytt sig om att nyttja egendomen, han bodde kvar intill sin kramhandel på Stora Nygatan.

Allt bara förföll – hus, trädgård, maskiner. Men en portvakt med två argsinta hundar fanns ändå kvar och avhöll från upptäcktsfärder och plundringsförsök.

De tre slog sig ner på berget med brännvinet som de samlat till. Eftersom Hugge stått för inhandlandet ansåg han sig ha rätt till första klunken, satte flaskan till munnen och drack. Sedan var det Villes tur.

De drack, stönade belåtet, rapade och bedyrade att det brände så gott. Just nu kände de sig tillfreds med sig själva och tillvaron, som vuxna män som fick sin rättmätiga belöning efter veckans slit. Här fanns varken förmän eller föräldrar som tjatade, här var de äntligen sina egna herrar.

Hugge Lindgren, sexton år och dagakarl på ett litet fallfärdigt bryggeri. Sjuttonårige Alfred Jonsson som – när det blev dags att få en vuxens lön – avskedats från brädgården och nu sökte påhugg i hamnen. Nittonårige Ville Svensson som tillhörde saltbärarlaget.

Ville var äldst, starkast och den som tjänade bäst. Varje dag bar han hundra säckar som vägde femton lispund var från skutan, över landgången och kajen och uppför den branta trappan till magasinet. Varje säck noterades med ett kritstreck på en tavla och hundra streck, en "storfana", var den dagliga prestation som krävdes.

Några liknande styrkeprov utförde varken Alfred eller Hugge. Alfred fick hoppa in än här och än där, ibland bara för kortare stunder när någon av de ordinarie tog rast. Hugge sysslade mest med att "kasta mältan", att med skyffel vända det groende och våta kornet på bryggeriets kalkstensgolv innan det blev dags att torka det i ugnen, kölnan.

Ville var deras styrka och stolthet, honom vågade sig inte många på, han gav sina kamrater skydd bara genom att finnas i deras sällskap. Däremot var han inte någon ledare, han kom sällan med några order eller förslag. Han var inte helt pålitlig, kunde bli arg utan orsak, särskilt när han druckit. Då slog han plötsligt till utan att varna och det kunde träffa både vän och fiende.

Spriten värmde och stärkte, fick dem att känna sig fria, okuvliga och oemotståndliga. De skrävlade och skrålade, främst Hugge som drack mest och tålde minst.

Några gubbar som suttit ett stycke ifrån gav sig iväg, de där slynglarnas beteende skrämde dem. Flickor som passerade på stigen intill gick fortare och låtsades inte höra anbud och tillmälen de utsattes för. En trasgrann berglärka dröjde ett ögonblick och iakttog dem men förstod ganska snart att det inte fanns något för henne att hämta.

Så småningom suddade skymningen och ruset ut omgivningens konturer. Ur töcknet glänste bara de små ljusen från gatlyktor och fönster. Och båda flaskorna var tomma.

Ville försökte fånga de sista dropparna som samlats på botten. Men de var så få att det inte var lönt mödan. Ilsket kastade han flaskan ifrån sig, den gick i bitar.

Kvällskylan började kännas obehaglig nu, smög sig in genom kläderna. Skrålet övergick i tystnad och trötthet. Festen var över innan den riktigt hunnit börja. Bara återtåget och bakruset återstod.

Ville reste sig, stapplade mot stigen innanför bergskanten, höll sig i en trädruska medan han svajande tömde blåsan. Alfred fick hjälpa Hugge som inte kunde komma på benen själv och skulle ha fallit nerför berget om han försökt. När de kom ner till Mejtens gränd släppte Alfred taget och Hugge snubblade och slog huvudet i planket så att blodet började rinna. Ville och Alfred tog honom under armarna och släpade honom hem. De satte honom i farstun utanför rummet där han bodde och hoppades att hans föräldrar skulle hitta honom innan han ramlade nerför trappan.

Alfred Jonsson var egentligen ganska snäll och skötsam och störde sällan någon. Visst hände det att han drack ibland, men det gjorde ju de flesta. Under arbetsdagarna höll han sig nykter och försökte klara de uppgifter han fick.

Han hörde inte till dem som kunde tala för sig eller armbåga sig fram. Redan rösten hänvisade honom till de lågmälda och han teg hellre än han väckte uppmärksamhet genom sin heshet.

Då och då pratade han ändå med en man som han lärt känna det år familjen Jonsson bott i Tvätterskegården. Det var Jöns Eriksson, som arbetade i hamnen och levde ihop med tvätterskan Karolina Skog. Jöns hade ofta passerat brädgården när Alfred arbetat där och nu stötte de ihop i hamnen.

När en plats blev ledig i Jöns' arbetslag så talade han med förmannen och Alfred fick den. I hamnen kallades Jöns för Smålands-Jösse, han hade invandrat från Jönköpingstrakten.

Hamnarbetarna hade av hävd sina bi- eller öknamn, ibland präglade av en ganska rå humor. Farsan med fötterna hade förfrusit tårna, Långfingret var tjuvaktig och Entiran enögd. Sedan man konstaterat att Alfred talade som ett väsande spöke fick han öknamnet Skräcken.

Någon månad senare fick Ville, som brukat kallas för Stora Svensson, ett mera hedrande namn – Storsäcken. Det var sedan han burit en dubbelsäck, som man på skämt ställt fram till honom, hela vägen upp till magasinet. Men då hade Ville också dragit två streck på tavlan för den bördan.

Medan kamraterna Alfred och Ville fått säkrare anställningsförhållanden i hamnen hade situationen blivit allt osäkrare för drängen Hugo Lindgren. Hans husbonde, bryggaren Hasselhuhn, hade gjort konkurs och tvingats avträda bryggeriet. Fastigheten hade köpts av en lärftkramhandlare och verksamheten drevs mera tillfälligt som en filial till ett större bryggeri. Nu under sommaren hade företaget fått en ny ägare. Det var en tjugoåttaårig bryggarlärling, Carl Christian Ackerman, som skulle starta eget och som köpt tomt, hus och utrustning för tolvtusen riksdaler banko. Men som lärling tillhörde Ackerman naturligtvis inte bryggarämbetet varför han tills vidare inte kunde överta ledningen utan man fick fortsätta som förut ännu en tid.

Familjen Lindgren bodde en trappa upp i det Nilssonska husets mittuppgång, som de flesta i ett rum med järnspis. Rummet var nattetid fyllt av bäddar, åtta personer bodde och sov där – varvsarbetaren Konrad Lindgren med makan Ester, deras fyra barn samt Konrads föräldrar. Bland barnen var Hugo äldst, sedan kom flickorna Agda och Marta, yngst var sjuårige Kalle.

I rummet bredvid bodde två sjuka gamlingar som förr arbetat på Barnängens klädesfabrik men blivit arbetslösa efter Gladbergs konkurs. Där fanns också deras dotter Hedda med man och parets ettåriga flicka. Mannen var dräng i hökarboden i kvarteret Kilen snett över gatan.

Under våren hade Fabrikssocieteten öppnat ett fattighus för välfrejdade fabriksarbetare som var ”så avsigkomna och eländiga att de annars icke kunde leva, och sjukdomen så svår att de utan denna hjälp alldeles skulle förgås”. Det gamla paret Nordin skulle nu få flytta till det nya Fabriksfattighuset vid Södermanlandsgatan där två rum inretts med sammanlagt tjugonio sängar, femton för män och fjorton för kvinnor.

Det betydde räddning också för de gamlas dotter, Hedda, och hennes familj. När Hedda väntat barn hade hon fått lämna sin tjänarinneplats hos trädgårdsmästaren på Vintertullsgatan. Eftersom hennes man, hökardrängen Mats Berg, inte kunnat försörja dem alla på sin lilla lön hade de svultit och haft svårt.

De skulle väl knappast ha överlevt om inte den snälla Charlotta

Rapp uppe i Sågargränden kommit med en matkorg då och då. Charlotta hade hört talas om deras bekymmer genom Lisa.

Det var så i utkanten – på ett eller annat sätt kände alla varann, åtminstone kände till. Någon gång kunde det vara besvärande men ofta en tröst och hjälp.

Under den tid Hedda vårdat sina föräldrar och sitt barn hade hon inte kunnat arbeta utanför hemmet. Men hemma hade hon övat sig i att skriva.

Lisas morbror, tobakshandlaren, hade köpt en del makulatur billigt, pappersark som han använde att göra snusstrutar av. Arken, som kom från kanslierna, var handskrivna handlingar av olika slag som gallrats ut ur arkiven och Johannes Ekberg hade plockat fram några som var särskilt användbara som förebilder.

En del av det som Hedda försökte efterhärma var obegripligt för henne – och då var det också svårt att tyda orden. Annat var ganska klart. Hon präntade med en stil som så mycket som möjligt liknade kopistens eller sekreterarens: För Flicke-barnen borde, i mon af tillgångar, tillfällen öppnas till nödig undervisning.

Några av de herrar som skrivit texterna var nog slarvrar. En del försökte krångla till bokstäverna så mycket som möjligt, särskilt den första, den som inledde handlingen, den kunde ibland växa ut till något som liknade ett spindelnät, tyckte Hedda. Men några skrev så vackert att det var en fröjd att se – och det var dem hon främst försökte efterlikna.

Sedan hennes föräldrar flyttat försökte Hedda ta tillfälliga arbeten, sådana där hon kunde ha barnet med sig. När Lisa och Karolina hade mycket att göra hjälpte hon dem med tvätten. Hon hade också skurat golv och tvättat fönster hemma hos Mats' husbonde, hökaren.

Hedda tänkte ibland med saknad på det rum som föräldrarna tidigare hade hyrt vid Bergsprängargränden. Där hade de haft en liten täppa också, det hade varit friare – och renare. Här blev stanken svår, åtminstone sommartid. Och hon var rädd för att den förpestade luften skulle kunna innehålla sjukdomsfrön som kunde drabba dem – och särskilt då barnet.

Sommaren 1828 var ändå inte någon av de hetaste och torraste, då stanken kunde bli outhärdlig. För några år sedan hade man haft en sådan het sommar och tyckt sig se hur de ohälsosamma ångorna steg som dimmor från smutsiga och stillastående vatten.

Däremot hade trångboddheten blivit allt större. På grund av eldfaran hade många fallfärdiga träruckel rivits och de som bott där hade inte haft råd att flytta in i de stenhus som byggts. Från stadens inre delar hade de därför fått söka sig till utkanterna och tränga ihop sig med dem som redan fanns där. Och då det blev alltmer lönande att ta emot inneboende lockades många att fylla varje vrå.

När människorna blev fler växte också latringropar och sophögar samtidigt som vattenbristen blev alltmer kännbar. De många som trängdes i husen, kring bakgårdar och avträden, kände knappast något personligt ansvar för förhållandena. Det var inte mycket de kunde göra och försökte några hålla snyggt så omintetgjordes det snabbt av andra.

Så tornade dynghögarna upp sig alltmer, intill Nilssonska huset vid Pilgatan och Pontanska huset vid Lilla Bondegatan och på bakgårdar och sopbackar över allt. Så växte den väldiga dypölen intill Mejtens gränd ända ut mot gatan. Till och med högt uppe i bergen fylldes skrevor och gropar av latrin och avskräde, vid stränderna kröp "flugmötena" allt närmare vattenhämtningsplatserna.

Vintern och kylan dämpade stanken, pölarna frös till. Men när den nya våren kom och snö och is rann bort avtäcktes allt som gömts under vinterns barmhärtigt skylande täcke. Och vindarna spred ett stinkande damm över gator och hus.

II

II

”skyddat av försynens hand”

”Under de trenne sistförflutna åren har den till nästan alla främmande länder inom Europa och även till andra världsdelar utbredda farsoten Cholera Morbus, givit anledning till ökade regeringsomsorger. Skyddat av Försynens hand befinner sig Sverige ännu fritt från denna landsplåga, som flera gånger närmat sig dess gränser, och Kongl. Maj:t hämtar därav anledning till den förhoppning, att sjukdomen, som efter förnyat utbrott i Norge, nu åter därstädes avtagit, skall även hädanefter genom fortsatt vaksamhet och ändamålsenliga karantänsanstalter kunna utestängas.”

Karl XIV Johan vid riksdagens öppnande, 30.1.1834.

Genom århundraden hade koleran härjat kring stränderna av de indiska floderna Ganges och Brahmaputra. På 1820-talet hade sjukdomen för första gången nått fram till Europa, först till Ryssland. Med de ryska arméerna fördes den till Polen och Preussen, därefter drabbades också London och Paris av väldiga epidemier. Bara under åren 1831–32 krävde farsoten mer än en och en halv miljon människoliv i Europa.

Sjukdomen uppträdde på ett oförklarligt, ofta gäckande sätt. Ibland kunde karantäner och avspärrningar förhindra att smittan spreds, ibland hjälpte inga barriärer. Människor kunde insjukna och dö utan att man visste om någon smitta i trakten, samtidigt kunde läkare, sjukvårdare och anhöriga undgå att drabbas trots att de ständigt befann sig i de sjukas närhet.

Läkarna hade två olika teorier. Den ena var att sjukdomen var *kontagiös*, att den smittade genom kontakter – med människor, med djur eller med döda föremål. Den andra utgick från att koleran var *miasmatisk*, att små osynliga sjukdomsalstrande partiklar, *miasmer*, utspytts ur jordens innandöme eller från världsrymden och med vinden fördes över alla gränser och skyddsmurar och kunde drabba vem som helst var som helst.

Osynliga stoftkorn lönade det sig inte att försöka bekämpa varför myndigheterna knappast hade någon annan möjlighet än att sätta sin tro till kontaktteorien. Man stängde och befäste tullportar och tvingade fartyg in i karantänsanstalter. Men sådana åtgärder kunde inte upprätthållas hur länge som helst, städernas befolkning måste få förnödenheter av olika slag från landsbygden och från utlandet, handel och sjöfart kunde inte lamslås helt i åratal.

Som vanligt var det främst den fattigare befolkningen som drabbades, de som bodde och levde sämst. Sjukdomens gåtfulla uppträdande gav då anledning till misstankar och oro. På olika håll i Europa ansåg man sig ha bevis för en och samma djävulska plan: de rika hade beslutat att utrota de fattiga och detta skedde nu med läkarnas hjälp.

I Sankt Petersburg angrep folkmassan sjukhus, krossade fönster och bar ut de sjuka. Läkarna utsattes för misshandel. Man ville inte tro att det var någon sjukdom som grasserade utan menade att de intagna förts till sjukhusen för att avlivas. I Paris hade lumpsamlarna, som hindrats i sitt arbete när myndigheterna fört bort all orenlighet och allt skräp från gatorna, gjort uppror och bränt renhållningskärror eller kastat dem i Seine. Många misstänkta och utpekade personer hade slagits ihjäl som "giftblandare".

Men över Sverige höll försynen fortfarande sin skyddande hand.

Naturligtvis försökte de svenska läkarna göra sig underrättade om farsotens karaktär och utbredning. Den förste som behandlat frågan var doktor Carlander som redan 1821 vid ett sammanträde i Läkar-sällskapet refererat en avhandling om koleran i Ostindien. Att det var just Carlander som tagit upp ämnet kunde tydas som olycksbådande. Han kallades nämligen "Döddoktorn" eftersom han främst intresserade sig för de nästan hopplösa fallen.

Men egentligen var det först 1830 som man på allvar började studera sjukdomen. Då rapporterade professor Trafvenfelt gång på gång om kolerans framfart och de behandlingsmetoder som prövades på olika håll. Han skrev också ett verk i tre delar, ett sammandrag av de utländska läkarnas erfarenheter och åsikter.

Diskussionen fortsatte och året därpå sändes två läkare ut för att studera förhållandena i Ryssland. Samma år utgavs en mindre skrift innehållande upplysningar och råd till allmänheten.

Men sedan koleran börjat härja kring Östersjön och i Norge räckte det inte att komma med råd, nu krävdes åtgärder. Sommaren 1831 tillsattes först en allmän sundhetskommitté under överståthållarens ledning och kort därefter sundhetsnämnder inom de olika församlingarna.

Den allmänna kommittén gjorde upp planer för hur sjukvården skulle organiseras under ett eventuellt koleraangrepp. Sjukhuslokaler av olika slag anskaffades och inreddes, bland dem den Sifvertska kasernen vid Tjärhovsgatan, där soldater tidigare inkvarterats, och Katarina kronobränneri som förvandlades till Provisoriska sjukhuset. Sängar och annan utrustning inhandlades, läkare och behövlig personal vidtalades för att kunna träda in om behov uppstod.

Samtidigt utarbetades regler för vad som skulle iakttas om farsoten utbröt. Resande och kringvandrande skulle kontrolleras och sjuka föras till sjukhus. Om den sjuke kvarstannade i hemmet skulle huset spärrras av och vakter placeras utanför. Begravningar skulle inte få ske i kyrkor och gravkor utan endast utomhus, särskilda kyrkogårdar skulle inrättas för massgravar. En del av Nya begravningsplatsen utanför Norrmalm skulle användas liksom den begravningsplats strax utanför Skanstull, som tidigare använts vid jordfästandet av lantvärnsmännen under senaste finska kriget.

Förordningen väckte omedelbar kritik. Många välsituerade reagerade mot att de skulle föras till sjukhus om de drabbades, de ville inte ligga tillsammans med "sämre folk" i sjukhusens salar utan vårdas hemma av tjänstefolk och anhöriga. Man fann även avstängningsanordningarna alltför frihetsberövande. Förordningen måste arbetas om och utkom på nytt i förmildrad form några månader senare. I den nya versionen fastslogs att ingen mot sin vilja skulle föras till sjukhus.

Församlingarnas sundhetsnämnder tog upp de mera lokala frågorna och skyddsåtgärderna. Kvarteren inom varje församling delades upp på olika nämndledamöter som skulle bistå de boende med råd och hjälp men även tvinga fram behövliga åtgärder. Man skulle utöva tillsyn över de fattigas bostäder och också se till att gårdar, förstugor och trappor hölls rena.

När hotet tycktes som störst var aktiviteten hög. Men då ingenting hände började man tro att faran var över. Utrymmeskrävande sjukhusinventarier såldes, allmänna kommitténs och nämndernas sammanträden blev allt färre, karantänsförordningarna mindre stränga. Och koleran var inte längre ett stående diskussionsämne vid läkarsällskapets sammankomster.

Viljan att stå för de kostnader som beredskapsåtgärderna krävt blev också mindre. Vid sockenstämman i Katarina församling lyckades kapten Rosenqvist för en gångs skull få majoritet för ett av sina yrkanden, han ansåg att ingen avgift borde uttagas för kolerabekämpandet utan kostnaderna helt betalas genom frivilliga bidrag. Först efter långvariga förhandlingar med församlingarna kunde överståthållaren driva igenom att allmänna sundhetskommittén fick uppta nödvändiga lån som senare skulle täckas genom uttaxering.

Trots allt fanns också andra – och hoppfullare – händelser att intressera sig för. Även i den annars så bortglömda och efterblivna utkanten kunde man glädjas åt goda nyheter.

Barnängen hade räddats ur sitt mångåriga förfall och fått en ny uppgift. Anläggningen hade återuppstått ”föryngrad och skön, för att i en högre mening förtjäna det namn, som slumpen, till en först nu realiserad betydelse, i forntiden tilldelat den.” Så hade greve David Frölich deklarerat i samband med att styrelsen för det ideella företag som köpt området hållit sammanträde där. Nu skulle den forna fabriken förvandlas till en internatskola av engelsk modell – efter förebilden kallad Hillska skolan. Lärare och lärjungar skulle bo tillsammans i en lantlig, naturskön och sund trakt. Verksamheten inleddes sommaren 1830.

Vid Pilgatan hade Ackerman fått fart på sitt bryggeri sedan han upptagits i bryggaresocieteten. Det förr så obetydliga och förfallna bryggeriet sjöd nu av liv och allt fler arbetare anställdes.

Och nere vid Tegelviken fanns den energiske grosshandlaren Liljevalch. Nu hade han också börjat driva ett rederi. Och midsommardagen 1832 hade han i överståthållarens närvaro öppnat en ”matinrättning utan spirituosa” för sina matroser och brädgårdsarbetare. Till och med kronprins Oskar hade besökt serveringen och lovordat det goda initiativet.

En annan åtgärd för att hejda det våldsamma drickandet var försöket att bilda en nykterhetsförening. Redan vid det första mötet framgick emellertid att det fanns stora motsättningar mellan dem som talade för absolut avhållsamhet och dem som förespråkade måttfullhet. Majoriteten bildade Stockholms måttlighetsförening, med kyrkoherde J.O. Wallin som ordförande. Minoriteten med ångbåtskonstruktör Owen som ledare stiftade Kungsholms nykterhetsförening.

Sommaren 1834 blev het och torr i hela Sverige. På många ställen sinade brunnarna och i Stockholm var det på grund av bristen förbjudet att hämta dricksvatten i tunnor eller större kärl.

Någon fara för en koleraepidemi syntes dock inte överhängande, det verkade snarast som om farsoten höll på att dra sig tillbaka från Europa. Vid mitten av juli var endast några portugisiska och spanska hamnar och städer samt Waterford på Irland upptagna som smittade orter.

Även om sundhetsnämnden i Katarina inte längre bedrev någon mera omfattande verksamhet kunde man inte undgå att ta upp en skrivelse som man fått en månad tidigare. Den kom från poliskammaren som begärde att nämnden skulle yttra sig över brandinspektionens rapport, undertecknad av såväl ordinarie som vice brandmästare.

Trots årliga påminnelser hade det så kallade Nilssonska huset vid Pilgatan förfallit så att brandsyn detta år inte kunnat verkställas annat än i mycket begränsad omfattning – osnyggheten och faran hade varit alltför stor. Tidigare påpekade sprickor i skorstensmurarna hade bara ytterst bristfälligt hopsmetats med lera. Det var omöjligt att ens uppräkna alla brister eftersom en stor del av huset mer var en ruin än den prydliga byggnad det i anseende till dess yttre murar kunde ha varit.

Så långt gällde det främst brandsynsmyndigheternas område och ansvar. Men brandmästarna framhöll också – sedan de erkänt att det inte var deras sak att göra det – ”den nästan *bottenlösa* osnygghet som i hela egendomen råder”. I ett litet kök i vindsvåningen hade de inte bara mötts av den mest vämjeliga och vantrevliga snuskighet utan också av en så outhärdlig stank "att vi där icke ett ögonblick kunde kvardröja".

I köket låg ett ruttnande lik, en inneboende som sades ha avlidit åtta dagar tidigare. Ändå pågick matlagning på spisen.

Två medlemmar av sundhetsnämnden gjorde ett försök till inspektion men bortmotades med käppen av husägaren och vågade inte återkomma.

Ägaren, kapten Rosenqvist, kallades att infinna sig i poliskammaren den tjugosjätte juli för att höras angående "bristfälligheter i dess egendom". Kaptenen kom inte utan sände bokhållaren Sandberg som sitt ombud. Bokhållaren sade sig inte känna till att huset hade några brister varför det befanns nödvändigt att höra Rosenqvist själv. Målet uppsköts till den andra augusti.

Då inställde sig kaptenen, märkbart irriterad över anklagelserna. Han kunde inte ränna omkring i huset för att se efter att det inte låg några döda i de uthyrda rummen. Och när det gällde renhållningen av gård och trappor hade han kontrakt med en arrendator Jarlslund som hade hela ansvaret för den saken.

Brandmästaren muttrade bistert att riksdagsmannen och kaptenen Rosenqvist som så ofta sagt sig känna såväl sina egna som samhällets plikter nu visat prov på motsatsen.

Saken måste utredas ytterligare och egendomen inspekteras ingående. Eftersom sundhetsnämndens ledamöter inte vågade, utsågs stadsvicefiskalen Thavenius och gevaldigern Winter att inspektera.

Rättegången skulle återupptas i poliskammaren den tjugosjunde augusti.

Staden låg bedövad av hettan som härskat så gott som oavbrutet sedan midsommaren. Det var vindstilla och luften kändes glödande. Termometrarnas kvicksilverpelare tycktes ha fastnat ovanför trettiogradersstrecket.

Nu i rötmånaden var det särskilt pressande. Matvaror ruttnade och förfors, det ofta unkna dricksvattnet sinade, stanken blev allt mer intensiv.

Fiskalen Thavenius och gevaldigern Winter hade kommit från

staden till Tegelviken med en av fru Liljevalchs roddbåtar. De försökte hålla sig så nära husmurarna och bergskanten som möjligt för att få skugga. Men det var inte behagligt att gå där heller, stenen utstrålade värme och redan efter några steg kände de sig matta.

Ingen av dem hade tidigare varit inne i det så kallade Nilssonska huset. Från gatan såg det inte alls särskilt anskrämligt ut. Säkert behövde det repareras, en del rutor var sönderslagna också – men det var ändå ett gediget bygge, värt att kosta på.

De konstaterade att den två år gamla kungörelsen angående förändrad och ny numrering av hus och gårdar i staden efterföljts. Förr hade husen numrerats inom kvarteren, numera skulle numren löpa längs gatorna och börja vid den del som låg närmast kungliga slottet, med udda siffror på vänstra sidan och jämna på den högra. Nilssonska huset hade fått nummer 42 vid Pilgatan och de tre portarna beteckningarna A, B och C. Nummerplåtarna var också reglementsenligt strukna med svart oljefärg som bakgrund till de gula siffrorna.

Kryddkramhandeln i hörnet av Pilgatan och Sågargränden föreföll välskött och sjömanshustrun Hanssons krog intill B-ingången verkade inte sämre än sådana ställen brukade vara.

Så långt fanns ingen anmärkning att göra.

Inspektörerna kunde nästan undra om brandsynarna varit alltför nitiska och fordrande. Men så snart de inträtt i det mellersta portvalvet förstod de att det inte var så. Stanken som mötte dem var överväldigande och den närmaste källan till den var tydligen brunnen inne i valvet.

Brunnen var så gott som igenfylld av smuts och avskräde, vattnet en sörja. Och gården innanför en väldig sophög där stora råttor sprang mellan fallfärdiga avträden och ruttna matrester, där flugor och bromsar lyfte i svarta moln.

De två herrarna flydde hastigt tillbaka ut på gatan och beslöt, sedan de styrkt sig med några glas på krogen, att börja med C-uppgången, närmast Sågargränden. Det var den delen av huset som såg snyggast ut och där de större lägenheterna låg.

En trappa upp, ovanpå kryddboden, bodde Rosenqvist själv. Fiskalen och gevaldigern bestämde sig för att avstå från att bese bostaden. På så sätt behövde de inte störa den besvärlige herrn och dessutom förutsatte de att det inte fanns några anmärkningar att göra där. Hos kryddkramhandlaren Hessler två trappor upp knackade de på och visades runt av handlaren som var hemma för att äta frukost. Där fanns ingenting att anmärka på. Utanför fönstren mot gårdssidan låg en vildvuxen men grönskande trädgård vars lummiga träd dolde den anskrämliga gården som de nyss varit ute på.

Vindsvåningen beboddes av sjökapten Kallerström som berättade att han hyrt bostad här för att ha utsikt över varvet, Tegelviken och inloppet. Kaptenen var pensionerad och änkling, han tillbringade dagarna vid gavelfönstret där han med en tubkikares hjälp studerade fartygens ankomst och avgång. Han hade en husmamsell som höll både honom och bostaden i gott skick.

Husdelen med de större våningarna låg i backen ner mot viken och hade därför ett våningsplan mer än resten av längan. I A- och B-ingångarna fanns det ovanför lokalerna i bottenvåningen bara ett plan och vinden.

Sedan Thavenius och Winter konstaterat detta beslöt de att följa kryddkramhandlarens exempel och de återvände till hustru Hanssons krog för att äta frukost. De beställde kryddsill med potatis, bröd med smör och ost, några supar och öl. Både sillen och osten befanns välsmakande och ölet var helt förträffligt. Krögerskan berättade att det kom från det nya Ackermanska bryggeriet i kvarteret intill, bryggeriet hade på kort tid fått många belåtna kunder.

När måltiden var över fick pigan sköta krogen ensam en stund medan krögerskan följde herrarna för att visa bostadsrummet som hon och hennes man hyrde. Sjöman Hansson var till sjöss, berättade hon, och hade varit borta längre än beräknat. Förmodligen låg skeppet i karantän någonstans.

Familjen Hanssons rum fanns en trappa upp innanför porten närmast Tjärhovs tvärgränd, A-uppgången. Hanssons hade varken barn eller inneboende så nog räckte utrymmet, särskilt som mannen var borta så mycket.

Medan de gick genom portvalvet och uppför trappan beklagade hustru Hansson att allt var så smutsigt och förfallet i huset numera. Folket som skulle sköta städning av gård, portvalv och trappor kom ytterst sällan och slarvade med det lilla de gjorde. Och renhållningshjonen som skulle sköta bortforslandet av latrin och avskräde hade inte varit här på länge nu, antagligen snålade Rosenqvist och beställde deras hjälp alltför sällan.

Klaga vågade man inte, sa hon, då fick man inte bo kvar. Det var svårt att hitta något ledigt rum i närheten. Dessutom hade krogen ett bra läge, hon hade många kunder från hamnen och arbetsplatserna kring Tegelviken. Grosshandlare Liljevalchs nykterhetsservering hade hittills inte varit någon svår konkurrent.

Även om trappuppgången och farstun var skräpiga så var det städat och rent inne i rummet, vilket gevaldigern antecknade i sin protokollsbok. Det dröjde ganska länge innan han fick anledning att upprepa det betyget.

På de flesta ställen fanns någon hemma, mödrar med barn eller ensamma barnungar, åldringar, arbetslösa och sjuka. Ängsligt släppte de in de två överhetsrepresentanterna i sina kyffen där klädbylten och – i bästa fall – höstoppade putor och madrasser täckte de smutsiga golven men möbler ofta saknades.

Stanken var svåruthärdlig, steg från sophinkar, otömda pottor och nattämbar, från smutsiga paltor och skämda matvaror. Skräpet låg i drivor, fönsterrutorna var det ibland omöjligt att se ut igenom, ofta var de trasiga med papper instoppat i hålen.

Sju-åtta familjemedlemmar och tre-fyra inneboende i ett enda rum var ingenting ovanligt här. Och människorna var lika vanvårdade som deras "hem" – glåmiga, bakfulla, klädda i trasor, hostande och dreglande. De som var hemma på dagarna var väl de sämst ställda, de som inte förmådde arbeta.

Gevaldigern måste gång på gång notera "oerhörd snuskighet", "förfärlig stank", "inhyser husvilla lösdrivare".

Allra värst var det uppe på vinden där solen gassade på tegelpannorna och det var lågt i tak. I flera rum låg sjuka som tycktes sakna vård och föda, några hade inte ens vatten.

B-uppgången bjöd på samma elände. Där började inspektörerna på vinden och tog sedan rummen i våningen under.

Närmast trappan bodde en familj Lindgren, mannen förrådsarbetare vid varvet. Också här var det trångt, åtta personer bodde i rummet. Man och hustru, fyra barn mellan tretton och tjugoett år, mannens åldriga föräldrar. Men inga inneboende och förhållandevis städat ändå. Det fanns ett bord, en bänk och några stolar också.

Med någon tvekan godkänt, noterade Winter.

Fiskalen Thavenius knackade på dörren bredvid Lindgrens. Nu hade de bara några få rum kvar innan inspektionen var slutförd.

Dörren öppnades av en kvinna som undrande såg på herrarna men steg åt sidan för att släppa in dem. Fiskalen förklarade deras ärende och hon nickade, förstod och godkände. Förutom kvinnan fanns två barn i rummet, en sjuårig flicka och en årsgammal pojke.

Något häpna såg de två inspektörerna sig omkring, drog in luft i näsborrarna. Efter allt de upplevt de senaste timmarna var det nästan uppskakande att komma in i ett rum som var rent, till och med luktade rent. Att fönstret, som stod öppet, var mot gatan och inte mot gården betydde naturligtvis mycket. Och att det vette mot norr var närmast en fördel så här års.

Familjen hette Berg, mannen var hökardräng. Hustrun var hemma hos barnen men arbetade ibland om hon kunde ta barnen med sig. Just nu arbetade hon hemma, renskrev räkningar som skulle lämnas ut till kunderna i boden där hennes man arbetade.

Den litet kutiga och kantiga kvinnan kunde alltså skriva. Fiskalen såg räkningarna som hon skrivit och som låg på bordet, handstilen var förvånansvärt vacker, en sådan skönskrift såg man sällan.

Hon hette Hedda, född Nordin, och var trettiosju år gammal. Rummet hade de övertagit efter hennes föräldrar som gamla och sjuka fått flytta till Fabrikssocietetens fattighus.

Familjen hade hittills klarat sig utan att ta emot inneboende. De var bara fyra i rummet, två vuxna och två barn. Och de hade bord och några stolar, en säng som mannen snickrat åt dem och ett hemgjort skåp där de förvarade matvaror, husgeråd och kläder. Golvet var rent, en vattenhink stod intill fönstret. Gevaldigern lyfte på locket och luktade litet misstänksamt på vattnet, det hade ingen besvärande doft – vilket antagligen innebar att de fått bära det lång väg, kanske från brunnen i Brunnsbacken nära Slussen.

Förutom räkningarna låg en bit omslagspapper på bordet, fyllt med textade bokstäver som ganska säkert skrivits av ett barn. Thavenius frågade och hustrun Berg bekräftade, hon försökte lära flickan att skriva och läsa eftersom barnet ännu inte kunnat få komma till någon skola.

Barn, också flickor, behöver kunna läsa, skriva och räkna, sa modern. Tonen var sträv, som om hon försvarade att hon försökte lära flickan något. Men Thavenius hade ingenting att invända, han höll med henne.

Om kapten Rosenqvist och ordningen i hans hus ville kvinnan inte yttra sig.

Vi vill bo kvar här, sa hon, åtminstone tills vi kan hitta något annat och bättre. Och vi vill inte bli oense med folk, varken med värden eller grannarna.

Det är nödvändigt att få ordning på det här huset, sa fiskalen. Flera myndigheter har klagat, både brandsynen och sundhetskommittén. Och koleran har börjat röra på sej igen, den har kommit över våra gränser nu.

Redan en vecka tidigare, den sjunde augusti, hade karantänskommissionen i Stockholm meddelat att ”en illa-artad och dödande sjukdom, liknande koleran” utbrutit i Göteborg, därefter hade området kring Vänern förklarats smittat. Koleraböner skulle nu läsas i kyrkorna varje söndag.

Hedda lyssnade allvarligt, hon hade hört ryktena som hon nu fick bekräftade. Det gladde henne att myndighetsherrarna också intresserade sig för detta eländiga hus, hon hade inte vågat tro att någon brydde sig om hur de fattiga levde.

Inspektionen var klar. Fiskalen och gevaldigern kom ut på gatan igen. Värmen kändes kvävande, det var tungt och motigt till och med att gå backen ned mot hamnen och båten. Under hela den senaste veckan hade det inte fallit en enda droppe regn.

” i händerna på odugligheten”

”Sålunda måste man ofta, i den grymma övertygelsen att den sjuke skulle bli ett rov för sina lidanden, lämna honom i händerna på odugligheten, räddhågan och den falska övertygelsen, som föder gudlöshet och ett kärlekslöst uppförande emot nästan – – –”

Läkaren J. Ellmin om de sjuka som
inte fått plats på sjukhusen,
i Berättelse rörande de sjuka – – –
under Cholerafarsoten i Stockholm.

Sjötullvaktmästaren Emanuel Malmberg var en levnadsglad herre som inte försmådde världens goda. Han avnjöt tillvarons glädjeämnen så snart sådana bjöds, med åren var det främst mat och dryck han uppskattade. Till de försiktiga därvidlag hade han aldrig hört men klarat sig bra ändå. Han brukade berömma sin ”järnmage”, den tycktes tåla det mesta.

Under några dagar hade han arbetat ombord på ett engelskt lastfartyg som låg i hamnen vid Tegelviken. Det hade avseglat från Hull i slutet av juli och anlänt till Stockholm den elfte augusti sedan kaptenen erhållit sundhetsbevis för sitt skepp från karantänsanstalten vid Dalarö. Besättningen var frisk, hade varit det under hela resan. Efter ankomsten till Stockholm hade man haft ständig beröring med land.

Malmberg var omtyckt av skeppsbefälet, fick mat och dricka. Han hade bjudits på melon och vin vid sitt sista besök på förmiddagen den nittonde. Eftersom dagen var lika varm som de föregående hade han, som han brukat, pytsat upp en hink av Tegelvikens inte alltför rena vatten och druckit av det innan han lämnade skeppet för att i en av fru Liljevalchs svartgröna båtar ros till Räntmästartrappan i staden. Därifrån brukade han gå till sin bostad vid Karduansmakargränden några kvarter från Norrbro.

Medan han satt i båten och väntade på att kullorna skulle få tillräckligt många passagerare för att ”sätta ut” frågade han efter den dalkulla som brukade sjunga så vackert under färden, hon hade inte synts till på morgonen och var inte vid bryggan nu heller. Den äldre av kullorna som nu satt vid årorna berättade att deras kamrat blivit illamående och fått feber varför hon låg och tog igen sig i deras logement intill hamnen.

Ja, i den här kvävande värmen kunde vem som helst känna sig däven och dålig. Nu ångrade tullvaktmästaren nästan att han satt i sig hela den stora melonen, den var övermogen också, alltför lös i köttet. Men han litade på sin trogna och tåliga mage, den skulle säkert klara också det provet.

Som den mest betydande passageraren var det tullvaktmästarens sak att ropa "Väl rott!" när den tunga båten nalkades bryggan vid Räntmästartrappan. Ropet var inte bara ett tack för god färd utan också en styrorder som skulle varna rodderskorna för bryggan så att båten inte alltför hårt stötte emot.

Det var när han gick ur båten som Malmberg kände att han faktiskt mådde riktigt illa, blivit yr också. Lyckligtvis fanns en ledig hyrkuskvagn i närheten och med hjälp av den kunde han ta sig hem innan magen exploderade och innehållet sprutade ut genom mun och tarm. Han skakade av konvulsioner.

Malmbergs hustru ville inte tro något annat än att mannen, oförsiktig som han var, ätit något olämpligt och skulle bli bättre sedan han blivit av med det han fått i sig. Men i stället började huden så småningom blåna, yrseln blev värre. Magen var väl tom nu men ur tarmen flöt i stället en tunn vit vätska.

Samma kväll fördes Malmberg den korta vägen till Serafimerlasarettet där han avled dagen därpå. Läkaren Grill som förrättade obduktionen meddelade att tullvaktmästaren besvärats av en till sina symptom koleraliknande sjukdom.

Senare samma dag dog en gammal gesäll som hette Bordinghaus. Han tillhörde den tyska församlingen och bodde vid Högbergsgatan snett emot Katarina kyrka. Gesällen hade inte haft någon kontakt med folket och vattnet kring Tegelviken. Också han hade nåtts av koleran, liksom kullan i Liljevalchska huset. Men i hennes fall var förloppet lindrigare och redan efter en dryg vecka kunde hon betraktas som frisk igen.

Tullvaktmästaren Malmberg hade väl någon gång i sitt liv drömt om att bli ryktbar. Men knappast tänkt sig att han skulle ihågkommas som den som antänt en epidemisk löpeld. Av läkaren P.G. Cederschjöld omnämnd som ”denna gnista, eller själva initiativet till epidemien”.

Nästa offer blev ännu en av rodderskorna vid Tegelviken. Sjömansänkan Maria Engström hörde inte till dalkullorna och bodde inte i Liljevalchs logement, hon arbetade i det äldre roddarlaget som svarade för trafiken mellan Tegelviken och Djurgården. Och hon bodde i kanten av Vita bergen, i hörnet av Nya gatan och Mejtens gränd. Huset som nu hade många invånare hade en gång varit klädesfabrikanten Per Krohns bostad.

Medan koleran varit på väg mot Stockholm hade stadens myndigheter fått några dagar på sig att rekonstruera de olika skyddsorganen och göra sig redo för att ta upp kampen.

Sundhetskommittén och de lokala nämnderna sammankallades och trädde i regelbunden verksamhet. Madrasser och kuddar och annat för sjukhusens behov upphandlades på nytt eftersom man ju realiserat en del av lagren. Läkarna var redo, de tidigare endast formellt anställda vårdarna och biträdena av olika slag samlades.

Inom varje församling skulle nu finnas minst en sundhetsbyrå. Dessa skulle hålla öppet dygnet runt och läkare och badmästare alltid finnas tillgängliga.

Samtidigt visiterades hökarbodar, slakterier och bryggerier, man kontrollerade att matvaror och drycker höll måttet. All försäljning av torr fisk och salt sill flyttades till Sillhovet på Blasieholmen.

Man var ganska väl förberedd när de första sjukdomsfallen inträffade. Och åtminstone de tidigaste fallen tycktes stödja den av myndigheterna omfattade kontaktteorin, de som drabbades levde intill Strömmen och i katarinatrakten.

Dagen då poliskammaren fortsatte rättegången mot kapten Rosenqvist, den tjugosjunde augusti, fanns redan två lik i det Nilssonska huset. Dessutom hade en av de boende där dött på Sifvertska kasernen och flera sjukdomsfall rapporterats.

Kapten Fredrik Leonard Rosenqvist af Åkershult var en ganska olycklig man denna heta sommar.

Att politiska motståndare gång på gång besegrade honom i debatter och omröstningar på Riddarhuset var han van vid. Men nu hade också utvecklingen och dagshändelserna börjat gå honom emot och nästan tvingat honom att erkänna att han haft fel.

Han hade protesterat mot sundhetsnämndens och polisens besök i husen, kallat de visiterande för "objudna gäster" och talat för att ta ifrån dem inspektionsrätten. Han hade stolt förklarat att Katarina församling inte var "så fattig och rådlös" att den skulle behöva någon hjälp om koleran kom. Var och en borde reda sig själv, hade han tyckt, och några skatter eller avgifter behövde inte tagas ut.

Dessutom hade han påstått att koleran inte var så farlig som man trodde. Det var ändå inte fråga om pesten! Eftervärlden skulle betrakta nutidens alla försiktighetsåtgärder som löjliga, en fäktning mot sagotroll och dimfigurer.

Nu hade flera dött i hans hus redan under farsotens första dagar. Och Katarina fattiga församling behövde sannerligen all hjälp den kunde få från de förmögnare och ännu inte utsatta. Koleran var inget sagotroll utan en högst påtaglig realitet. Och vem vågade längre påstå att den var så mycket mindre förödande än pesten?

Det var inte bara kritik från sundhetsnämndens och poliskammarens ledamöter som Rosenqvist hade att möta. Varje dag fick han ta emot sin egen hustrus beska kommentarer. Hon ville inte förstå att han inte ansåg sig ha råd att rensa upp "pesthålan" som de bodde i. Hon anklagade honom för att riskera hennes, de tre döttrarnas och deras ännu ofödda barns liv. Hon var i femte månaden nu och havande kvinnor blev lätt irriterade.

Enda barnet i hans första äktenskap, sonen Fredrik, var gift och bodde inte hemma längre. Också han hade varit kritisk, kunde inte förstå hur fadern kunde låta huset förfalla.

Men kapten Rosenqvist hade inte tid med koleran och allt som farsoten krävde av honom som husägare och familjefar. Omgivningen måste förstå att han hade högre uppgifter i tillvaron: han ville föra frihetens talan mot kungaförtryck, mot att man kvävde yttrandefriheten och gjorde intrång i det privata ägandet. Han ville sköta sig själv och sitt hus, utan påbud och inspektioner.

Ilsken och tvärsäker – men samtidigt också vilsen och osäker – infann sig Rosenqvist i poliskammaren. Och kände på ett helt annat sätt än förut hur fientlighet och kritik strömmade emot honom. Tidigare hade han bara varit en besvärlig och motsträvig men ändå inte skyldig person. Nu såg man på honom som om han redan var dömd och fälld.

Det drev honom in i ett hörn, gjorde honom försvarsberedd och aggressiv, redo att med anklagelser och försmädliga tillmälen svara på kritiken.

Mycket folk hade kallats till poliskammaren den här dagen, de flesta av dem som hyrde av Rosenqvist fanns där liksom fiskalen Thavenius, gevaldigern Winter och notarien Gretl samt andra medlemmar av sundhetsnämnden.

Fiskalen rapporterade att man besiktigat de flesta bostäderna och att alla utom handlaren Hessler, sjökaptenen Kallerström, sjömannen Hansson, varvsarbetaren Lindgren och hökardrängen Berg haft till den grad smutsigt och osnyggt i sina bostäder att det övergick all beskrivning.

Medlemmar av sundhetsnämnden upprepade sina tidigare framförda klagomål över att de inte släppts in för besiktning utan hotats av husägaren.

Rosenqvist förnekade detta. Han undrade sedan om det kunde läggas honom till last att de som han hyrde ut till inte vårdat sig om snygghet. Hade han ens rättighet att tvinga dem till det? I så fall måste han ha rättens tillstånd att begagna käppen mot dem som inte åtlydde honom och dessutom tilldelas en person som kunde gå honom till handa vid avbasningen.

Fiskalen Thavenius framhöll nu att flera personer redan avlidit i koleran i Rosenqvists egendom och att orsaken till deras död var den rådande snuskigheten. Thavenius menade att Rosenqvist borde plikta mansbot för var och en som dog där – tills det blev rent.

Gevaldigern Winter bekräftade den kritik som fiskalen framfört och citerade ur sitt protokoll. Han tog även upp frågan om den stinkande brunnen i portvalvet. Efter åtskilligt parlamenterande måste Rosenqvist till sist gå med på att inom en vecka låta rengöra och övertäcka brunnen.

Vidare fastslogs att smutsiga rum skulle skuras och rengöras på de felandes bekostnad samt att boende som inte själva kunde förmås hålla sig rena skulle bli tvättade och badade efter läkares anvisningar. De som under pågående sjukdomstillstånd inte kunde skaffa sig sund föda skulle tilldelas sådan. Gård, trappor och förstugor skulle omgående rengöras genom husägarens försorg.

Rätten uttryckte sitt missnöje med att Rosenqvist inte lämnat någon förteckning på de hyrande och han förpliktigades att göra detta. Kaptenen svarade att han inte ville uppfylla önskemålet eftersom sundhetsnämnden uppfört sig så illa emot honom att han måste betrakta denna nämnd som en av de mest våldsamma institutionerna i samhället. Kravet på en förteckning fastslogs dock.

Kapten Rosenqvist meddelade till sist att han ville ta del av protokollet så snart som det utskrivits. Vidare framförde han sitt missnöje över de fattade besluten och förklarade att han skulle överklaga dem.

Redan innan augusti månad löpt ut hade hundrasjuttio människor i staden dött i koleran, av dem var fler än sjuttio boende i katarinatrakten. Endast Kungsholmen hade ännu inte drabbats, de som förts till Serafimerlasarettet där kom från andra stadsdelar.

Flera av de upprustade kolerasjukhusen var klara att öppna när koleran bröt ut. Det tidigare värdshuset Claes på hörnet fick ta emot sjuka från Norrmalm och Ladugårdslandet, Kastellholmens sjukhus dem från staden mellan broarna och från fartyg i hamnarna. Sifvertska kasernen, som var stadens största sjukhus med tvåhundratrettio platser, fick till att börja med alla från hela Södermalm. Även det provisoriska sjukhuset i det gamla brännvinsbränneriet vid Nya Sandbergsgatan på Söder fanns redo men eftersom en del smittkoppssjuka tagits in där och man inte ville blanda de två sjukdomarnas offer skulle det dröja några veckor in i september innan kolerasjuka fördes dit. Serafimerlasarettet och Danvikens sjukhus hade inrett särskilda koleraavdelningar.

Sifvertska kasernen öppnades den tjugofjärde augusti och blev genast fullbelagd. Vid Götgatan hade Katarina församling sin sundhetsbyrå i Lakes rakstuga. Dit kunde de som behövde hjälp för sina anhöriga vända sig. Medikamenter utdelades gratis, sköterskor som kunde gå hem till sjuka och bärare som skulle föra de sjuka på bår till sjukhusen fanns redo. Byrån kunde också tillhandahålla likkistor och ordna transporter av döda till kolerakyrkogårdarna. De döda hämtades nattetid i husen, på kolerakyrkogårdarna hade långholmsfångar under militärt befäl grävt stora gravar med plats för upp till sexton kistor i varje grav.

För att få villiga arbetare betalade man ut högre löner än under normala förhållanden. De kvinnor som användes som sköterskor fick också en jungfru portvin varje dag, som bidrag till hälsans och krafternas stärkande. Dödgrävarna fick fyra jungfrur brännvin samt öl för att härda ut.

Vid sundhetsbyrån i Katarina fanns representanter för sundhetsnämnden, några badare samt tretton sköterskor och tolv bärare.

De ännu inte sjuka sökte råd hur de skulle skydda sig, inköpte amuletter och sidenpåsar med kamfer att bära närmast kroppen och "rökgubbar", som när de antändes fyllde bostäder, förstugor och trappuppgångar med kväljande men som man hoppades smittodödande rök. Tobaksrökning ansågs särskilt hälsoskyddande, tidigare hade man på grund av eldfaran inte fått röka utomhus men nu slopades förbudet. På gatorna syntes snart många piprökande män, en och annan herreman hade också börjat använda ett i Sverige nytt rökverk, cigarren.

Råd och metoder var ibland ganska motsägelsefulla. En del ansåg att det viktigaste var att hålla magen varm varför kraftiga maggördlar rekommenderades i sommarvärmen, andra menade att ingenting var så bra som att placera en isbit i navelhålan. En del tog imbad, något som dock knappast kunde prövas av de trångbodda. Måttlighet när det gällde mat och dryck prisades, brännvin och omogen frukt borde undvikas, liksom fisk. Buljong, ägg, salt sill, lök, rödvin och kaffe ansågs däremot hälsobringande.

Dessutom tuggade man kalmusrot och vitlök och drack tjärvatten.

Med koleran kom också förgiftningsryktena som tidigare skapat stor oro i många länder. Även i Stockholm började man viska om de rikas försök att göra sig av med de fattiga. Koleran existerade egentligen inte, sa man, utan brunnarna hade förgiftats. När de som blev sjuka av giftet sedan fördes till sjukhusen avlivades de av läkarna där.

En arbetskarl som förts till Sifvertska kasernen hade följts dit av sin hund, berättades det. När sköterskan skulle ge mannen medicin hade hon spillt ut några droppar på golvet. Hunden hade slickat upp dem och dött omedelbart.

En annan historia som ofta berättades var att kronprinsen, förklädd till båtsman, låtsats vara sjuk och besökt ett sjukhus. När man velat ge honom medicin hade han doppat sin kråsnål av guld i vätskan och då nålen genast svartnat hade kronprinsen förebrått läkarna deras illdåd.

En del av historierna dementerades eftertryckligt och tidningarna redovisade med namn de ståndspersoner som avlidit så att allmänheten skulle kunna se att sjukdomen inte bara drabbade de fattiga. Att kronprinsen flera gånger besökt sjukhusen var däremot riktigt, han hade påtagit sig överinseendet över dem. Fattiga som tillfrisknat kunde också bekräfta att de behandlats väl och fått betydligt bättre föda än de hade råd att hålla sig med under vanliga förhållanden. Men visst försökte många ändå undvika sjukhusen och lät sig inte tas dit förrän det var för sent.

Ryktena gav aldrig anledning till några upplopp och tystnade så småningom. Men betrycket, oron för det egna livet och de närmastes, präglade alla. De flesta som hade något hem höll sig där, försökte gömma sig för smittan och medmänniskorna.

Riksdagen var fortfarande samlad, kungen hade inte velat upplösa den och sända hem ständerna. Han hade i stället vädjat till dem att inte överge honom.

Så länge de kungliga och riksdagsmännen fanns kvar i staden var väl situationen inte alldeles hopplös, tyckte man. Åtminstone inte värre i huvudstaden än på någon annan plats. Några av de höga herrarna engagerade sig hårt i kampen mot sjukdomen. Kronprinsen vågade sitt liv genom att besöka sjukhusen. Många präster med Johan Olof Wallin i spetsen gjorde allt för att hinna både uppfylla sina prästerliga plikter och delta i sundhetsnämndernas oavlönade verksamhet. De flesta läkare arbetade natt och dag för att hjälpa och rädda så många sjuka som möjligt. De goda exemplen efterföljdes av sköterskor och bärare och många familjer tog hand om barn som blivit föräldralösa genom koleran.

Östra delen av Katarina församling bildade ett distrikt för vilket Carl Ulric Sondén var den ansvarige läkaren. Han var en ganska ung man, trettiotvå år, och hade ännu inte avlagt sin doktorsexamen. Under de senaste åren hade han varit utomlands, egentligen för att studera sinnessjukdomarna och anstalterna för sinnessjuka. Men kolerans framfart i Europa hade också engagerat honom, inte minst sedan han själv insjuknat och legat på sjukhus i Bordeaux i Frankrike. Efter hemkomsten var han anställd som läkare vid Danvikens hospital och blev nu också distriktsläkare.

Sondén hade sett de väldiga "koleraslagfälten" i Europas storstäder och utgivit skriften "Råd mot kolera ur egen erfarenhet". Det var alltså en ung men inte oerfaren läkare som hade ansvaret för sjukdomsbekämpandet i den del av staden som fick ta emot kolerans första attack.

Det dröjde något innan läkarna på Sifvertska kasernen vänjde sig vid rutinerna och hann med alla uppgifter. Några sjuka som infördes kunde aldrig identifieras utan begravdes lika okända som de anlänt till sjukhuset.

Distriktet som Sondén fått var stort och hade många drabbade. Det var inte heller någon lätt trakt att arbeta i. Svårframkomliga branta berg där man knappast kunde ta sig fram med häst och vagn, låglänta och sumpiga marker som nedanför Nytorget och intill Hammarby sjö. Även uppe i bergen fanns svackor och gropar där gyttjeaktiga samlingar förökats genom seklerna, skrev han i sin journal.

Den största och värst stinkande reservoaren hade han funnit vid Mejtens gränd, nära det hus där den i sjukdomen avlidna rodderskan bott. Redan hade ytterligare några av dem som bodde i samma hus drabbats och dött. Det kallades Krohnska huset efter en tidigare ägare.

Huset var en av sjukdomshärdarna, en annan det ökända Nilssonska huset vid Pilgatan. En tredje varböld var Pontanska huset vid Lilla Bondegatan.

Man brukade räkna med att farsoter av olika slag först och värst drabbade låglänta, dyiga områden. Nilssonska huset låg visserligen nära Tegelviken men ändå uppe på en bergsluttning. Det Pontanska låg högst uppe på berget ovanför.

Det höga läget hade inte hjälpt, nästan tvärtom. Nere vid Barnängen, intill sjöstranden, levde hundratrettio personer på den Hillska skolan och där hade inte en enda människa insjuknat. Inte heller vid Lilla Blecktornet där marken var vattensjuk, inte ens vid Nytorget med alla dess dypölar och där massor av fattiga människor trängdes i det gamla fabrikshus som kallades Malongen.

Nilssonska, Krohnska och Pontanska husen var alla nerslitna, nersmutsade. Intill husen låg latrinhögar och dypölar. Att de husen inte undkommit var trots allt lätt att förstå. Men att Malongen klarat sig var rent obegripligt.

”allt likasom förlamat och avdomnat”

”Det är i hela Stockholm ett sådant spring för de naturliga angelägenheterna, att folk hinner intet mera. Professor Cederschjöld hade en dag på sin del över trettio sådana patienter, som behövde korkas, så man kan icke för hövliga öron säga, vad för ett slags hus hela Stockholm för närvarande är.

Att under dessa tider och omständigheter stort intet göres, det faller tämligen av sig självt. Både i huvudstadslivet och i riksdagen är allt likasom förlamat och avdomnat.”

Prosten och riksdagsmannen
Chr. Stenhammar i brev 16.9.1834.

Tillsammans med sköterskor, bärare och arbetskarlar, ett par polisbetjänter och några av nämndens herrar kom den unge doktor Åkerberg från sundhetsbyrån till det Nilssonska huset.

Alla boende hade beordrats att hålla sig hemma och inne när besiktningen av dem och deras bostäder skulle företas. Eftersom besöket var väntat hade de flesta som så förmådde försökt städa. Hyresvärden hade motvilligt låtit rengöra brunnen, skura trappor och förstugor och forsla bort sop- och latrinhögarna från gården. De flesta av de husvilla inhysingarna hade försvunnit i god tid och höll väl till utomhus nu, några som var alltför nersupna och eländiga för att hålla sig undan togs av poliserna och fördes bort.

Rum efter rum besågs. Där man fann städningen otillräcklig beordrades arbetskarlarna att träda in. Trasor, lös halm och annat skräp bars ut till en sopkärra, ibland under de boendes protester.

Några sjuka gick efter övertalning med på att låta sig bäras till Sifvertska kasernen, andra – som vägrade – fick medikamenter och vård av sköterskorna.

Flera av de boende besvärades av diarréer men ansåg inte själva att de var kolerasjuka och var det kanske inte heller. Doktor Åkerberg försökte ”korka” dem genom att utdela stillande och stämmande medel, främst vismut.

Många hade försökt tvätta sig själva och sina kläder. Men gamla och sjuka som inte orkat leddes eller bars ned till gården där en balja placerats i en utrymd bod. Vatten hade arbetskarlarna medfört i en utrangerad brand-tillbringare, det värmdes i en gryta i hyresvärdens bykstuga.

Kapten Rosenqvist höll sig borta, han deltog i adelns riksdagsförhandlingar på Riddarhuset. Bykstugan hade utlånats av hans mycket samarbetsvilliga hustru.

På gården och i portvalven brann kraftiga pytsar fyllda med tjära och den bolmande röken svepte in hus och gård i ett ibland ogenomträngligt töcken.

Hökardrängen Mats Bergs rum hörde till dem som snabbt godkändes och han och hans familj utsattes inte heller för någon mera närgången granskning. De såg propra ut, det räckte.

Mats kunde återvända till boden snett över gatan och fortsätta sitt arbete. Hustrun Hedda och barnen fick också avlägsna sig och de gick ett stycke upp i bergen ovanför för att undfly den besvärande röken.

Hos deras närmaste granne, Lindgrens, var det inte lika bra. Lindgrens föräldrar hade båda drabbats av sjukdomen och också Lindgren själv. Särskilt de gamla skulle nog ha behövt ett bad men eftersom såväl de som sonen gick med på att föras till sjukhuset fick de väl badas där. Bärarna bar iväg dem och kvar blev bara Lindgrenskan och barnen.

Även hos brädgårdsarbetaren Jonsson fanns sjuka, hustrun och ett av barnen. Också de fördes till Sifvertska kasernen där kvinnan avled redan samma kväll.

I det Nilssonska huset hade inspektionen skapat oro och rörelse, människor myllrade ut ur alla prång och hål. Några som tvingades att bada protesterade, grät och skrek och slog ifrån sig, skräckslagna vid tanken att kroppen skulle berövas smutsens skyddande hölje. Sjuka bars på bårarna till kasernen som blivit sjukhus.

Annars var det ganska stilla i staden medan koleran härjade, som om alla gömde sig och höll sig tysta för att inte bli upptäckta och drabbade. Man undvek att träffa människor – ingen visste vem som kunde vara smittad.

Men arbete och affärer måste ändå skötas av dem som var friska. Johannes Ekberg höll sin bod öppen och hoppades att den hälsobringande tobaksröken, som hans kunder spred där, skulle hålla smittan borta. Själv hade han aldrig känt behov av att röka, kanske därför att han ständigt vistades i tobaksdoft och rök.

Han började bli gammal, både hustrun Kerstin och han själv fyllde femtiofem detta olycksår. Huspigan Barbro som kommit till dem för drygt tio år sedan var fortfarande i deras tjänst, hon hade fyllt trettio nu. Numera kunde Johannes knappast tänka sig att de skulle kunna klara sig utan hennes hjälp.

Koleran hade drabbat en del av husen i den inre staden men då främst kvarteren intill Österlånggatan och ner mot Skeppsbron. Även i Klara-trakten hade den tagit allt fler offer. Och här i den inre, tätbebyggda staden kunde man aldrig glömma faran, varje natt väcktes man av likkärrorna vilkas järnskodda hjul dundrade fram över stenläggningen. Och av de fyllhesa rösterna som skrek ut sina frågor om det var här det fanns lik att hämta.

Man tillät inte klockringning över de dödas själar – då skulle det ringa både dag och natt. Men kärrorna kunde inte stoppas, de rullade där varje natt som en ständig påminnelse.

Det började bli ont om kistor, snickarna hann inte med. Den nionde september nådde koleran sin kulmen, den dagen dog tvåhundrafemtio av stadens drygt åttioentusen invånare.

I Katarina, där eländet börjat, kunde man nu ändå ana en tillbakagång, en ljusning. Nu var det främst Ladugårdslandet som var utsatt. Där var brunnarna få och dåliga och många tog sitt hushållsvatten från den stinkande Ladugårdslandsviken.

Ganska ofta undrade Johannes Ekberg hur det gått för hans släktingar och vänner uppe på Söder. Som det var nu gav sig ingen ut i onödan och då fick man inga meddelanden.

Lisa och hennes man och barn bodde ganska bra, kunde man tycka, inne i den för de flesta stängda trädgården. Men Lisas arbete var kanske inte riskfritt, hon handskades med människors smutsiga tvätt, kunde smittas.

Förutom Lisas familj var det främst Håkan Rapp som Johannes tänkte på. Kerstins föräldrar var döda sedan några år tillbaka. Men Håkan och hans familj bodde nära Tegelviken och den omtalade Nilssonska gården. Där gick ingen säker – om man nu gjorde det någonstans.

I kammarrådet Strandbergs trädgård hade apelsinträd och andra exotiska växter burits in i orangeriet. Drängen Gustaf Boman krattade bort gulnade löv från gångar och gräsmattor medan Alexander Andersson stod på en stege och plockade ner päron som togs emot av trädgårdsmästarens hustru.

Allt kändes inte lika viktigt nu. Kanske därför att tankarna på farsoten gjorde vardagsbestyren så obetydliga, också därför att de anställda knappast hade anledning vänta sig något besök av arbetsgivaren, kammarrådet. Han var krasslig, hade inte tagit sig ut till sin trädgård på hela sommaren. Det hade ingenting med farsoten att göra, det var ålderskrämpor som ansatte kammarrådet.

De anställda undrade hur deras framtid skulle te sig. Om kammarrådet inte orkade komma till sin trädgård skulle han nog inte heller behålla den. Han hade väl några arvingar men ingen som tycktes ha intresse för den avsides belägna anläggningen. Såldes marken var det knappast troligt att den förblev trädgård, det var förmodligen mera lönande att bygga hus här och hyra ut bostäder än att odla ibland inte särskilt lättsålda frukter och grönsaker. Särskilt nu under koleratiden såldes knappast något alls, läkarna hade ju varnat folk för att äta frukt. Men eftersom trädgårdens produkter utgjorde en del av de anställdas lön för arbetet tyckte de inte att de kunde följa rekommendationerna. Hittills hade de klarat sig, ingen här hade angripits av farsoten.

Lisa och dottern Malin var nere vid Hammarby sjö och sköljde tvätt. Lisa arbetade fortfarande tillsammans med Karolina, Karolinas elvaåriga dotter Johanna hjälpte också till. Jöns och Karolina hade även några mindre barn, en fyraårig flicka och en tvåårig pojke. Så här års kunde de följa med sin mor och leka intill stranden.

Gustaf och Lisa Boman hade inte fått något mer barn än Malin. Lisa ville inte, tyckte inte att de kunde försörja och ansvara för någon mer. Hon drog sig undan i det avgörande ögonblicket, förhindrade befruktningen.

Gustaf skulle nog velat ha en son också. Men han ville inte

tvinga Lisa och han förstod henne. Fattiga människor blev ännu fattigare om de hade många barn.

Malin och Johanna höll ihop, var liksom mödrarna vänner och kamrater. Fast Malin var två år äldre än Johanna såg de jämnåriga ut, Malin var liten och mager medan Johanna var storväxt och knubbig.

Egentligen var flickorna lustigt olika, även till sättet. Malin försiktig, blyg och lågmäld, Johanna bullrande glad och öppen.

Johanna sjöng gärna. Inte när de arbetade, då flåsade hon mest, men när de tog igen sig och satt en stund på bryggan eller i gräset. Oftast var det gamla visor som hon lärt sig av sin mormor, Fredrika Skog.

En dag sjöng hon en visa som Lisa kände igen men inte kunde komma på var hon hört.

Det står ett ljus i Österland,
det lyser som en stjärna:
det är så likt min lilla vän,
den vän jag ser så gärna.
Jag tror den vännen lever än
och tänder upp sitt ljus igen
emellan såta vänner.

Först på hemvägen kom Lisa ihåg att hennes mormor Sofia sjungit den där visan ibland.

Det var länge sedan Lisa tänkt på mormodern nu. Hon kom ihåg att mormor brukade få tårar i ögonen när hon sjöng om vännen som ännu levde. Lisa kunde ana att sången betytt mycket för mormodern – men mer än så förstod hon inte. Och den som inte längre fanns kunde inte ge något besked, hennes hemligheter var borta med henne.

Ibland kunde det kännas som om även de närmaste var främlingar, som om människor levde sida vid sida utan att förstå och känna varandra. Lisa skakade till, fick gråten i halsen när hon tänkte på att hon aldrig ens kommit sin egen mor riktigt nära. Hade hon undflytt henne? Kunde hon ha gjort något för att bryta ner muren som funnits mellan dem?

Håkan Rapp hade upplevt ”skeppsfebern” i Karlskrona och ”fältsjukan” i Finland under Gustav III:s och Gustav IV Adolfs krig. De farsoterna hade främst drabbat militärer och förhållandena hade ju på grund av kriget varit betydligt värre då än de var nu.

Trots att han började bli gammal, han hade fyllt sextiofyra, försökte han hjälpa till så gott han kunde. Men han visste att det inte var mycket han kunde göra, koleran hejdades inte med örter och andra naturmedel.

Det var främst sjuka timmermän och andra arbetare från varvet som han försökte bistå, de flesta av dem bodde i husen på berget söder om varvsområdet. Konrad Lindgren i Nilssonska huset hade Håkan dock inte haft möjlighet att besöka, Lindgren hade i samband med inspektionen av huset förts till Sifvertska kasernen tillsammans med sina föräldrar. Alla tre hade avlidit några dagar senare. Flera sjuka hade bott i husen intill Sågargränden, några hade tillfrisknat, andra dött.

Håkan var väl medveten om att han och hans familj levde i dödens grannskap. För egen del oroade han sig inte så mycket, han hade varit med om värre och klarat sig. Men Charlotta och barnen ängslades han för. Han var ju gammal och skulle inte kunna klara barnen om Charlotta drabbades. Barnen var ännu ganska små och ömtåliga, Olof elva år och Gertrud åtta.

Mot mitten av september blev vädret betydligt svalare, friskare. Ändå kände sig Håkan olustig när han vaknade på söndagsmorgonen den fjortonde. Han kände ett tryck över bröst och mage och saliven i munnen smakade sur, som om han skulle behöva kasta upp.

Så hade han alltså drabbats till sist. För ett ögonblick kände han sig slagen, förstenad. Nu var det alltså slut. Han skulle bli tvungen att lämna Charlotta och barnen.

Sakta kom handlingskraften tillbaka. Han började grubbla över hur han skulle göra, vad han borde säga. Han ville inte skrämma Charlotta men inte heller riskera att smitta ner henne och barnen. Det bästa var kanske att ta sig till sjukhuset så fort som möjligt. Sedan tecknen väl visat sig dröjde det ibland bara några timmar innan sjukdomen bröt ut, ibland kunde det dröja flera dygn. Ännu var han inte sämre än att han kunde gå själv, vägen till Sifvertska kasernen var ganska kort.

Charlotta vaknade när han steg ur sängen och hon undrade hur det var, söndagsmorgnar brukade han inte ha så bråttom upp.

Tårarna samlades i hennes ögon. Hon ville omfamna honom, ge och söka tröst, men för en gångs skull var han sträng och tillät det inte. Hon skulle undvika att vidröra honom, det viktigaste av allt var att de inte blev sjuka båda två så barnen blev ensamma.

Hon skulle inte oroa sig i onödan, sa han. Det var ju långt ifrån alla som dog på sjukhusen, omkring hälften brukade skrivas ut som friska. Dessutom var det inte säkert att det var koleran som drabbat honom, många fick bara diarréer som ganska snart gick över.

Charlotta hade helst önskat be läkaren från sundhetsnämnden komma hem till dem. Om det inte var koleran men Håkan begav sig till sjukhuset kunde han bli smittad där. Och om han absolut ville dit kunde hon väl ändå få hämta en hyrkuskvagn. Det tyckte han var onödigt, förresten ville nog inte kuskarna ha några sjuka i sina vagnar.

Utan att ge sig lov att vidröra dem lämnade Håkan sina kära. Men se kunde han ändå tillåta sig och hans blick smekte de ännu sovande barnen och Charlotta. Han såg deras hem, kammaren med den stora sängen, köket där de samlats kring bordet och suttit framför den öppna spisen, gården där baljan doldes bakom den nu frodiga syrenhäcken. Allt detta som varit hans trygghet och lycka.

Sifvertska kasernen hade byggts på 1780-talet som bryggeri och bostad för bryggaren Lorentz Sifvert. För drygt tjugo år sedan hade huset inköpts av staden och ombyggts till kasern, främst för trupper som tillfälligt förlagts till staden. Sjukhuset hörde till de tidigast öppnade kolerasjukhusen och hade länge varit fullbelagt. Men sedan Maria-borna på västra Södermalm nyligen fått ett eget sjukhus vid Hornsgatan i det tidigare värdshuset Kullen hade man fått större möjligheter att ta emot sjuka. Samma dag som Håkan kom till Sifvertska kasernen hade också Provisoriska sjukhuset vid Nya Sandbergsgatan öppnat sin koleraavdelning.

Sängarna stod tätt i den tidigare militärförläggningen där ett åttiotal tjänstgörande nu tog emot dubbelt så många patienter.

Doktor Hasselroth, som Håkan en gång mött då han varit tillsammans med sin gamle överordnade och vän David Drake, kände igen den nye patienten och tog vänligt emot honom. Han lyssnade på Håkans redogörelse för hur han kände sig, genom Drake hade han hört att denne Rapp varit en förträfflig sjukvårdare vars uttalanden var väl värda att lyssna till.

Hasselroth berättade att Drake under epidemien förestod ett kolerasjukhus som inretts i delar av det nya garnisonssjukhuset nedanför Kartago backe på Kungsholmen. Kolerasjukhuset var avsett för såväl Klara som Kungsholms församlingar samt för militärer. Och när Håkan efter undersökningen låg i sängen försökte han hålla undan tankarna på sjukdomen genom att minnas sina många krigsårs upplevelser tillsammans med Drake. Drake hade betytt mycket för Håkan, han hade lärt honom att läsa och skriva under de oändligt många och långa kvällar som de varit inkvarterade i gårdar och baracker i norra Finland och i Lappland under det olycksaliga sista finska kriget.

Han försökte minnas hela sitt liv, de hårda pojkåren, föräldrar och syskon som han förlorat under hungerårens vandringar och aldrig återsett, han mindes Tvätterskegården, Sofia och Malin.

Men när smärtorna ökade och oron tilltog kunde han inte tänka på något annat än hur det skulle gå för Charlotta och barnen. Om de bara inte föll offer för sjukdomen skulle det nog gå ändå. Barnen var inte så små nu.

När kvällen kom var det helt tydligt att Håkan Rapp var ett av kolerans offer. Tarmarnas innehåll flödade ut och följdes av de karaktäristiska tunna, vitaktiga vätskorna. Uttömningarna brände som om de varit kokande. Under natten angreps armar och ben liksom bukmusklerna av våldsam och plågande kramp. Nästa morgon började huden täckas av kall och klibbig fukt, skrumpna och blåna. Det blev också allt svårare för honom att andas.

Håkan kände en våldsam törst men orkade knappast dricka. Uttömningarna upphörde ändå så småningom och krampen lättade, ett ögonblick kunde han undra om han möjligen nått en vändpunkt och en förbättring inträtt. Charlotta och barnen –

skulle han trots allt få återse dem?

Men när smärtan försvann vek också livet undan.

Under natten till tisdagen fördes Håkan Rapps döda kropp ut till kyrkogården utanför Skanstull. Tidigare hade man företagit jordfästningsceremonier på sjukhusen varje kväll men eftersom dessa samlat så många nyfikna och urartat till makabra skådespel hade de inställts. I stället förättades gemensamma jordfästningar i samband med begravningarna varje morgon klockan åtta.

Charlotta hade besökt sjukhuset under måndagen och fått veta att hennes make avlidit.

Visst hade hon hört och förstått beskedet hon fått, det fanns inget tvivel, inget hopp. Men hur skulle hon kunna ta det till sig? I går morse hade han stått vid hennes bädd, nu var han onåbar.

Under alla år som de varit gifta hade Håkan alltid funnits nära henne, också under arbetsdagarna då de varit skilda åt. Hon hade ständigt känt hans omtanke, hans kärlek, hur han liksom vakade över henne och jämnade hennes väg. Han hade gett henne lycka, varit tryggheten i tillvaron.

Nog hade hon anat att han en dag måste lämna henne, han var ju ändå tjugotre år äldre. Men hon hade hoppats att det skulle dröja länge än, hon hade aldrig upplevt honom som gammal utan nästan som en jämnårig. Så mycket av pojke hade funnits kvar inom honom.

Ännu i lördags hade han varit stark och glad, sådan som hon alltid skulle minnas honom. Ja, till och med på söndagsmorgonen när han lämnade henne hade han försökt muntra upp henne, lett sitt vänliga leende, uppmanat henne att inte misströsta. Men på måndagen var han död och på tisdagen skulle han begravas.

Så fruktansvärt fort skedde allt nu under kolerans välde. De sjuka rycktes bort från sina närmaste och efter döden förpassades de snabbast möjligt, osedda och orörda, under jord i en massgrav.

För att få någon att tala med, för att få hjälp att fatta det som hänt, uppsökte hon Lisa.

De kom ihåg att Håkan ibland talat om den där platsen som nu kallades Kolerakyrkogården. Där hade Lisas morbror, Per, som dött i lantvärnssjukan 1808, begravts under ännu sämre förhållanden. De döda pojkarna hade inte ens fått egna kistor, de anhöriga hade inte fått närvara, ingen visste riktigt var de döda hamnat. I området som låg i en vanvårdad utkant intill Galgbacken syntes sedan i många år bara nakna sandkullar.

Galgbacken fanns kvar fast man inte längre hängde folk där. Numera halshöggs de som fördes dit. Men det betydde att Kolerakyrkogården fortfarande hade dåligt anseende och var en plats där nog ingen ville tänka sig att en närstående skulle bli begravd.

Ändå kunde Charlotta inte känna någon sorg över att det var just där som Håkan skulle ligga. Platsen var likgiltig. Det enda viktiga var att han inte längre fanns. Hon trodde inte heller att Håkan själv skulle ha haft något att invända. Han hörde inte till dem som krävde hedersbetygelser, han drog sig hellre undan. Han hade alltid känt sig hemma bland de utstötta och glömda men som en främling bland hjältar och framgångsrika.

Charlotta gick hemifrån redan vid halvsjutiden på morgonen. Utanför porten till den strandbergska trädgården väntade Lisa. De hade samtalat om hur de skulle göra när det gällde barnen och beslutat att det nog var bäst för dem att inte vara med. Det var ju inte någon vanlig begravning och det påstods att oro och starka sinnesrörelser kunde utlösa sjukdomen hos känsliga personer.

Hösten hade kommit tidigt efter den varma och torra sommaren, de gulbruna färgtonerna dominerade i stadsutkanten. Mindre träd och buskar stod kala på bergssluttningarna, hade torkat och dött. Från träden på gårdarna bakom planken singlade gula löv som vinden spred ut över de vägliknande gatorna.

De två kvinnorna gick mellan de gamla befästningsmurarna över näset vid Skanstull, passerade tullhuset och tog sig uppför backen mot åsen. Vägen mellan krogar och skjul var den gamla Göta landsväg som en gång, innan bron vid Liljeholmen byggts, varit den viktigaste leden mot hela södra Sverige.

Lisa hade inte varit här ute sedan den gången för tjugofem år sedan då hennes morföräldrar smyckat lantvärnsmännens gravar med vita fläderblommor. Då hade hon bara varit tio år gammal. Och Håkan hade kört vagnen som doktor Drake lånat, mormodern och modern hade åkt i den tillsammans med den döde Pers fästmö medan Lisa gått i sällskap med morfadern och Drake.

Då hade begravningsplatsen bara varit en ödslig sandbacke.

Nu hade den försetts med staket och dödgrävarboställe. I samband med att platsen ordningställts för fyra år sedan hade man planterat små lövträd. Området, som tillhörde Enskede gårds utmarker, hade då arrenderats av staden på femtio år, för att hållas i beredskap om koleran nådde Sverige.

Bakom staketet satt en grupp fångar och höll rast i väntan på att efter begravningen få skotta sand över kistorna. Det var i sand och inte i jord som de döda skulle vila här på åsen, den uppskottade sanden lyste gul mellan träden. Tre långa och breda gravar hade fångarna grävt upp och intill gravarna stod ett fyrtiotal omålade enkla träkistor utan utsmyckning. De dödas anhöriga och närmaste vänner började samlas, stod tysta och ängsliga runt om.

Medan de väntade tänkte Lisa på hur snäll och givmild Håkan alltid varit. Ingen annan fattig barnunge hade väl fått en så fin dopgåva som hon, silverskeden som sedan försvunnit. Och just den gången då de strött ut fläderblommorna här hade han gett henne en väska av renskinn som han köpt i Lappland där han och Drake varit förlagda en lång tid.

Strax innan klockan blev åtta kom kyrkoherde Winter åkande tillsammans med en kyrkovaktmästare. Olof Winter hade blivit kyrkoherde i Katarina för snart sju år sedan och var den av prästerna på Södermalm som skulle förrätta dagens jordfästning.

Besökarna drog sig närmare, prästen tog emot förteckningen över de avlidna från vaktmästaren och den enkla och korta ceremonien kunde börja.

Charlotta hade svårt att lyssna men uppfattade ändå att Håkans namn nämndes bland de många, hörde sanden rassla över kistorna som nu placerats tätt intill varandra i de långa gravarna.

Några ord brände till, ”att vi uti denna världen icke hava någon varaktig stad”, psalmen som sjöngs:

De blandas skall med jordens grus
och är från dagens blida ljus
i mörkrets boning dragen.

Ingen varaktig stad, bara mörkrets boning återstod. Snart måste hon lämna det hem som Håkan och hon skapat tillsammans. Och det kändes som om också hon nu skulle flytta till en mörkrets boning. Ingen glädje eller trygghet fanns längre. Bara tomhet.

Samma dag som Håkan Rapp begravdes vände kolerans lopp. Vid veckans slut hade dödssiffrorna gått ned betydligt. Den dagen Håkan dött hade han varit ett bland hundranittionio offer, i början av oktober sjönk antalet döda till under tio om dygnet. Vid mitten av månaden menade läkarsällskapet att epidemien upphört även om enstaka dödsfall fortfarande inträffade. Nu var det på Kungsholmen som sjukdomen dröjde kvar, främst i kåkbebyggelsen på berget ovanför Kungsholms kyrka.

Men fienden var seg, ännu i december dog nitton i farsoten. Eftersom en ort kunde förklaras fri från smitta först sedan sexton dagar gått efter det senaste dödsfallet dröjde det några dagar in i januari 1835 innan staden friskskrevs.

Koleran 1834 hade, enligt de officiella siffrorna, krävt 3.655 liv i Stockholm, 12.637 sammanlagt i hela landet.

Av de mer än femhundra anställda som engagerats av staden i kampen mot koleran hade var tionde avlidit. Var tionde hade skött sig så väl att belöning utgått.

I Nilssonska huset hade arton dött, om Pontanska hade doktor Sondén noterat att samtliga fyrtiosex där boende avlidit. Men Malongen vid det ökända Nytorget hade helt undgått kolerans attacker.

”den närvarande tryggheten”

”Mordängeln har äntligen slutat sin rund. Midnattens måne lyser ej mer på de tunga fullpackade likvagnarna, blott på de fälldas gravar. Den stundliga ångesten hämmar ej längre smärtans stilla tårar över de hädangångna. – –

Vem är väl ibland oss som icke med sann glädje erfarit att förödelsens dagar äro förbi, som icke i dubbelt mått njuter av den närvarande tryggheten, det återställda lugnet? Vem känner ej nya krafter för sina återtagna plikter?”

Bror Emil Hildebrand, senare riksantikvarie, i sin dagbok 1834–1835.

Långsamt lösgjorde sig staden ur farsotens förlamande grepp och människorna kunde återgå till vardagen med dess sorger och glädjeämnen. Men för de många som förlorat kära anhöriga och vänner var den vardag som kom en annan än den de tidigare levt i, ödsligare och fattigare.

Charlotta kände till en början bara förtvivlan och hopplöshet, utan Håkan ville hon inte leva. Men hon visste att hon måste övervinna sig själv och sin sorg för barnens skull. Nu hade hon ensam ansvaret för dem, hon var den enda trygghet de hade.

Håkan hade ordnat så att deras barn fått gå i skola. Visserligen hade både Håkan och Charlotta kunnat lära barnen läsa innantill och skriva men de hade ändå ansett att deras egna kunskaper var otillräckliga. Olof, som blev tolv i sommar, hade genomgått Fri- och fattigskolans båda klasser och avslutat sin undervisning förra våren. Under hösten, då koleran rasat, hade skolorna varit stängda. När de öppnats igen på nyåret hade den snart nioåriga Gertrud fått återvända till Fri- och fattigskolan för flickor vid Tjärhovsgatan nära Katarina kyrka.

Även om det numer fanns större möjligheter till skolgång också för flickor så var det nog närmare hälften av barnen i utkanten som inte fått någon undervisning, annat än den som några fick vid söndagseftermiddagarnas undervisning i kateketskolorna.

Olof hade fått arbete som hantlangare och bud i madam Rundströms stånd i Syltgången. På så sätt hade madammen velat hjälpa sin trogna kokerska Charlotta. Många människor hade varit snälla och hjälpsamma. Kanske de som inte drabbats ville ge uttryck för den tacksamhet de kände. En del skämdes väl över att de hållit sig undan så länge som smittoriskerna varit stora, nu ville de gottgöra.

Kamrern på varvet hade också varit vänlig och gett Charlotta god tid att söka en ny bostad. Men flytta måste hon, huset de bodde i ägdes av varvet och var avsett för dess anställda.

Efter mycket sökande hade Charlotta hittat en bostad. Hon fick hyra ett kök av en skomakarfamilj som bodde i ett hus vid Tjärhovs tvärgränds södra ände i kanten av Vita bergen. Hon skulle också få del i trädgården som hörde till.

Lisas man Gustaf fick låna sin arbetsgivares kärra och häst och hjälpte till med flyttningen, Lisa med dottern Malin kom med flyttkaffe i en korg. De tog rast och satt mellan inburna möbler, lådor och klädbylten. Vännernas stöd och välvilja värmde och för första gången sedan Håkan dött kände Charlotta att något av framtid och glädje kanske ändå kunde finnas kvar.

Lisa berättade att hon och Gustaf länge oroat sig för hur det skulle bli med deras bostad och Gustafs arbete. Kammarrådet Strandberg hade varit sjuklig i flera år och inte haft någon möjlighet att intressera sig för sin trädgård. De hade fruktat att han skulle lägga ned den och sälja marken, kanske till någon husbyggare.

Nu såg det ut som om kammarrådet hittat en lyckligare lösning. Han var beredd att lämna goda villkor om någon var intresserad av att driva trädgården på samma sätt som tidigare. Och nu pågick förhandlingar.

Spekulanten var en grosshandlare som var riksdagsman för borgerskapet vid den ännu pågående riksdagen. Han hette Christoffer Löfberg och var känd som en originell men välsinnad man, medlem av flera välgörenhetsföreningar, måttlighetsdrickarförbundet och Det redliga förbundet. Trots att han var infödd stadsbo vurmade han mycket för lantliv och odlande.

Människan blev god genom att odla jorden, hade han sagt till trädgårdsmästaren. I det lantliga livet kunde ingen sedeslöshet eller egoism slå rot. Städerna däremot var som öppna sår där alla onda ämnen samlades och mognade. På så sätt fyllde städerna också en uppgift – de höll landsbygden ren.

Men varför flyttar han inte till landet själv? undrade Charlotta.

Det visste inte Lisa.

Christoffer Löfberg hörde till borgarståndets mer konservativa representanter – han tyckte att det hade varit bättre förr och ansåg att man stort sett borde bevara den samhällsordning som fanns. Naturligtvis behövdes vissa reformer, till exempel en folkskola som kunde komplettera fattigvården och förhindra asociala böjelser bland de lägre klasserna.

De liberalas tro på stordrift och ökade friheter skrämde honom. Jordbrukets rationalisering och hantverkets industrialisering medförde bara att antalet arbetslösa ökade, en proletarisering. Den stora folkökning som ägt rum hittills under 1800-talet – tack vare freden, vaccinet och potäterna, som biskop Tegnér uttryckt det, och trots kolerans härjningar – hade främst bara gett ännu fler fattiga. Liberalerna ville upphäva legostadgan som band arbetarna vid deras husbönder, som konservativ fruktade Löfberg att sådana åtgärder skulle förvandla de egendomslösa till trälar utan värde ens för sina husbönder. Rationella jordbruk och industrier behövde inte så många anställda som lantbruket och hantverket tidigare kunnat sysselsätta.

I Storbritannien hade nationalekonomen Malthus talat för en folkbegränsning genom återhållsamhet och sena äktenskap. Han hade också förklarat att fattigunderstöd bara förvärrade det onda, gav upphov till flera sysslolösa och brottslingar. Men Malthus var en liberal vars budskap kunde antas vara beställt av dem som tjänade på industrialiseringen och arbetslösheten – storföretagarna, de nyrika uppkomlingarna.

De nya herrarna ville att penningen skulle vara av avgörande betydelse, inkomsten en värdemätare. De konservativa såg hellre den fasta egendomen, ärvd eller förvärvad, som en viktigare grund för politiska rättigheter.

De nya kapitalisterna var liberaler, de gamla jordägarna och deras avkomlingar liksom ämbetsmännen konservativa. Det var mellan liberaler och konservativa som striden stod. I många länder hade liberalerna varit mest framgångsrika, i Sverige behöll de konservativa fortfarande övertaget.

Den fattiga klassen var alltför nertryckt och de revolutionära socialisterna alltför maktlösa för att på något avgörande sätt kunna göra sig hörda.

Men för fem år sedan, 1830, hade något hänt som skakat om folken – den franska julirevolutionen. Fortfarande spred sig dess verkningar ut över Europa. Överallt förekom oroligheter och upplopp som hade den växande fattigdomen som orsak.

Bourbonerna, den gamla "legala" franska kungaätten, hade återuppsatts på tronen efter Napoleons fall. Först en bror till den avsatte och avrättade Ludvig XVI. Den nye Ludvig hade inte gjort några försök att frånta borgarna de förmåner de lyckats uppnå genom den stora revolutionen och efter den.

Ludvig hade efterträtts av sin yngre bror, de adliga emigranternas man som ville återge dem de privilegier och egendomar de ägt före revolutionen. I juni 1830 företog han en statskupp för att förstärka sin makt och stoppa de framträngande liberalerna.

Åtgärderna gav anledning till demonstrationer och upplopp som efter några dagar övergick till inbördeskrig på gatorna i Paris. Trupperna som sattes in övergick i allt större omfattning till de upproriska, stadshuset stormades, bourbonernas vita fana revs ner och trikoloren hissades. Krav på republik och sociala reformer framfördes.

Men medelklassen, som nu hade makten, ville hellre ha en av liberala samhällsinrättningar omgärdad och inskränkt monarki, en av liberalerna stödd och beroende "borgarkung".

Det fanns en sådan att tillgå, hertigen av Orléans. En man som anslutit sig till revolutionen 1789 men tvingats fly dess blodiga slutskede, en hög herre med enkla seder. Under en tid kallades han generalståthållare och blev därefter kung med namnet Ludvig Filip I.

Oron hade dock inte stillats. Upprörda arbetare som deltagit i revolutionen såg hur borgarna ensamma skördade segerns frukter. Vid upplopp och kravaller framförde arbetarna nya krav på republik och reformer och Ludvig Filip utsattes för flera attentatsförsök, som dock alla misslyckades.

Och ringarna spred sig ut över Europa.

I Storbritannien genomfördes efter oroligheter en förändring som innebar att makten övergick från adeln och de konservativa till liberalerna. Flera av de tyska småstaterna genomförde liknande åtgärder, Belgien fick efter lösgörandet från Holland en liberal konstitution och en ”borgarkung”

I Ryssland, Österrike och Preussen medförde oron främst hårdare konservativa grepp om statsrodren, åtgärder som skulle förhindra den utveckling som man ängsligt iakttog i omvärlden.

I Sverige var det fortfarande lugnt. Men visst påverkades man också här av spänningen och stämningarna. Riksdagen diskuterade behovet av undervisning och förbättrad fattigvård. Och den liberala oppositionen hade växt i styrka även om de konservativa fortfarande höll sina ställningar.

Christoffer Löfberg behövde inte väta fingret och sticka upp det i luften för att känna vart vinden blåste. Vindstyrkan var tillräckligt stark och riktningen otvivelaktig. Allt talade för att reformer och revolutioner var hotfullt nära och att något måste göras för att hindra den olyckliga utvecklingen.

Grosshandlaren var ingen okänslig människa, han kunde känna medömkan med samhällets olycksbarn. Han idkade välgörenhet och var ju ledamot av flera sällskap som arbetade för de fattigas väl och skolning. Men realist måste man vara, det hävdade han bestämt. Det civiliserade samhället var beroende av att det fanns många och lågt betalda människor som skötte det nödvändiga men mindre kvalificerade grovarbetet, menade han. Om de privilegierade skulle kunna utveckla och föra civilisationen vidare var det nödvändigt att trägna arbetshjon utförde de tunga och otacksamma vardagsuppgifterna. Utan slavar skulle det inte finnas några herrar, utan grovarbetare ingen civilisation eller kultur.

Han anade att de fattiga inte hade sämre förstånd än sina herrar, det var inte förmågan som främst skilde dem åt utan kunskaperna. Om hjonen utbildades skulle många av dem inte vilja fortsätta att utöva de arbeten de hade. De skulle bli missnöjda. Och missnöjet var farligare än nöden, skapade otacksamhet och uppror, nöden kunde lindras genom välgörenhet som gav upphov till beroende och tacksamhet. Släppte man upp alltför många i de bättres värld skulle civilisationen gå under.

Problemet kunde tyckas olösligt, vad man än företog sig – eller underlät att företa sig – så förvärrades bara situationen. Gav man efter på någon punkt så kom omedelbart nya krav, höll man igen blev det bråk och upplopp.

Grosshandlare Löfberg grubblade mycket, ville finna den ideala lösningen. Han rådgjorde gärna med andra konservativa riksdagsledamöter, allra helst med medlemmar av prästernas stånd. Religionen borde kunna lösa motsättningarna, genomsyra människorna med förnöjsamhet och motverka denna missnöjets och materialismens anda som liberaler och socialister frammanat världen runt.

Riksdagen hade avslutats i februari och ledamöterna hemförlovats, ledningen av grosshandelsföretaget hade Christoffer Löfberg överlämnat till sin äldste son redan före riksdagens början. Nu hade han stora möjligheter att ägna sig åt sin nyinköpta trädgård och under våren och sommaren var han där så gott som varje dag.

Första tiden talade han bara med trädgårdsmästare Palm. Drängen Alexander Andersson skötte främst grovsysslorna, sådant som visserligen var nödvändigt men inte särskilt intressant. Efterhand började Löfberg att alltmer studera drängen Boman. Det var märkligt att se vilket handlag mannen hade, hur han behandlade varje planta som en individ, vårdade och tuktade den, hackade bort ogräset och jämnade jordytan, vattnade. Bomans oavbrutna, lugnt framskridande arbete skapade en känsla av trygghet, god omvårdnad. Och växterna frodades under hans händer.

Boman var verkligen en av dessa som underhöll civilisationen och han gjorde det effektivt och tyst, utan åthävor. Och Löfberg tänkte på den bild som hans vördade vän, naturforskaren, biskopen och riksdagsmannen Carl Adolph Agardh, så träffande hade målat upp, hur arbetaren under dagens hetta måste gräva kring civilisationens rötter, vattna dem med sin svett och ibland sina tårar. För att sedan, med tillbunden mun, avplocka dess frukter och överlämna dem till en annan klass, som endast utsträckte sin hand för att skörda dem.

Agardh hade också påvisat arbetarklassens tålamod när det gällde att fördra denna ojämna fördelning. Orsaken var mindre yttre tvång och fruktan för straff, mera den att arbetaren erkände de högre klassernas högre kultur, förstånd och överlägsna egenskaper. Arbetaren såg dem som ett slags ädlare väsen och det skulle aldrig falla honom in att begära samma andel av livets förmåner.

Men, hade Agardh tillagt, om arbetaren fick tillägna sig de högre klassernas kultur kunde farorna bli många. Arbetarna skulle kräva samma rättigheter, vilja deltaga i lagstiftningen och omfördela egendomen. Med sådana anspråk på jämlikhet skulle samhället inte kunna bestå. En sådan väldig ökning av de njutande personernas antal skulle leda till den nuvarande arbetarklassens utplåning och därmed också till allmän nöd och fattigdom.

Ibland kunde det vara svårt att avgöra om Agardh uttryckte egna åsikter eller bara återgav vanliga invändningar mot en folkupplysning. Men nog tyckte Löfberg att Boman framstod som en av dessa trägna och trogna arbetare som såg arbetsgivaren som ett högre väsen.

Boman kunde inte läsa och skriva själv, hade trädgårdsmästare Palm berättat. Men hustrun och dottern kunde, märkligt nog. Hustrun hade fått kunskaperna från sin morfar som varit underofficer. De två kvinnorna verkade kanske också litet säkrare och fjärare än Boman själv, hade sina egna arbeten som tvätterskor. Egentligen borde de kanske i stället ha hjälpt till i trädgården, som en ersättning för att de hade husrum här. Men eftersom förre ägaren inte krävt det så var det väl inte värt att ändra på förhållandena, Löfberg ville gärna ha Boman kvar i sin tjänst. Boman var värd sin lön. Och också kyffet som han bodde i, vare sig han hade familj i det eller inte.

En lördagskväll i juli kom Johannes Ekberg för att hälsa på hos sin systerdotter Lisa och hennes familj. Det blev inte så ofta, han hade svårt att komma ifrån sin tobaksbod nere vid Stora Nygatan och med åren hade också vägen uppför Södermalms branta berg blivit ganska ansträngande för honom.

Johannes var femtiosex år nu, det tidigare mörka håret hade grånat. Han bar en mantelliknande rock utan ärmar, det var bekvämast så för honom och på så sätt behövde han inte heller visa att han förlorat sin högra arm.

Han såg alltmer ut som en mager och litet trådsliten lärd, tyckte Lisa.

Grosshandlare Löfberg satt på sin favoritbänk, i kvällssolen utanför lusthuset. Numera behövde inte gardinerna därinne dras för på eftermiddagarna eftersom kammarrådet Strandberg tagit med sig sina märkvärdiga kartor. Den nye ägaren hade förvandlat lusthuset till en tillfällig sängkammare, sommartid låg han över där i stället för att åka till bostaden nere i staden.

Löfberg reste sig och gick fram mot besökaren, antog att det var honom själv som den främmande sökte. Men Johannes förklarade artigt att han ämnade hälsa på sin systerdotter, hustru Boman, och hennes familj, han hoppades att han inte kom olämpligt. Porten i planket hade stått öppen.

Bomans var strax bakom stallet, förklarade grosshandlaren, de hade sin egen lilla täppa där som de odlade potatis och grönsaker i. Besökaren bugade och tackade för beskedet. Och Löfberg satte sig på sin bänk igen och tänkte att det var en märklig släkting drängens hustru hade, utan tvekan en bildad man.

De höll just rast och Johannes slog sig ner, Malin hämtade en kopp åt honom, det fanns kaffe kvar i pannan.

Först måste de naturligtvis berätta om hur de hade det och hur de mådde och vidarebefordra nyheter om vänner och bekanta. Några märkliga händelser hade väl knappast inträffat efter Håkans död, att Charlotta och hennes barn fått ny bostad visste Johannes redan. Hedda, som han ju träffat några gånger, hade också flyttat med sin familj, lämnat Nilssonska huset som börjat gro ihop igen efter koleratidens storstädning.

Johannes kunde berätta att han mött David Drake. Drake var inte frisk, hade slitit hårt i kampen mot koleran och kände sig gammal och förbrukad, han hade fyllt sextiosju. Men hans familj mådde bra, barnen var stora nu, över tjugo, och dottern förlovad med en sekreterare i något verk. Och Barbro, som arbetade hos Johannes och Kerstin, skulle gifta sig men fortfarande hjälpa dem i boden och hushållet.

Även om Johannes var trött och värkdrabbad så var han förhoppningsfull. Inte på egna vägnar precis – men på mänsklighetens, folkets. Man kunde ana strimmor av ljus i det tidigare så kompakta mörkret, tyckte han.

Sedan några år tillbaka läste han regelbundet en ganska ny tidning som hette Aftonbladet. Ja ursprungligen hette den så, sedan Det nya Aftonbladet, under några månader Tiderna och just nu Det nyare Aftonbladet. De olika namnen var en följd av att tidningen gång på gång indragits av myndigheterna och efter varje indragning måste utges med nytt namn och ny ansvarig utgivare. Men alla visste ju ändå att det var Lars Johan Hierta som stod bakom den hela tiden.

Aftonbladet hade sedan starten i december 1830 talat för en enkammarriksdag enligt norskt mönster, för medborgerlig frihet och ökade rättigheter för de många. Den uttryckte en tro på en bättre värld byggd på förnuft, vetenskap och teknik. I samband med riksdagsförhandlingarna under det gångna året hade Hierta talat för principen att varje fullmyndig och självberoende medborgare utan avseende på börd eller yrke skulle kunna välja riksdagsman – och väljas till sådan.

Inte bara tidningens budskap utan också det lättlästa och respektlösa sätt som tankarna framfördes på hade lett till att Aftonbladet snabbt blivit landets mest spridda tidning med en upplaga på omkring femtusen exemplar. Enda felet med bladet var priset, det var i dyraste laget – två skilling banko för lösnummer och tio riksdaler för helårsprenumeration.

Vetskapen om vad som hänt ute i Europa och tidningens sätt att rapportera hade fått många människor att vakna, ansåg Johannes.

Johannes var alltid lågmäld och han var det också nu. Men för säkerhets skull reste sig Lisa och tog några steg för att förvissa sig om att grosshandlaren satt kvar på sin bänk och inte stod bakom stallknuten och lyssnade.

Hon hade levt så länge i oro, först för farsoten och sedan för bostaden och Gustafs arbete. Tyckte inte att hon orkade ängslas mer, nu ville hon inte riskera den trygghet de känt de senaste månaderna. Det var tydligt att grosshandlare Löfberg uppskattade Gustafs arbete och ville dem väl. Och det var ändå det viktigaste. Mat och husrum kom först, fri- och rättigheter var något som man visserligen borde eftersträva men som ändå inte var lika livs-nödvändiga.

”lyckliga även under skoläldern”

”Sällskapet för bildande av en uppfostringsskola efter Hillska metoden åsyftade att åstadkomma en skola efter mönster från nämnda skola, vars undervisningsmetod även grundade sig på ämnesläsning med fri flyttning, jämte uppfostran genom elevernas självstyrelse och en mildare skoltukt med den vackra uppgiften efter grundläggarens ord 'att göra dem lyckliga även under skolåldern'.”

Ur Förslag till (åter-)upprättande av en Barnängsskola (1891).

Mellan Hammarby sjö och Vita bergen låg Barnängen med Hillska internatskolan, ett reservat för de välbeställdas barn. Grundarna av skolan hade funnit läget lämpligt, det var sunt och lantligt trots den bekväma närheten till staden. Utkantens skjul och misär fanns visserligen tätt intill men kunde ändå hållas utanför plank och staket och behövde inte vara störande. Utrymmena hade befunnits goda, åbyggnaderna många och passande för syftemålet. I den gamla klädesfabriken skulle man ”dana redliga, kloka, kunniga och verksamma medborgare”.

Skolans program byggde på de nya och radikala idéer som kommit fram vid 1820-talets diskussioner om undervisningsreformer. Man skulle ge mera plats för moderna språk på de döda språkens bekostnad. Tidigare hade man låtit barnen börja med latinet och därefter tagit upp grekiskan. I stället ville man ha franska, tyska och engelska först på schemat samt naturvetenskap och ökad modersmålsundervisning.

En kommitté med kronprins Oskar som ordförande hade 1827 lagt fram ett förslag om inrättande av en skola där nya idéer skulle prövas. Det blev Nya Elementarskolan i Stockholm som startade året därpå. Det året utkom också en skrift som i översättning från engelskan presenterade den Hillska skolan i Hazelwood nära Birmingham. Denna skolas idé var att unga gossar främst skulle uppfostras till medborgare med respekt för lag, rättvisa och människovärde. Den allmänt förekommande och så brutala skolagan skulle ersättas av belönings- och poängsystem, domstolar främst bestående av elever skulle döma eventuella syndare och straffen skulle i värsta fall vara permissionsförbud och arrest.

Ett sällskap grundades för att starta något liknande i Sverige och sommaren 1830 hade en sådan skola öppnats på Barnängen.

Nu, sex år senare, kunde man se tillbaka och konstatera att det inte var så lätt att förvandla utopier till verklighet. Bakslagen hade varit många och en del av dem kunde kanske ha undvikits. Man hade kommit igång alltför brådstörtat, utan tillräckliga förberedelser. Ekonomin hade varit alltför svag. Och man hade kritiklöst övertagit förebildens också mindre efterföljansvärda uppslag.

Ett sådant hade varit ”marksystemet”, som innebar att goda och flitiga elever belönades med tennmynt, marker, vilka endast gällde inom skolområdet.

Pengar ansågs ju uppmuntra det goda och nyttiga inom människorna. Risken att genom böter förlora sina marker borde avskräcka gossarna från att begå fel och försummelser – en kapitalförlust var kännbar fast ändå inte förödmjukande. Men systemet hade lett till att flitiga och begåvade elever kunde bli smått förmögna medan lata eller mindre begåvade sökte andra och av skolledningen knappast avsedda utvägar. De kunde få extrapengar hemifrån eller medföra läckerheter som de växlade till skolmarker. Något av en bankirrörelse hade till slut uppstått inom skolan då tre affärssinnade elever växlat godsaker mot marker, gett lån mot ränta och själva gjort stora förtjänster.

Inte heller det domstolsväsende som man övertagit från förebilden fungerade tillfredsställande. I domstolen hade en lärare suttit som president men endast ägt rösträtt då bisittarna varit oense och stannat vid samma röstetal. Bisittarna, juryn, bestod av de ordningsmän, *gardianer*, som gossarna valt ur sina egna led, en för varje tiotal elever.

Domstolen hade sammanträtt varje vecka och de skyldiga hade dömts till böter, inspärrning under en eller flera dagar eller permissionsförbud under helgerna. Förhandlingarna urartade dock snart, det visade sig att gossarna ofta utvecklades till processmakare som anställde rättegångar för nöjet att få tala och tvista.

"Det ohyggliga kroppsbestraffningssystemet", som grundarna förkastat, måste efter några år införas som ett yttersta straffmedel.

Det från England övertagna systemet med *points*, poäng, ville man behålla även om det kritiserats av många. Poängen kunde vara såväl positiva som negativa, plus- eller minuspoäng, och avsåg såväl flit som uppförande. Varje månad infördes poängen på gossarnas "pointbestämningslistor". Elever med låga points fick sämre lekplatser och förlorade rätten till hempermission. Höga points gav ökad frihet med vidsträcktare lekplatser.

Man saknade allt statligt stöd, lärarna hade inte ens rätt att räkna åren på skolan som tjänsteår. Däremot var lönerna högre än i andra skolor vilket medförde att många lärare stannade kvar, trots längre arbetsdagar och vakttjänster. Eftersom skolavgifterna under sådana förhållanden måste bli höga var Barnängen en skola uteslutande för besuttna föräldrars barn. En del av familjerna bodde i landsorten eller utomlands varför några av pojkarna blev kvar på skolan också under loven.

Nu genomgick man en kris. Elevantalet hade sjunkit från sjuttio till knappa femtio, rektorn hade avskedats och en ny tillsatts. Skolstyrelsen hade kritiserat allt, från undervisning och seder till valet av måltidstimmar.

Det var snart dags för frukost och eleverna började samlas på den stora sandlagda gården där klädesfabrikens långa torkramar en gång stått. De yngre pojkarna slogs eller lekte medan de äldre stod i grupper och samtalade eller satt i skuggan under de höga träden. Det var en varm augustidag, höstterminen hade börjat några veckor tidigare.

Småpojkarna och de unga herrarna var välklädda och välskötta, deras kostymer vårdades av klädmamsellen Amanda och deras kroppar av sjukmamsellen, som bar det lämpliga namnet Betty Kropp. Att eleverna var bättre mans barn gick knappast att ta miste på, särskilt en del av ungherrarna var nästan eleganta.

Inte heller behövde någon tvivla på att den magre och gänglige pojken med skinnförkläde, som släpade en stor bleckflaska med mjölk över gården, hörde till en annan och lägre klass. Eller den äldre mannen som stod med en trumma på magen intill pumpen utanför huvudbyggnaden. Så snart tjänstemannen inne på kontoret, Ringaren, fann att tiden var inne och klämtade med välling-klockan skulle eleverna samlas i mönstringssalen. Där inspekterades deras klädsel och handtvättning varefter de, ledsagade av trumvirvlar, fick vandra in till frukosten i matsalen.

Trumman väckte dem och trumman manade dem till sängs, den inledde måltider och lektioner, markerade takten vid marschövningar och utflykter. Den skulle ingjuta militärisk hållning hos gossarna, av vilka många sedermera skulle lära sig krigarens yrke på Krigsakademien vid Karlberg.

Trumslagar-Jonte hade varit militär trumslagare i yngre dagar och tjänade nu en slant på sina gamla färdigheter.

Pojken som släpade på flaskan var nyanställd. Tillsammans med mor och syskon hade han flyttat in i en ganska fallfärdig träkåk på sluttningen upp mot Vita bergen. Huset hyrdes av moderns bror som var gårdskarl på Barnängen, genom morbroderns förord hade femtonårige Kalle Lindgren fått börja vid skolan som gårdskarlsbiträde.

Medan sommaren ännu dröjde kvar och många av lärarna var upptagna av att diskutera åtgärder som kunde leda ut ur krisen gavs skolgossarna ganska fria tyglar. Intill badbryggan vid udden som stack ut i Hammarby sjö gav en tillfälligt anställd simlärare lektioner åt de yngsta, andra pojkar höll till vid kaninhuset där de hade sina egna djur. Flera av de äldre gossarna samlades i snickarverkstaden eller i fågelrummet som båda låg i undervåningen i trädgårdsmästarens hus.

I fågelrummet fanns fåglar som fångats i slagburar och nät och på limspön. Det var främst så här års de togs och lättast i parken där de tycktes ha sitt älsklingstillhåll. Det var talgoxar och blåmesar, grön- och gråsiskor, nötväckor och gulsparvar. Golvet i rummet var belagt med sand, löv- och barrträdsruskor hade satts efter väggarna, på golvet stod några gamla murkna stubbar. Rönnbär, kardborrar och alkottar hade insamlats till föda och utökats med hampfrö. Under jullovet brukade någon av pojkarna som stannade kvar på skolan sköta fåglarna och när det vårades släpptes hela flocken ut.

Åtskilliga av de äldre eleverna var intresserade av skytte. Några ägde gevär och hade under ledning av lärare fått företa skjutövningar på ängen bortåt Danviken. Till att börja med hade gevären förvarats hos en av lärarna men sedan kontrollen så småningom slappnat kunde gossarna utan anmälan företa jaktutflykter och skjuta änder och ekorrar i sumpmarkerna och skogsbackarna vid Lilla Sickla.

Jakten skedde ofta i samband med båtutflykter. Det fanns flera roddbåtar som tillhörde skolan och med dem kunde man från Hammarby sjö ta sig vidare till Nacka- och Järlasjön. Några av gossarna hade också skaffat sig egna båtar och försett dem med segel. De mest företagsamma drog sina farkoster över näsen vid Skanstull och Danviken och seglade in i Mälaren eller ut i Saltsjön. Även när det gällde båtfärderna hade man lyckats slippa ifrån kontrollerande lärare.

En del av de äldre eleverna föredrog att klä sig fina och iförda hatt besöka staden för att spatsera på Norrbro eller Drottninggatan, de deltog också gärna i dansundervisningen på lördagseftermiddagarna. Några gånger om året anordnades baler vid skolan, då inbjudna flickor satt längs väggarna i mönstringssalen i väntan på att bli uppbjudna. Från läktaren spelade då en militärorkester och i lektionssalen som hade förvandlats till buffet serverades de sköna te, läskedrycker och mandelmjölk.

Hillska skolans elever hade onekligen stor frihet. Hittills hade allt ändå gått bra, utan olyckor eller skandaler.

Kalle Lindgren iakttog de unga herrarnas uppträdande, för första gången såg han de privilegierades liv i närbild.

Elevers och lärares namnsdagar brukade firas med salutskott i samband med frukostsamlingen. Några av eleverna fick under en lärares överinseende ladda och avskjuta salutkanonerna som stod uppställda utanför ingången till herrgårdsbyggnaden. Kalle Lindgren hade i förväg burit fram lös ammunition och förladdningar som bestod av papp och sågspån.

Eleverna stod uppställda på gården, från de sju-åtta-åriga småpojkarna i första klassen till de arton-nitton-åriga ungherrarna i den högsta. Denna dag, Klaradagen den tolfte augusti, var namnsdagsbarnet skolans husmor som fick en stor blombukett ur rektorns hand. Elever och lärare hurrade och de tända luntorna lyftes för att avfyra kanonerna.

I samma ögonblick som det första skottet avlossades snubblade en av de tjänstgörande pojkarna, han fick kanonens förladdning i sidan och kläder och hud fläktes upp.

Några lärare och kamrater bar den skadade, sextonårige Oscar Wallenius, till sjukrummet där skolläkaren tillsammans med sjukmamsellen försökte ta hand om honom. Det fanns inte mycket att göra och efter ett dygns plågor avled gossen. Hans familj var bosatt i Finland varför ingen nära anhörig hann tillkallas.

Femtonårige Kalle Lindgren hade inte varit med när skottet lossats. Däremot fick han städa upp efteråt, sopa ihop pappflagor, blodiga klädtrasor och spån.

Olyckan gav anledning till ny kritik av skolan, ordningsregler och säkerhetsföreskrifter skärptes. Allt bruk av krut förbjöds och det var slut med de så omtyckta jaktutflykterna. Inte heller segling var längre tillåten, rodd endast under iakttagande av de nya säkerhetsföreskrifter som rektorn utfärdat.

Man kunde frukta att olyckshändelsen skulle knäcka den av ekonomiska kriser redan så hårt drabbade skolan. Men under hösten skedde något som skulle ge Hillska skolan ny kraft och några mera framgångsrika år.

På begäran åtog sig två synnerligen aktade och framstående personer att inspektera skolan – vetenskapsmannen och professorn Jöns Jacob Berzelius och ordensbiskopen och kyrkoherden Johan Olof Wallin.

Inspektörerna yttrade sig mycket berömmande om det sunda och fria läget, de utmärkta lokalerna, den ordning, snygghet och goda anda som rådde och de utmärkta studieresultat som uppnåtts. Kritiken man kom med var hovsam och gällde enbart pointssystemet. Man ansåg att det kunde användas för att gradera flit och kunskaper men inte för att samtidigt också bedöma moral och ordning, flit fick inte väga upp eller förlåta omoraliska handlingar.

Genom kompletterande uppgifter kunde skolledningen mildra denna kritik. Och inspektörernas positiva utlåtande ledde till att elevantalet under det följande året nästan fördubblades.

Skolans lägsta tjänare berördes inte mycket av den pågående diskussionen, den fördes ovanför deras huvuden. De läste inga tidningar, gårdskarlen och hans systerson kunde överhuvudtaget inte läsa. De mottog sina order av Ringaren inne på expeditionen, om lärarna eller andra anställda ville ha några ärenden uträttade fick det gå genom denne.

Kalle Lindgren skötte grovstädningen i skol- och matsalar, logement och sjukrum. I sovrummen hade varje pojke sin egen kommod med tvättfat, vattenkanna och potta samt en byrå för kläderna, Kalle fyllde kannor och tömde pottor, rengjorde golven. Några gånger i veckan krattade han den stora gården, allt utom det område som var avsett för bollspel och lekar. Medan han krattade kunde han iaktta pojkarna som spelade "pick och pinne" eller "tre slag och ränna" eller hoppade bock.

Före måltiderna städade Kalle matsalen och till middagarna, då lärarna åt tillsammans med eleverna, ställde han fram ett extra bord där "lilla supen" skulle placeras för lärarnas räkning. När bakelse- och pepparkaksgummorna anlände med sina korgar var han noga med att ställa ut tomlådor för att pojkarna inte skulle slänga papper på marken. Då sjukmamsellen Betty Kropp ordnade knäckkok – hon hade knäcktillverkning som biförtjänst – fick han hämta sirap och mandel i kryddboden nära Tegelviken.

Trädgårdsarbete behövde han sällan syssla med, det sköttes av trädgårdsmästaren och hans drängar, och frukt- och bärträdgården fick Kalle inte ens gå in i. Det fick inte skolgossarna heller men mörka höstkvällar tog de sig gärna in där för att "kapa" frukt. Roven förvarades i så kallade kapkällare, små jordhålor på undangömda ställen. Även om kaparbrotten bestraffades ansågs ingen vanära drabba den skyldige.

När vintern kom fick Kalle nya uppgifter, han skulle ploga skridskobanan ute på sjön framför Hammarby gård och spola den branta kälkbacken som ledde ut mot sjön. På söndagarna kom ibland fina flickor för att åka kälke med eleverna och under kvällarna upplystes banan av kulörta lyktor.

Till att börja med hade Kalle storögt betraktat sina jämnårigas liv, förvånat sig över deras tal och uppträdande och hela deras tillvaro. Efterhand hade han om inte godkänt allt så i alla fall vant sig. Ibland kunde han beundra dem, någon gång förakta dem. Han kom på att pojkarna under fransklärarens Guinchards ledning fångade grodor på ängen och åt upp djurens bakben. Att bättre folks barn kunde göra något sådant hade han inte kunnat tänka sig. Och när han berättade det hemma ville ingen tro honom.

Även om lönen var låg var det en ganska åtråvärd anställning som Kalle fått. Redan att ha ett arbete var mycket värt, han slapp tigga och ingen kunde anklaga honom för lösdriveri. Tiderna var svåra nu, de arbetslösa blev allt fler. Inom hantverket fanns kanske möjligheter att bli antagen som lärpojke eftersom mästarna mer och mer gick in för att avskeda de utlärda gesällerna och ersätta dem med billigare arbetskraft. Men lärpojkarna fick ingen lön alls, bara mat och husrum av enklaste slag, och när de var utlärda riskerade de att utsättas för sina föregångares öde.

På Barnängen betalades en slant och dessutom fick Kalle äta frukost och middag tillsammans med drängar och pigor i köket. Maten var oftast betydligt bättre och rikligare än vad någon mäster skulle ha bjudit på, här fick de anställda resterna från det bättre folkets måltider. Och den snälla kokerskan brukade spara en bit av söndagskvällens omtyckta ugnspannkaka, den fick Kalle när han började sitt arbete på måndagsmorgonen.

Kalles far, varvsarbetaren Konrad Lindgren, hade dött i koleran och likaså farföräldrarna. De hade bott i det ökända Nilssonska huset nere vid Pilgatan. Efter faderns död hade modern och de fyra barnen varit tvungna att söka sig till en billigare bostad. Modern stod utan arbete men syskonen kunde hjälpligt klara den gemensamma försörjningen. Äldste brodern, den nu tjugotreårige Hugo, arbetade fortfarande på Ackermans bryggeri vid Pilgatan. Tjugoåriga Agda var piga hos rektor Björling på Barnängen medan nittonåriga Marta band kransar och buketter hos en av trädgårdsmästarna vid Vintertullsgatan.

Det var Hugo, Hugge kallad, som dominerade familjen nu, den som bestämde. Ibland kunde han vara besvärlig, särskilt sedan han druckit för mycket. Modern och systrarna fogade sig och Kalle hade aldrig försökt sätta sig upp mot den äldre brodern, hade lärt att det inte lönade sig.

Kanske hade han, som den yngste, blivit bortskämd ibland, man hade inte krävt så mycket av honom. Han försökte motsvara uppfattningen att han ännu var ett barn och lät dem hållas. Han lämnade hela sin kontantlön till modern och fick ibland en slant av henne om det var något han måste köpa. Men det var sällan han behövde något, han hade mycket begränsad fritid och måste inte vara finklädd i arbetet.

När Hugge söp och domderade satt Kalle tyst och täljde i trä. På Barnängen hade han fått använda svarven som fanns i snickerilokalen och svarvat knoppar till trasiga ledstänger och kommoder och utfört andra småarbeten.

Eftersom han begärde så litet var han nästan lycklig under denna tid då han var den förnäma Hillska skolans lägste och mest obetydlige tjänare. Men ändå växte något fram inom honom, kanske inte ett trots men ett behov av att kräva sitt människovärde.

”näringsflitens irrande riddare”

”..vill man se lättjan i sin vederstyggligaste, ehuru visserligen privilegierade skepnad, så bör man endast betrakta skarorna av våra dagligen kringströvande gesäller. – – Botemedlet mot detta oskick vore lätt funnet, om det endast finge begagnas. Det bestode däruti att hela denna lösa svärm sattes, icke på tukthusen, som i allt fall ej kunde rymma dem, utan under tjänstehjonsstadgan. – – Dessa den Svenska Näringsflitens irrande riddare stryka därför ännu alltjämt omkring – – Från stad till stad, från krog till krog kringföra de i all maklighet sin arbetsföra lättja och sin vämjeliga liderlighet – –”

Esaias Tegnér, 1832.

”.. en fråga, som (i sig innehållande många för- och efterfrågor) utan tvivel är det nittonde seklets huvudfråga, nämligen: om det, vid en viss grad av civilisationens framskridande, gives något grundligt medel mot mängdens moraliska förnedring, utan att även göra den delaktig av politiska rättigheter?”

E.G. Geijer, 1837.

Hugge Lindgren kom ut ur Ackermanska bryggeriets mörka portvalv med en kagge svagöl på axeln. Stannade upp, såg ut över den solbelysta men ganska öde Pilgatan.

Han hade arbetat som dräng här på bryggeriet i tio år, hade han i stället börjat som lärling skulle han väl ha varit gesäll nu. Men på bryggerierna betydde inte gesälltiteln så mycket numera, ingen vanlig gesäll skulle ändå kunna bli bryggare. Det var mästares barn och förmöget folk förbehållet, andra hade inte råd. Kort efter det att Hugge börjat här hade förresten kommerskollegium kungjort att städernas bryggerihantering inte hörde till de näringar som krävde sådan tjänstetid och utbildning som skråstadgarna föreskrev. Tack vare den förordningen hade Ackerman, som bara varit lärling, kunnat köpa bryggeriet och fått myndigheternas tillstånd att driva det, även om skråets mästare protesterat.

På bryggerierna arbetade för övrigt gesäller, lärlingar och drängar sida vid sida och oftast tillsammans med mäster själv med hustru och barn och några pigor.

Mitt över gatan låg den låga och skevande men uppemot trehundra alnar långa Malmqvistska repslagarbanan. Det var dit ölkaggen skulle och Hugge som för ögonblicket var sysslolös hade lovat att bära över den. Malmqvists sju gesäller och lärpojken var alltid törstiga, särskilt häcklarna som stod och slog hampan mot häckeln och drog tågorna igenom den. Deras kammare var fylld av dammskyar trots att luckor och fönster hölls öppna året runt.

Repslagarna hade ett tungt, enformigt och smutsigt slit. Under spinningen av repen förstördes deras händer och varje dag gick de baklänges oändliga sträckor när de drog och lade ihop sina rep med vändjärnens hjälp. Att vinda de grova trossarna genom het tjära var inte heller någon åtråvärd sysselsättning. Och vintertid frös de mycket, banan kunde inte hålla någon värme. De flesta fick värk i händer och armar, ben och ryggar, och de som höll till i häckelkammaren hostade som om de drabbats av lungsot.

Hugge hörde Häcklar-Ludde hosta innanför den tunna brädväggen, han satt redan och väntade på ölet inne i kammarn. Gubben såg ut som ett ludet troll med hampans blånor, damm och spån i hår och skägg och över kläderna.

Repslagargesällerna var skråmedvetna, hade sin yrkesstolthet. De var hantverkare och löd inte under tjänstehjonsstadgan, de kunde kräva ökad lön eller ta avsked som de behagade. De yngre gjorde sina gesällvandringar. Men mästare blev de sällan eller aldrig om de inte tillhörde de gamla repslagarfamiljerna.

Hugge ville inte gärna byta arbete med dem, avundades dem inte. Trots att han själv var ett tjänstehjon och de fria gesäller.

Han hade många gånger retat sig på gesällerna, deras stolthet och deras olater. Hans far, som varit förrådsdräng på varvet, hade ofta klagat över att han behandlats nedlåtande av varvstimmermännen och smederna. På bryggeriet uppträdde ett par av gesällerna som någon sorts halvherrar.

Gesällerna ansåg sig vara förmer än andra arbetare, de var

underklassens överklass.

Men just nu stod de i skottgluggen, många inflytelserika personer ville avskaffa deras rättigheter. Inte minst förargade man sig över gesällvandringen, seden att gesällerna för att utbilda sig i sina yrken vandrade genom landet och ibland ut i Europa och arbetade kortare tid på olika håll. Det var farligt när folk kunde ta sig sådana friheter, många av dem kom hem med omstörtande och osvenska tankar.

Kommerskollegium hade nyligen lagt fram ett förslag till ny hantverks- och fabriksordning. Man föreslog bland annat att gesällproven skulle avskaffas och lärotiden förlängas. Vidare framhölls att många gesäller åtalats för liderlighet och brott och att lantmän och präster klagat över gesäller som strök landet runt och pockade på mat och logi. De sades också försumma undervisningen av lärpojkarna och vara dåliga exempel för dem.

Vid flera tillfällen hade riksdagsmän yrkat att gesällerna skulle ställas under tjänstehjonsstadgan. Men borgarståndet menade att gifta gesäller inte kunde bo och äta hos sina arbetsgivare – som tjänstehjonen oftast gjorde. Och åldermännen inom mästarnas skrån ansåg att ett sådant beslut vore detsamma som att ”utsläcka sista gnistan av ambitionens heliga eld” hos gesällerna och påskynda sedefördärvet.

Hantverkarmästarna, som själva varit gesäller en gång, hade dock svårt för att bestämma sig för hur de ville ha det. Naturligtvis ville de slå vakt om sina egna privilegier och förhindra att vem som helst med pengarnas hjälp inkräktade på deras område. Därför önskade de behålla skråväsendet. Men samtidigt var det förstås lättare att ha rättslösa hjon än fria gesäller i sin tjänst. Om mästarna fick behålla sina privilegier medan gesällernas inskränktes räknade de med att tillverkningen kunde öka, produkterna förbilligas och hantverket stå sig bättre i kampen mot de nya mekaniserade fabrikerna.

Visst hade Hugge irriterats av gesällernas självgodhet och avundats dem deras frihet. Ändå hade han personligen inte haft så mycket besvär av dem, de på bryggeriet var ganska hyggliga och repslagarna hade han inte heller något otalt med.

Men denna vår hade han fått ny anledning att frukta gesällerna och känna sin egen underlägsenhet.

Bland Ackermans pigor fanns två som arbetade utanför bryggarens hem, de sysselsattes på bryggeriet och ibland i trädgården. Den ena av dem bodde på arbetsplatsen medan den andra åt och sov i sitt föräldrahem som låg i Glasbruksbacken. Det var den som bodde hemma som han blivit intresserad av, en mörkhårig, gladlynt flicka som kom med snabba och lustiga svar när han skämtade med henne.

Först hade han bara nojsat litet, så där som han brukade göra med flickor. Bjudit på karameller och försökt stjäla en kyss som betalning, dragit upp knuten på förklädesbandet, kittlat henne i armhålan när hon stod och sträckte sig efter en bit öljäst. Ibland slog hon honom pliktskyldigast på fingrarna men det föreföll inte som om hon tog illa upp, hon skrattade samtidigt. Fast när hon stod på en stege och han körde in handen innanför kjolarna kom hon hastigt ner och sa att det fick han låta bli om de skulle vara vänner.

Då bad han om förlåtelse – och det hade han inte gjort många gånger i sitt liv. Men ordet *vänner* gjorde honom omtumlad och spak, någon riktig vän bland flickorna hade han aldrig haft. Och det lät skönt, så mjukt och vänligt.

Efter arbetsdagens slut hade han väntat på henne ute på gatan, följt henne hemåt. Men några kvarter från bostaden hade hon stannat och sagt att det var onödigt att någon där hemma såg dem från fönstret. Och han hade frågat om de inte kunde gå ut tillsammans på lördagskvällen, då slutade de redan klockan sex på bryggeriet.

Maria ville hellre vänta till söndagen eftersom hon lovat att vara hemma på lördagskvällen. Och det hade Hugge ingenting emot, det betydde ju att de fick längre tid på sig.

Hon hade hemgjort körsbärsvin och bullar med sig i en korg när hon kom, och de gick ut genom Danviks tull och upp i bergen ovanför Danviks hospital. Där hittade de en skyddad plats där de slog sig ner och stannade större delen av dagen. Solen sken men det var ganska kallt i luften, våren var sen och torr.

Det var medan de satt där och pratade och vänslades som Maria berättade att hennes far var skräddargesäll.

Skräddargesällen Axel Sandman och hans hustru var båda från Östergötland. Som ung hade Sandman kommit som lärpojke till en skräddare i Linköping. Efter läro- och vandringsår hade han återvänt till Linköping, gift sig, släppt sitt gamla sonnamn och tagit namnet Sandman som han läst på någon bokrygg. På försök hade han senare begett sig till Stockholm. Sedan han fått arbete hos en skräddare vid Storkyrkobrinken hade hustru och barn kommit efter och familjen slagit sig ner vid Stora Glasbruksgatan på Södermalm.

Sandman var nu några år över femtio, en ståtlig man, skicklig i sitt yrke och omtyckt av mästare och kamrater. Han levde någorlunda tryggt, arbetade på ett ansett skrädderi där det inte gick an att ersätta utlärda gesäller med lärpojkar. Sandmans hade två söner som var gesäller i andra yrken och två döttrar, den äldre hemsömmerska och den yngre piga. Sedan alla barnen kommit i arbete kunde familjen klara sig bra, särskilt som man också hade två yngre skräddargesäller som inneboende, de låg i köket.

Att Maria fått sällskap med en pojke kunde hon inte dölja så länge även om hon till att börja med försökte låtsas att det var pigan från bryggeriet som hon mötte så träget. Men dottern hade ju ändå fyllt tjugo och Sandmans hustru hade inte varit äldre än så när de väntat sitt första barn. Att pojken var bryggardräng och inte gesäll kunde beklagas men fick dock godkännas. Förresten visste man inte säkert om det var något allvarligt, flickan hade träffat pojkar förr men tröttnat på dem. Modern nöjde sig med att ge henne varningar och förhållningsorder, något utespring sena kvällar fick det inte bli fråga om. Men att tvinga flickan att hålla sig inne vackra sommardagar skulle vara att gå för långt. Man fick nöja sig med att hoppas att ljusets makt skulle förhindra mörkrets gärningar.

Så Maria och Hugge möttes söndagar och helgdagar förutom att de såg varann på arbetsplatsen alla vardagar. Och få somrar hade varit så vackra som den här, ur stadsbornas synpunkt. Men bönderna klagade över torkan.

Dagen före midsommarafton, fick Hugge och Maria ett gemensamt uppdrag. Ackerman hade iakttagit dem, funnit att de två höll ihop och roade sig med att visa att han visste. Förresten tyckte han att det verkade som om flickan hade ett gott inflytande på Hugo Lindgren. Drängen hade blivit mera noga med klädsel och renlighet och söp kanske mindre än förr också.

Uppgiften gällde att gå till lövmarknaden vid Munkbron och köpa björkruskor. Som de flesta företag i staden brukade bryggeriet vid midsommarhelgen placera lövruskor kring port och fönster.

Redan tidigt på morgonen kom fiskeskutor och ekor överfyllda av löv och blommor glidande över Riddarfjärden från Mälarens stränder. Alla försökte ta sig in i den trånga Riddarholmskanalen, passerade Flugmötets stinkande reservoar, lastade av högarna på kajen så nära Munkbrotorget som möjligt. Platsens vanliga härskarinnor, munkbromadammerna, nästan försvann med sina stånd och byttor bakom prakten.

De första kunderna väntade redan, rörde sig sökande mellan högar av björkruskor, majstänger prydda med vimplar och halmhängen, korgar fyllda med syrener, blomsterbuketter med pioner och vallmo och väldiga knippor av älggräs. Medan fönstren i husen intill Munkbron öppnades och fylldes av åskådare blev mängden av köpare allt större, vagnar plöjde sakta fram genom myllret, barnungar tumlade omkring runt lövhögarna, som berusade av sommarens dofter.

Hugge höll stadigt tag om Maria, man kunde lätt förlora varandra i vimlet. De skulle handla men gjorde sig ingen brådska, flöt med i strömmen, drog sig en bit upp på torget och kostade på sig våfflor och kaffe i ett av stånden där de satt på träbänken som madammen ställt ut. Men sedan var det nog dags att förse sig med ruskor och den syrenkvast som madam Ackerman sagt till om. Hugge skaffade en syrenkvist att sätta i mössan och en lysande röd pion som han fäste vid Marias bröst.

Kommersen skulle fortsätta hela dagen och långt in på natten. Mot kvällen skulle det bli bråkigare, skrål och slagsmål. I vanliga fall brukade Hugge komma hit vid den tiden men i år blev det väl inte så, eftersom Maria inte fick vara med.

När det blev alltmer tydligt att Maria tänkte hålla ihop med sin bryggardräng beslöt hennes föräldrar att bjuda hem Hugge på söndagskaffe med efterföljande sexa.

Alltså väntade provet, nu skulle det avgöras om han på allvar skulle förklaras godkänd eller inte. Hade han vetat att han riskerade något sådant skulle han förmodligen ha tänkt sig för innan han närmat sig flickan. Nu var det omöjligt att överge Maria, han tyckte alltför mycket om henne. Och eftersom de ville hålla ihop var det väl nödvändigt att han lärde känna hennes föräldrar.

Fast orolig blev han inför inbjudningen och det kunde han inte undgå att visa.

Hon skrattade åt honom. Inte var de så farliga, allra minst fadern. Visst var fadern gesäll och nog var han stolt över det. Men farfar hade varit backstusittare och själv hade fadern börjat med att valla bondens kor. Förresten föreföll det ju som om gesällerna när som helst kunde förlora sina privilegier.

Och kläderna? Han hade inga tillräckligt fina. Hel och ren kunde han väl vara men väst och halsduk och rock med skört – som han sett skräddargesäller bära – ägde han inte.

Det skrattade hon också åt. Och när han frågade om han skulle ha något med sig skakade hon på huvudet. Men funderade sedan ett ögonblick: Kanske någon blomma eller kvist. Vi har ingen trädgård så mor tycker alltid att det är så roligt när hon får något grönt.

Flädern blommade som bäst och han bröt några kvistar innan han gick. Han hade försökt klä sig så gott han kunde, modern hade sytt om en väst efter fadern och gjort en kravatt av en sjalett hon hade. Ett par begagnade helgdagsbyxor hade han köpt av en av bryggargesällerna.

Hugge var ute i god tid och dröjde en stund på Katarina kyrkogård medan han väntade på att kyrkuret skulle nå fram till fem minuter före två. Maria stod innanför porten när han kom, det bodde några gatflickor i huset ovanför och hon riskerade att bli antastad om hon stod ute på gatan.

Så fin du är, sa hon. Och blommor har du också.

Han följde henne uppför två smala och mörka trappor, från en lika trång och mörk förstuga ledde sedan en dörr direkt in i rummet som hade fönster mot gatan. Skräddargesällen som satt i en stol framför fönstret reste sig och välkomnade, samtidigt kom hans hustru in från köket med en kaffepanna av koppar.

De var vänliga, som om de förstod Hugges oro och fann den vittna om att han var en snäll och inte alltför självsäker och tilltagsen person. När sexan, bestående av kallmat, så småningom följde och Sandman och Hugge fått varsin sup lättade stämningen ännu mer. Men Hugge gav akt på sig själv och tackade nej till en halva även om en sådan skulle ha suttit bra innanför den prydliga västen.

Hemmet han förts in i imponerade. Så fint skulle han gärna vilja ha om det blev så att Maria och han flyttade ihop. Men något liknande det här fick de väl aldrig möjlighet till.

Efteråt fick han höra att han själv gett ett gott intryck. Marias mor hade sagt att nog kunde Maria få vara ute någon kväll ibland – fast alltför sent fick det förstås inte bli.

Hugge var godkänd, Marias föräldrar hade inte haft några invändningar att komma med. Eftersom de själva varit unga en gång måste de veta att ett ungt par inte bara satt med sedesamt knäppta händer. Och Maria var varken sipp eller blyg, när de väl lärt känna varann stördes inte vänskapen av att hans händer kom innanför hennes kofta och kjolar och blev alltmer hemmastadda. Fast han måste lova att vara försiktig och det försökte han också, försörja hustru och barn kunde han knappast.

Under sommarens gång lärde Hugge känna Marias föräldrar bättre, han var ganska ofta hemma hos dem. Under samtalen fick han veta att gesällen Sandman inte bara kunde läsa och skriva sitt modersmål utan också behärskade det tyska språket. Under sina gesällvandringar hade Sandman levt flera år i tysktalande länder, vandrat barfota med ränsel och kängor på ryggen och arbetat både hos enkla byskräddare och på framstående skrädderier i städerna. Visst hade han svultit och slitit ont ibland men han hade också upplevt gesällgemenskapen på härbärgena och känslan av frihet. Någon hade sagt att gesällerna var de enda samhällsmedlemmar som inte kunde tvingas och de enda människor som hade sitt fädernesland överallt där de kom.

Och så sjöng Sandman en visa han lärt i Danmark men delvis försvenskat:

Nu på morron kan jag packe
alla mina saker in,
tar jag ränseln på min nacke,
vandrar ut med frejdigt sinn.
Vandrar långt och vandrar länge
landevejens fria dränge
finner överallt ett hem.

En kväll efter aftonvarden, då Sandman tagit några supar, sjöng han också en annan visa:

Vi supa, vi rumla, vi dricka, vi sjunga,
så rumla vi om tills dagen den gryr.
Då var det tid för den glade gesällen
att taga sin ränsel på ryggen och gå.
Ajö alla hökar, ajö alla krökar,
ajö vackra flickor, som känner mitt namn.
Ajö med dig, du min huldaste flicka,
jag kommer aldrig igen mer till dig!

Men då hyssjade hans hustru, den visan var det opassande att sjunga för unga oskyldiga människor.

Maria hade fått gå några år i skola, hon kunde både läsa och skriva.

För Hugge hade det inte blivit av att lära sig något sådant. Han hade själv aldrig velat gå i skola. Han hade måst börja arbeta redan som barn och en skolgång under sådana förhållanden skulle ha inneburit att han inte alls fått någon fritid. Nu kunde han tycka att det var en brist att inte kunna läsa. Han skulle ha haft nytta av det på arbetet och sluppit känna sig underlägsen Maria. Hittills hade hans bristande kunskaper inte kommit på tal dem emellan, han hade undvikit frågan.

En decemberkväll berättade Maria att hon nog, trots all försiktighet, väntade barn. Hon ville att de skulle försöka få tag i en bostad och gifta sig innan det var dags. Visst förstod hon att de skulle få det ganska fattigt men det var ännu värre att gå kvar hemma som en stackare som råkat i olycka.

Hugge försäkrade att han ville ta sitt ansvar, påta sig faderskapet och flytta ihop med henne innan barnet föddes. Däremot ville han inte gifta sig.

Han gjorde det till en principfråga – han ville inte krusa för prästerskapet. Han var inte ensam om en sådan uppfattning, menade han. Allt fler unga människor handlade på det sättet, höll på sin frihet.

Under protesten fanns rädslan för att utsättas för lysningsförhöret, tillrättavisas och kritiseras för sin brist på kunskaper. Och det i Marias närvaro.

Någon hade sagt att en av de nya prästerna i Katarina var särskilt noga vid de där förhören, man skulle kunna katekes och psalmverser både framlänges och baklänges. Det påstods till och med att en tilltänkt brudgum fått skjuta på bröllopet några månader för att först gå i kateketskola på söndagarna.

Sådant ville han inte utsätta sig för. Nu måste han ta till också det argumentet inför Marias tårar, bekänna sin okunnighet och framhäva möjligheten av att den kunde leda till att de varken fick gifta sig eller flytta ihop innan barnet hann födas.

När de berättade för Marias föräldrar hur det var fatt fick Hugge också oväntat medhåll av sin tilltänkte svärfar. Sandman var inte heller någon vän av präster och hade all förståelse för Hugges syn. Gesällernas värsta motståndare i riksdagen var just prästerna, hänsynslösare än andra talade de för att beskära gesällernas privilegier. Dottern till en gesäll borde hålla sig för god för att ställa sig under deras regemente. Det tyckte han och det sa han, även om han som en god make och fader rördes av hustruns och dotterns tårar.

Maria gav ganska snart upp motståndet. När fadern förklarade att han var beredd att ta av det lilla han sparat för att hjälpa dem med bosättningen torkade hon tårarna och log.

”väljes därtill en klar dag”

”Då potatis skall upptagas, väljes därtill en klar dag. Potäterna läggas i en torr källare i väl torkade tunnor; en del bruka utbreda och torka dem, men detta är ej bra, emedan de därav få en härsken smak; förövrigt efterses de emellanåt, och om någon bland dem befinnes skämd, borttages den genast, i annat fall skadar den de övriga.”

Ur Nya Kocken, 1837.

”Emellertid går eller springer nöden lössläppt runt omkring landet; överallt ha spannmålspriserna blivit uppstegrade ovanligt högt; det heter att potatisen tämligen allmänt frusit i jordgravar och källare. – – – Mångenstädes ha mänskor lidit bråddöd av köld, av snöfall, av jordras, i fylleri, i sinnesyra.”

S.A.Leijonhufvuds Minnesanteckningar, våren 1838.

Charlotta och hennes son Olof bärgade potatisskörden i täppan intill Tjärhovs tvärgränd. De hade fått förmiddagen ledig, båda var fortfarande anställda hos madam Rundström i Syltgången.

De hade tur med vädret, dagen var klar om än något kall. Man var inne i oktober nu och folk som spådde väder trodde på en tidig och hård vinter. Det var säkrast att ta upp potatisen i tid, frosten kunde slå till när som helst.

Sommaren hade varit torr, men lyckligt nog var det inte så långt till sjövatten. Olof hade fått en gammal kärra hos Rundströms, den hade han reparerat och på den hade han dragit åtskilliga tunnor vatten från Hammarby sjö. Och potatislandet låg ganska skyddat och soligt intill planket. Redan när de tog upp de första stånden kunde de konstatera att det såg ganska lovande ut, många och stora potatisar under.

När de bodde vid Sågargränden hade de inte haft plats för potatis, bara för några syrener och en krusbärsbuske. Här hade det växt syrener redan när de kom och från sin gamla krusbärsbuske hade de medfört skott som visserligen ännu var ganska små men som tagit sig.

Fast så trivsamt och kärt som det gamla skulle det aldrig kunna bli här. I alla fall inte för Charlotta som inte kunde övervinna saknaden efter Håkan. Men barnen verkade att trivas, tyckte väl om att det var livligare. Värden, skomakare Eriksson, hade ju sin verkstad i huset.

Eriksson var egentligen inte någon riktig skomakare utan lappskomakare, eller skoflickare som man sagt förr. Men för åtta år sedan hade skomakar- och skoflickarskråna slagits samman. Skomakarna tillverkade skor medan flickarna bara lappade och lagade.

Olof använde grepen och tog upp stånden, skakade dem och slängde den tomma blasten åt sidan. Charlotta kom efter och plockade upp. Den felfria potatisen lade hon i en korg, den skulle vinterförvaras. Övriga hamnade i en hink och skulle nyttjas tidigare.

De båda gesällerna höll rast och kom ut och tittade på medan de rökte sina pipor. De tre lärpojkarna däremot fick stanna inne i verkstaden, den yngste nyttjades för övrigt oftast i hushållsarbetet och fick ägna mer tid åt att bära vatten och hugga ved än åt att lära sig yrket. Lärpojkarna var en välutnyttjad och billig arbetskraft, de hade ingen lön utan bara ”mat och värma”, de åt och sov i verkstadslokalen.

Medan rasten pågick hördes arga rop och vilda skrik. Det var ingenting ovanligt men berörde alltid Charlotta illa, hon kunde inte försona sig med mästers och gesällernas behandling av lärpojkarna. Nu hade den yngste av lärlingarna snattat något i skomakarköket och kom uthoppande på gårdsplanen med byxorna hasande kring fotknölarna och spannremmen vinande över de magra skinkorna. Det var inte första gången som pojken gjorde sig skyldig till snatteri, nu fick han inte gå kvar i lära utan drevs obönhörligt bort av den uppretade mäster.

Sedan pojken skrikande försvunnit ut på gatan lugnade sig Eriksson, slängde in remmen i verkstaden och kom ut och tittade på potatisplockningen. Såg hur Charlotta skilde de bättre från de sämre och muttrade: Dom ruttna måste bort, annars smittar dom ner dom andra. Så enkelt är det.

Ingen svarade. Gesällerna knackade ur sina pipor och gick tillbaka till arbetet. Som om de blivit otillbörligt störda och tyckte att de åtminstone under rasterna borde slippa se sin arbetsgivare.

Mäster kände kylan, den hade blivit allt mer märkbar under de senaste åren. Förr kunde man ha ganska trivsamt på en verkstad som den här, den hade varit något av ett hem där mäster var den oomstridde patriarken. Husbonde och härskare – men ändå av samma släkte, en före detta gesäll.

Man kom varann närmare då, på den tiden när gesällerna sov i köket och såväl gesäller som lärpojkar åt vid mästers bord. Nu hade gesällerna blivit färre och lärlingarna fler. Och gesällerna bodde för sig, hade kostpengar och åt väl oftast på krogen.

Mäster var borgare och borgarna hade blivit mera medvetna om sin betydelse. De markerade att de tillhörde en annan och högre klass än sina anställda, det var inte längre som i en familj.

Visst hade de nya förhållandena gett gesällerna större frihet och mindre beroende. Men friheten kostade och medförde risker, man drack mer och levde dyrare än förr och många måste sätta sig i skuld hos arbetsgivaren. Då uppstod ett nytt beroende som var ännu svårare att uthärda, arbetslusten försvann, många förföll och kunde inte längre hålla sig hela och rena, bostadsförhållandena försämrades. Motsättningarna blev allt större och ett hat började gro.

Kanske hatet låg bakom det ökade våldet. Det berättades att sotare under sommaren som gått antastat unga kvinnor och smutsat ner deras ljusa kläder, bagarpojkar och hökardrängar hade slängt mjöl på mörkklädda herrar och damer. Ja, det påstods till och med att det fanns en hel liga med slynglar som kallade sig Vildarna och som efter det att skymningen fallit ofredade både bättre och sämre folk.

Potatisen var upplockad, allt utom de sex-sju stånd som skulle lämnas kvar för att användas som sättpotatis nästa vår. På dem skar Olof bara av blasten och täckte sedan över med en blandning av jord och blast.

Resultatet kunde betraktas som gott, särskilt ett år som detta när bönderna klagat över att det mesta av växtligheten torkat bort. Stora åkrar och fält gick det inte att vattna, i en liten täppa var det möjligt att hålla torkan borta.

Till det nya hemmets fördelar hörde att det fanns en bra jordkällare där de hade löfte att ställa in sina livsmedel i ett hörn.

En annan fördel var fönstret mot Tjärhovs tvärgränd. Vid Sågargränden hade inte funnits mycket att se utanför fönstret, bara den steniga backen och det långa planket på andra sidan. Där gick inte mycket folk, bara de som bodde intill gränden tog sig uppför och utför den branta backen.

Tjärhovs tvärgränd var däremot en väg som många nyttjade, de som skulle upp i Vita bergen eller genom Mejtens gränd till Vintertullen eller Barnängen.

Mornar och kvällar kom Lisa och Karolina med sina flickor Malin och Johanna, på väg till och från tvättbryggan vid Hammarby sjö. Charlotta hade ju så ofta haft hand om flickorna när de var små och nu tittade de gärna in och pratade en stund. Någon gång såg Charlotta också sömmerskedottern Amanda Tornberg från Tvätterskegården. Hon var tjugotvå år nu, mamman var död och Amanda och hennes moster hade flyttat in i kvarteret intill, i Krohnska huset vid Nya gatan.

Den hese pojken Jonsson, som också bott i Tvätterskegården med sin familj och sedan i Nilssonska huset vid Pilgatan, kom ganska ofta vandrande förbi utanför fönstret. Charlotta hade pratat med honom några gånger och fått veta att han arbetade kvar i hamnen. Familjen hade splittrats sedan modern dött i koleran, och Alfred – som nu var i tjugofemårsåldern – var inneboende i ett av husen intill Bergsprängargrändens slut strax ovanför Tjärhovs tvärgränd.

Hedda hörde inte till dem som brukade ha vägarna förbi men en novemberdag kom hon. Charlotta och Hedda hade inte setts sedan Håkan gick bort och hade mycket att säga varann.

Hedda, som nyligen hade fyllt fyrtio år, hade blivit mager och sliten. Men ändå fanns något okuvligt i hennes sätt att vara och tala, hon hade inte gett upp.

Efter koleratiden hade hennes familj flyttat till ett hus vid Renstiernasgränden. Främst för barnens skull, sa Hedda, eftersom de framtvingade förbättringarna i Nilssonska huset bara varit tillfälliga och allt snart återgått till det gamla.

Trots att mannen, Mats Berg, fått längre väg till sitt arbete i hökarboden tyckte de att de vunnit på att flytta. Det bodde tre familjer i det lilla hus de kommit till, men det var dragfritt och välskött. Och Hedda hade fått arbetsuppgifter som hon kunnat utföra utan att behöva lämna barnen vind för våg. Hon hade renskrivit räkningar och prislistor för hökarboden, åt Lisas morbror, tobakshandlaren Johannes Ekberg, hade hon gjort avskrifter av statliga handlingar som han fått låna. Dessutom hade hon städat hos olika familjer och ibland hjälpt Lisa och Karolina när de haft mycket tvätt. Även om förtjänsterna inte varit stora så hade de rett sig utan att svälta.

Men så hade Mats råkat ut för en olycka. Han hade rest en stege upp mot loftet där hökaren förvarade potatis och andra livsmedel som såldes i boden. Stegen hade glidit och Mats fallit handlöst och skadat höften och ena armen. Nu kunde han inte arbeta längre, läkningen hade gått dåligt. Förmodligen fick han sitta där han satt. Tills vidare betalade hökaren ut en liten ersättning till sin före detta dräng, men den utgick säkert inte länge till, arbetsgivaren var inte skyldig att lämna något sådant bidrag.

En tid hade Hedda nästan gett upp – men nu trodde hon att hon funnit en utväg.

Det fanns en grupp av människor som kallades självförsörjare, folk som drev någon tillverkning i sitt hem, utan anställda hjälpare eller lärlingar, möjligen biträdda av hemmavarande åldringar och barn. På samhällsstegen stod de någonstans under hantverkarna men över tjänstehjonen.

Man måste ha tillstånd för att godkännas som självförsörjare. Möjligheten var främst avsedd för avsigkomna borgare, avskedade militärer och fattiga borgaränkor. Under fjolåret hade kommerskollegium kommit med ett förslag till ny hantverks- och fabriksordning, där föreslogs förbud för arbetsfört tjänstefolk, gesäller och fabriksarbetare att sätta sig för sig själva för att med egna händer åstadkomma arbeten. Tjänstehjon och deras jämlikar skulle hållas utanför självförsörjarnas krets, myndigheterna var rädda för att hjonen annars skulle fly tyngre och lågt betalda anställningar. Ett undantag kunde dock göras för vuxna men icke arbetsföra tjänstekvinnor.

Kollegiet hade gjort upp en förteckning på möjliga sysselsättningar för självförsörjare, den var lång och innehållsrik. Bland annat nämndes tillverkning av fruntimmershattar, knappar och fransar, luktvatten, puder, choklad och sirap. Men också "färgbeläggning å kartor och målningar".

Hedda kunde betraktas som "icke arbetsför" eftersom hon måste ta hand om en sjuk man och två minderåriga barn.

Hon hade fått höra att ett tryckeri nere i staden framställde bilderböcker och planscher, som sedan kolorerades med akvarellfärger. Tidigare hade hon ibland kunnat tjäna en liten extraslant på att färglägga bilder åt bekanta, så hon hade sökt upp boktryckaren och visat några bilder hon gjort och även några skönskrifter. Tryckaren hade tyckt att Hedda gjort ett bra arbete och uppmanat henne att söka tillstånd att bli självförsörjare. Hon hade fått hans rekommendation och löfte om arbete. Och just i dagarna hade hon fått sin ansökan beviljad.

Hedda berättade också att hon ibland hjälpte vänner och grannar med att avfatta brev och böneskrifter av olika slag. Av de handlingar som hon en gång fått av Johannes Ekberg hade hon lärt sig hur sådana skrivelser skulle se ut. Men av fattiga människor kunde hon inte begära någon ersättning, det blev oftast fråga om ett oavlönat arbete. Fast det hade hänt att de som fått bifall på sina ansökningar blivit så glada att de absolut velat betala henne något.

Johannes hade föreslagit Hedda att notera vad hon såg och upplevde, skildra nöd och förtryck. Det var en svår uppgift, när det gällde sådant hade hon inga förlagor att arbeta efter. Och det hade inte heller blivit så mycket mer än korta anteckningar som förmodligen aldrig skulle komma till någon nytta.

Dagen då Hedda kom var kall men klar. Solen lyste snett in genom fönstret vid Tjärhovs tvärgränd, solstrålarna föll över Heddas magra, skarpskurna ansikte.

Det allvarliga ansiktet i det klara ljuset, den sorgsna men ändå så säkra rösten skulle Charlotta ofta påminna sig. Det var kanske första gången som hon upplevde att de förtryckta fått röst och ansikte, som hon anade att de en dag skulle kräva tidigare förvägrade fri- och rättigheter.

Sommarens torka hade gett dåliga skördar. Normala år räckte brödsäden till för landets befolkning men denna vinter och vår måste man importera och priserna steg. Förhållandena förvärrades ytterligare genom att vintern blev ovanligt kall och långvarig. Potatisen frös i källare och jordgravar, vårsådden försenades. Den första juni låg stora snödrivor kvar och den mer än vanligt efterlängtade våren tycktes sakna både hopp och glädje när den till sist kom.

Missväxten skapade hunger, svälten drev den fattiga lantbefolkningen ut på vägarna och till städerna. Stora skaror av nödlidande sökte sig till huvudstaden där alla tillgängliga skrymslen snabbt fylldes. Uteliggare låg under trätrappor och i utkantsbergens klyftor, när det var som kallast sökte några av dem värme genom att gräva ner sig i högarna av hästspillning.

Myndigheterna måste konstatera att staden under våren och försommaren 1838 fått en stor lös befolkning vars omfattning inte kunde räknas utan bara beräknas. Antalet gripna lösdrivare utan arbete och fast bostad mer än tredubblades, stölderna mer än fördubblades. Omkring var sjätte bofast stockholmare måste dessutom anses tillhöra "fattigbefolkningen" som behövde hjälp för att överleva. Man hoppades kanske att även de nya problemen skulle kunna lösas av den utredning om fattigvården i huvudstaden som tillsatts under året som gått.

Till utredningskommittén hade stadens konsistorium i november avgett ett utlåtande. Prästerna ansåg att människokraften ännu inte gjorts överflödig, trots tidens nyaste uppfinningar inom mekaniken liksom ångkraftens användande vid fabriker och hantverkerier. Fortfarande fanns möjligheter att få arbetsförtjänster för dem som behövde finna sin utkomst – om de sökande var kända för omtanke, flit och ordentlighet. Men så länge som sådana egenskaper hörde till undantagen var det naturligt att många saknade arbete. Man rekommenderade därför inrättandet av flera arbetshus. De som undvek att där ta det arbete de kunde få skulle med rätta anses hemfallna under Skriftens dom över sysslolöshet och lättja – "den där icke vill arbeta, han skall icke heller äta".

Konsistoriet ansåg också att åsikten att de fattiga borde kunna leva på de bättre lottades eller det allmännas bekostnad blev allt vanligare. Denna åsikt måste motarbetas, gåvor gavs inte för att befria från arbete och möda utan för att lindra och understödja. Den försoffade måste åter bli verksam och äta sitt eget bröd. Bristen på bröd var inte så stor, det bevisades av att nådegåvor in natura hade en trögare avgång än de kontanta bidragen. Kontanterna borde i stället användas till nya uppfostringsanstalter för vanvårdade barn och till arbetshus för vuxna fattiga.

Höjda brännvinspriser samt skärpta villkor för inflyttning skulle också hämma ökningen av fattighjon i staden, ansåg konsistoriet.

Medan kölden blev allt svårare försökte Charlotta rädda sina små förråd av potatis och grönsaker. Tillsammans med barnen släpade hon upp säckarna från jordkällaren till köket där de bodde, det var knappast så varmt därinne att man riskerade att matvarorna förstördes. Sättpotatisen ute i landet kunde hon inte göra något åt, bara hoppas att den myckna snön och det skyddade läget skulle bevara den.

Men skulle människorna runt omkring henne också kunna bevaras oförstörda? Många led svårt och hon hade inte resurser att hjälpa fler än de närmaste. Hon hade gett några tiggarbarn bröd men vågade inte fortsätta, hennes hyresvärd skomakaren tyckte inte om det. Gav man något spred sig ryktet och huset kunde bli belägrat av tiggare.

Hon såg hur bitterheten växte. Många slogs om matbitarna nu, avundades varandra varje tugga. Överfall, rån och inbrott blev allt vanligare.

Ibland undrade hon om det som hänt i Paris sommaren 1830 också skulle kunna hända här. Där hade inbördeskrig rasat på gatorna och kungen hade störtats. Men svenskarna var nog inte så eldfängda. Och snart hade väl allt blivit som förut i Paris också, även om man satt en ny kung på tronen och borgarna fått ökade rättigheter.

”dräggen jäser”

”Mobben väsnas, dräggen jäser.
O, mon Dieu! Man marseillaiser
hör på gatorna,
högst gemena och vulgära,
som påminner, på min ära,
om de revolutionära
barrikaderna.”

Ur G.L. Sommelius' dikt
Aristokraten 1838.

”Sabrez la canaille!”

Karl XIV Johan, 1838.

Missväxtsommaren följdes av en ovanligt lång och hård vinter. Hunger och fattigdom regerade, hopar av frysande flyktingar drev på stadens gator och sökte skydd i dess gömslen. Människor som inte begått annat brott än att de var arbetslösa förpassades på obestämd tid till korrektionsanstalter där de inhystes tillsammans med grova missdådare.

Många fruktade ett uppror, en explosion, väntade att nöd och hat skulle driva de utsugna och misshandlade till förtvivlad kamp. Men de flesta av de drabbade teg och led i stillhet, hade inte krafter nog att bjuda motstånd och slå tillbaka. Ingen fanns heller som kunde ta ledningen. Några ”arbetarvänner” ur herrarnas klass kunde påtala orättvisor och kräva sociala reformer – men längre än så gick de inte.

Det fanns en frihetstradition inom en begränsad del av arbetarklassen, hos hantverksgesällerna. Men nu när deras oberoende var allvarligt hotat skulle varje oförsiktighet bara stärka de styrandes önskan att förinta de rester som fanns kvar. Många av de gesäller som tvingades in i fabriker och verkstäder gömde drömmarna om frihet och yrkesstolthet inom sig, bar dem med sig som smuggelgods genom fabriksportarna. En dag skulle kanske deras stund komma, ännu var det alltför tidigt.

Nej, oron som skakade staden sommaren 1838 var inte ett

fattiguppror mot nöd och förtryck utan den liberala medelklassens och de oppositionella aristokraternas revolt mot en åldrande och alltmer despotisk kung som undertryckte yttrandefriheten och gynnade sina gunstlingar.

Det var en dom i ett tryckfrihetsmål som utlöste oron.

Den dömde var en av Karl XIV Johans gunstlingar, som med kungligt understöd tidigare utgivit tidningen Fäderneslandet. Hans namn var Magnus Jacob Crusenstolpe, adelsman och assessor i Svea hovrätt, fyrtiotre år gammal, känd som ståtlig charmör och självsäker aristokrat. Tidningens uppgift skulle vara att bekämpa den liberala oppositionen men när underhållet indragits hade Crusenstolpe övergått till kungens fiender och kommit med svidande och avslöjande kritik av den kungliga politiken och dess utövare.

Brottet han åtalats för var majestätsförbrytelse. Crusenstolpe hade kritiserat konseljens utnämning av hovmarskalk hos kronprins Oskar, en äldre officer hade förbigåtts till förmån för en yngre. Beslutet hade fattats vid ett söndagssammanträde.

"Således ett sabbatsbrott på köpet!" skrev Crusenstolpe. Bibeln tillät visserligen att en oxe drogs upp ur en brunn under sabbaten men detta var något annat.

Så kom de förgripliga orden: "Konseljen, som säkert inser detta utan förestavning, har sålunda vid detta tillfälle brutit snart sagt både emot Guds och världslig och konstitutionell lag."

Tre år tidigare hade kaptenen och teatermannen Anders Lindeberg dömts till döden då han i ilska över att inte få bryta det kungliga teatermonopolet beskyllt Karl Johan för att gagna egna vinstintressen. Lindeberg hade vägrat att begära nåd men till sist getts amnesti och utestängts ur fängelset medan han företagit en promenad.

Det misstaget skulle inte göras om. I Crusenstolpes fall yrkade åklagaren därför endast på sex års fängelse på fästning. Vid det förhållandet att den för majestätsbrott anklagade inte nämnt konungen utan endast uttalat sig om konseljen fästes intet avseende.

Redan dagen innan domen skulle offentliggöras bröts protokollet från juryns sammanträde varefter Crusenstolpe greps och fördes till Södra stadshuset intill Södermalmstorg. Då hade sedan flera dagar tillbaka ett fängelserum stått redo att ta emot honom.

Nyheten om gripandet nådde snabbt ut och då domen skulle meddelas fylldes Riddarholmsbron och området kring Svea hovrätt av indignerade. När Crusenstolpe steg ur vagnen som fört honom från häktet till domsalen ropades "vivat" och man hurrade. En mängd folk trängde in i rättssalen och ropade ut sin vrede. Sedan presidenten äntligen lyckats tysta åhörarna avkunnades domen som visade sig lyda på tre års fästning på Vaxholm. Åhörarna ropade och stampade i golvet och tystnade först sedan presidenten uppmanat dem att besinna i vilket rum de befann sig. Då den dömde fördes ut hurrade mängden och när vagnen passerade avtog man hattarna och bugade.

Tidningarna kunde konstatera att mängden som varit i rörelse bestått av "välklädda personer, nästan utan undantag av den bättre klassen". Detta lyckliga förhållande hade gett den mot förmodan fredliga utgången av demonstrationen, menade Aftonbladet.

Några oroligheter förekom inte heller på kvällen även om ganska mycket folk var i rörelse. För säkerhets skull fanns militär placerad utanför justitiekansler Nermans bostad vid Ålandsgränden på Norrmalm.

Ryktet löpte vidare och diskussionerna blev häftigare. Följande kväll samlades en stor folkhop utanför Nermans bostad. Även om hopen fortfarande tycktes bestå av välklädda personer förekom skrik och visslingar varför en militärpatrull på tolv man kommenderades till platsen. Med militärerna kom till fots överståthållare Sprengtporten själv, som hövligt men bestämt uppmanade de närvarande att åtskiljas. Demonstranterna lovade åtlyda uppmaningen om militären drogs tillbaka, och överståthållaren, som fann att den lilla patrullen knappast kunde uträtta något, gav order om att den skulle återgå. Därefter skingrades folket medan Sprengtporten begav sig till Slottet för att meddela kungen vad som hänt.

Under tiden hade demonstranterna åter samlats och tågade över Norrbro och förbi Slottet under sång och rop, nu skulle Crusenstolpe, som fortfarande satt i arresten i Södra stadshuset, hyllas. Götgatans stup mot Södermalmstorg och Peter Myndes backe fylldes av hurrande och visslande skaror. Några våldsamheter förekom dock inte och rullgardinen i Crusenstolpes arrestrum förblev nerdragen. Man skingrades så småningom.

Tåget över Norrbro hade oroat och irriterat kungen som gett order om att en kavalleripatrull skulle utsändas. Den hejdades emellertid av Sprengtporten som räknade med att oroligheterna nu var över. Men i Klarabergsgränden möttes han av hotfullt larmande skaror. Där hade tillskyndaren av åtalet, hovkansler von Hartmansdorff, bott till helt nyligen och det var utanför denna tidigare bostad man samlats. Nu blev det Sprengtportens tur att kalla på kavalleri. När han i spetsen för den alarmerade styrkan red uppför Regeringsgatan fann han ännu fler upproriska samlade vid Ålandsgränden där så gott som alla rutor i justitiekansler Nermans hus blivit sönderslagna. Demonstranterna skingrades och en infanteripatrull placerades utanför huset. Vid halvtvåtiden på natten var allt lugnt. Även denna gång hade demonstranterna till större delen bestått av "bättre klädda personer", enligt tillförordnade polismästaren Harlingson.

Den store förloraren denna kväll var Sprengtporten. Kungen förlät inte att den beridna patrull han kommenderat ut hade blivit återsänd av överståthållaren. I fortsättningen skulle den av folket så omtyckte Sprengtporten hållas utanför händelseutvecklingen. Redan en vecka senare inlämnade han sin avskedsansökan som snabbt beviljades.

Under natten marscherade två infanteribataljoner och ett kanonbatteri till Slottet varefter slottsportarna stängdes. När morgonen kom liknade det inre av Stockholm en ockuperad stad. På Lejonbacken rastade infanterister framför sina kopplade gevär, nedanför backen mot Skeppsbron stod kanoner uppställda. På Karl XIII:s torg bivackerade fyra kavalleriskvadroner. Och ute på Strömmen låg en division kanonjollar, som hindrade roddarmadammernas båtar från att ta sig fram mellan Skeppsbron och Skeppsholmen. Militär tågade genom gatorna och vakter var utställda vid Södra stadshuset och i Ålandsgränd. Under en del av dagen drogs bron vid Blå slussen upp så att vagnar och gående fick trängas vid Röda slussen.

På husknutar och värdshus hade en proklamation slagits upp,

undertecknad av överståthållaren: folkskockningar och oroligheter skulle besvaras med all stränghet och behandlas efter lag.

Det regnade, vilket avhöll folk från att gå ut och se vad som försiggick. Soldaterna blev alltmer genomblöta.

Vid middagstid öppnades åter Slottets portar och trupperna som funnits vid Lejonbacken sändes bort. Men under natten uppstod nya bråk, så snart grupper bildades skingrades de av ridande gardister och elva personer arresterades. Förutom en källarlärling och en juvelerargesäll var samtliga borgare. Alla blev frisläppta någon dag senare.

Dagen därpå inföll "lilla midsommarafton", det var dags för lövmarknaden. Den kvällen brukade lärpojkar och yngre hjon få ledigt för att besöka marknaden och roa sig en stund.

Malin och Johanna hade efter mycken övertalning fått föräldrarnas tillstånd att gå till lövmarknaden. Nu hade ju oroligheter uppstått, men flickorna var envisa, de hade hört att militären dragit sig tillbaka och att allt var lugnt igen. De fick gå – mot löfte att vara försiktiga och genast dra sig undan om det blev något bråk.

De unga tvätterskorna skulle ha sällskap med Olof, lekkamraten från barndomen, och två skomakarlärlingar från huset där Charlotta och hennes barn bodde skulle också med. Det kändes tryggt att de var några stycken, inte för militärernas skull precis men eftersom det ofta blev litet bråkigt på marknaden.

Malin var äldst i skaran, blev sjutton i december men verkade ännu nästan barn. Olof, som var längst av dem, hade just fyllt femton medan den redan kvinnligt runda Johanna blev femton i augusti. Skomakarpojkarna var yngst, fjorton och tolv. De hade en tioårig kamrat också men han hade ansetts för ung för att få vara med och behövdes dessutom som passopp i skomakarköket.

För alla fem var det första gången de gick till lövmarknaden och de kände sig samtidigt uppspelta och en aning rädda, hade ju hört att det kunde gå ganska vilt till ibland. Fast alltför vådligt kunde det väl ändå inte vara eftersom småbarnen som bodde i gränderna intill Munkbron brukade få delta.

Olof hade varit utanför Danviks tull och skaffat björkris så att de kunde svänga med lövruskor redan under vandringen genom gatorna. Nu gick han mellan flickorna och lät lövruskan kittla dem i näsan och de frustade av skratt och tog honom en under vardera armen. Det fick de gärna göra, han kände sig stolt och som en riktig karl när han gick där med en flicka klängande på vardera sidan. Efter kom skomakarpojkarna travande, väl medvetna om att de var yngre höll de sig på litet respektfullt avstånd.

När de kom ut på Stora Glasbruksgatan där mycket folk var i rörelse blev de försiktigare och mera lågmälda, lärlingarna var dem tätt i hälarna nu för att inte tappa kontakten.

Trogna lövmarknadsbesökare konstaterade att det var mindre folk ute än vanligt och att det gick lugnare till än det brukade. Kanske en del skrämts bort av förbudet mot folkskockningar och oljud. Men ingen ville gärna tänka sig att lövmarknaden kunde betraktas som en förbjuden folkskockning. I så fall borde väl detta ha meddelats i proklamationen som uppsatts samma dag.

För dem som inte varit med tidigare föreföll folklivet ändå livligt och spännande. Pojkar förföljde varann med lövruskor i högsta hugg, man skrattade och hurrade, blåste i inhandlade lergökar. Ännu efter tio på kvällen var barnen många.

Men vid halvelvatiden kom en patrull med ryttare från Livgardet till häst ridande Lilla Nygatan fram mot Munkbron. De mottogs med hurrarop och många skockades för att komma närmare och se bättre.

När de stod där i åskådarledet fann Johanna en bekant, en hamnarbetare som var arbetskamrat till hennes far. Också Malin hade träffat honom förr, hans familj hade bott i Tvätterskegården vid tiden för branden. Han hette Alfred Jonsson men Johanna kände honom bara under det namn han bar i hamnen, Skräcken.

Skräcken hade sällskap med en stor och kraftig och ganska berusad karl som han kallade Storsäcken.

Medan de stod där och pratade kom en ny trupp från hästgardet, minst tjugofem man, kommenderade av en officer. Truppen gjorde halt vid Riddarhustorget, delade upp sig och började efter officerens kommando att utan varning jaga folk framför sig.

Plötsligt var scenen helt förändrad, skräckslagna människor vek tillbaka, trampade varann, började springa för att komma undan. En del tog sig nerför trapporna som gick ut i Riddarholmskanalen och klängde sig fast där, andra försökte springa upp i gränderna eller ta sig in i olåsta portar i husen vid Munkbron. Men gardisterna spred sig, red in i gränderna och högg omkring sig med de dragna sablarna. De fortsatte in i gatorna ovanför, rensade först Stora Nygatan och sedan Västerlånggatan från fredliga vandrare.

Flera sårades av sabelhuggen och några förbands på rakstugan i hörnet av Stora Nygatan och Gråmunkegränden. En av dem var tjugoåttaårige hamnarbetaren Vilhelm Svensson, kallad Storsäcken. Han hade fått ett ytligt sår av två tums längd invid hjässan och ett djupare sår över näsryggen och dessutom sår och skråmor på höger hand. Skadorna ansågs inte farliga för liv eller framtida hälsa men krävde minst en månads tid för att läka.

Skräcken var den som först anade att något höll på att ske. Han såg folk komma springande och förstod att de flydde för något. Hastigt varnade han sitt sällskap, de borde söka skydd innan stormen var över dem. Nu såg man de första gardisterna till häst rida fram med dragna sablar förbi det Bergstralska huset i hörnet av Riddarhustorget. Men Storsäcken ville inte lyssna, han förklarade stolt att han inte tänkte springa, kom gardistjävlarna för nära skulle han dra ner dem från hästarna och ge dem en spark i ändan.

Eftersom Storsäcken vägrade att sätta sig i säkerhet måste de lämna honom. Men vart kunde de ta vägen, hur skulle de komma undan?

Skräcken hade en stund tidigare varit ombord på en liten skuta som låg vid bryggan ganska nära dem. Han kände mannen som förde den. Skutan låg fortfarande kvar – fast det såg ut som om man gjorde sig redo att segla. Skräcken visade vägen och hann fram, ropade att han måste rädda flickorna och barnungarna från gardisterna. Något motvilligt fick de komma ombord, plats fanns nu när allt löv och alla blommor var sålda men avfärden var redan fördröjd.

Skräcken hjälpte till att skjuta skutan från bryggan, det var säkrast att komma ut på vattnet innan flera kom och ville följa med, hur många som helst fanns det inte plats för.

De gled ut, lämnade gråt och skrik bakom sig. För säkerhets

skull fick de följa med bort till bryggan vid Skinnarviken där det verkade lugnt och stilla. Det blev en ganska lång promenad hem och ungdomarna kom senare än de lovat. Men blev förlåtna när de berättade vad som hänt.

Johanna talade länge om deras modige och kloke räddare. Fadern lyssnade något förvånad, visst var Skräcken en hygglig karl och nog var det skönt att han funnits till hands och kunnat hjälpa barnungarna. Jöns Eriksson föreslog sin Karolina att de skulle be pojken komma hem en söndag och äta en liten sexa med dem, som tack. För säkerhets skull, eftersom Johanna verkade så förtjust, tänkte Jöns berätta för Skräcken att flickan bara var en barnunge, inte ens femton ännu.

Själva midsommarhelgen blev lugn, trupperna drogs tillbaka och kanonjollarna försvann från Strömmen. Men vakthållningen vid de värst utsatta platserna bibehölls.

Veckan efter midsommar påbörjades polisförhören angående dels "bullret" som förekommit när domen över Crusenstolpe offentliggjorts, dels oroligheterna den tjugonde juni i Ålandsgränden och utanför Södra stadshuset.

Många kända stockholmare hördes om händelserna i och utanför Svea hovrätt. Redaktören Hierta och författarna Mellin och Sturzenbecher – som kallades Orvar Odd – hade iakttagits där, även kapten Rosenqvist af Åkershult, den sistnämnde hurrande. Rättegång och utslag drog ut på tiden i mer än ett år men till sist frikändes alla utom två. Löjtnanten och byggmästaren Knut Höökenberg, även känd som festarrangör, trollkonstnär och dansmästare, fick böta för "överdåd å allmän gata" och kopisten Theodor Sandström för störande av rättegångsfriden.

När det gällde oroligheterna den tjugonde juni hade inte mindre än etthundraåtta personer inkallats. Den övervägande delen visade sig vara borgare med deras biträden samt ämbets- och tjänstemän. Endast tolv kunde betraktas som arbetare, det var sex gesäller, fyra boktryckeriarbetare och två sjömän – men inga tjänstehjon, dagakarlar eller liknande. Även denna process blev långvarig och resultatet magert. Av de många hörda och åtalade dömdes till sist tre till böter. Det var medicine kandidaten Påhlman som frågat överståthållaren var det stod skrivet att han

– Påhlman – måste gå hem, samt kryddkramhandlarbetjänten Berger och skomakargesällen Liljegren som ropat ”Bort med våld och vapen!” och ”Bort med polisen!”. Påhlman fick böta för att han ”undsagt överståthållaren”, de andra två för ”skriande av överdåd å gata”.

Men ingen fönsterkrossare eller slagskämpe hade gripits.

I slutet av juni avgick överståthållare Sprengtporten och fick motta stora hyllningar från stadsborna. Han efterträddes av den tidigare underståthållaren vilken sades vara from och hederlig men ytterst enfaldig och helt olämplig på den plats han fått. Han skulle inte heller få behålla den i mer än tre veckor.

Gamle kung Karl Johan var ängslig och irriterad denna sommar. Själv ett revolutionens barn skrämdes han av folkmassornas vredgade böljor, tyckte sig veta hur litet som behövdes för att en härskare skulle sköljas från sin tron. Man kunde tycka att svenskarna var ett stillsamt folk men de hade trots allt mördat Gustav III och avsatt Gustav IV Adolf. Och i hans gamla hemland Frankrike hade den ene kejsaren och kungen efter den andre detroniserats och den nuvarande utsatts för otaliga om än misslyckade attentat.

De pågående bråken hade också kommit ytterst olämpligt, just under ett ryskt statsbesök. Storfursten Alexanders besök hade varit väntat, men helt överraskande hade hans far, kejsar Nikolaus, också följt med och oanmäld anlänt till Stockholm. De hade kommit den tionde juni, kejsaren hade återvänt efter några dagar men storfursten stannat till den tjugoandra juni. Det var olyckligt att man inte väntat med att döma Crusenstolpe. Den smutsiga husbyken borde inte haft utländska vittnen.

Det var storfurstens närvaro som gett anledning till det stora militäruppbådet, det hade dragits in så snart den höge gästen avrest. Det påstods att storfursten funnit upploppet mycket märkligt – det hade bestått av enbart soldater och ingen pöbel.

Men Karl Johan var orolig och oron gjorde honom förbittrad. Hovskvallret berättade att han suttit tillsammans med drottningen någon av de bråkiga kvällarna när han plötsligt utbrutit: Jag ska krossa dem allihop! Men drottningen avbröt honom, milt leende: Du, som inte ens kan göra en höna illa!

Naturligtvis hade det höga paret talat franska, de behärskade ju inte sina undersåtars språk. Och när kungen velat kommendera ut trupperna hade han gett ordern: *Sabrez la canaille!*

Men kungens allt-i-allo, riksmarskalken Magnus Brahe, hade smugit efter officeren som fått ordern att "sabla ner packet" och förklarat att kungen inte menat så illa utan snart skulle ångra sig. Brahe hade tagit ansvaret för att ordern återkallats.

Just detta att inte kunna tala till sitt folk i en svår situation var bekymmersamt. Nu måste Karl Johan ångra att han aldrig försökt lära sig språket. Han skulle ha velat rida ut på gator och torg och möta de upproriska, övertala och entusiasmera dem. Men de många skulle inte förstå honom, han kunde inte nå dem.

Hans son Oskar talade en utmärkt svenska. Och denne son var också liberal, pläderade för folkundervisning och humaniserade straff. Ibland kunde sonen kännas som en konkurrent, inte om makten men om folkets kärlek. Det fanns liberaler som antytt att det vore en lycka om Karl Johan ville abdikera till förmån för sin son.

Men det ville han inte, åtminstone inte nu.

Den sjätte juli råkade kungen ut för en olycka. På hemväg från en inspektion av Livgardets dragonkår på Ladugårdsgärde kastades han av hästen. Överarmen och axeln skadades och kungen fick hålla sig i stillhet i en månad. Det blev ingen lätt tid att hålla sig stilla i för en orolig själ.

”det förnedringstillstånd som fordras”

”Enligt lag äger husbonde slå sin tjänare; enligt lag skall en lärgosse tåla stryk, ej blott av mästare, utan även av gesäller. Då den sålunda vid stryk vande själv kommer på den punkt, att han har andra under sig, tager han sin ersättning med att i sin tur vädja till den nationella styrelseprincipen. – – – Ingenting bevisar mer än detta – – – huru mycket despotism ännu ligger uti det inre av samhället, och huru litet man hos oss tänkt på den stora massans upplyftande ur det förnedringstillstånd, som fordras för att utan repressalier underkasta sig förtryck och misshandling av andra. Tvivlar någon härpå, så vilja vi blott bedja honom tänka sig den händelsen, att det en gång fölle en polismästare in att blott se på anklagelsen, icke på personens beskaffenhet och att sålunda även låta ’smörja’ eller ’klå’ en så kallad ’bättre person’ – – –”

Lars Johan Hierta i Aftonbladet,
29.11.1838.

Början av juli månad blev ganska lugn. Vädret var vackert, skörden föreföll att bli god. Ändå dröjde ett missnöje kvar, en hotfull, dov ton. En anledning var att de från landsorten inkallade trupperna som förstärkte Stockholms garnison fortfarande låg kvar och dagligen patrullerade genom gatorna. Gång på gång fann militärerna anledning ingripa, inga folksamlingar fick bildas, folk som inte flyttade sig fort nog fick ett slag av sabelflatan över ryggen, ibland ett hugg. Värst utsatta var som vanligt arbetare och andra fattiga människor men också många småborgare drabbades av upptuktelsen.

Övergreppen väckte förbittring, anmälningar gjordes och gav ibland upphov till åtal, oppositionstidningarna klandrade och förlöjligade militären. Och den fattigare befolkningen, som inte tagit så stor del i de tidigare upploppen, irriterades nu alltmer av att inte få gå i fred på gatorna eller tillåtas stanna och samtala med bekanta de mötte.

Den nittonde juli utgick besvärstiden för domen över Crusenstolpe, då hade en månad gått sedan domen fallit. Det betydde att den dömde skulle föras ut till Vaxholms fästning denna dag eller den följande. Dagligt Allehanda hade i det nummer som utkom den nittonde sagt att det skulle ske redan samma dag, vid middagstid.

Mycket folk samlades på förmiddagen i hörnet av Götgatan och Peter Myndes backe. Många kom av nyfikenhet, andra för att visa sina sympatier för "statsfången". Men ingenting hände, Crusenstolpe blev kvar i Södra stadshuset. Folkmassan höll sig lugn men åtlydde inte den nye överståthållarens uppmaning att åtskiljas – förrän en brand utbröt i ett hus ett stycke därifrån, då en stor del skyndade dit för att bevittna den nya sensationen. Sedan vaktombyte skett framåt ett-tiden gav sig de flesta åskådarna iväg och eftermiddagen blev lugn. Nu hade man hört att fången skulle förflyttas först kommande dag.

Men framåt kvällen började folk samlas igen. Vid halvtiotiden var hela Peter Myndes backe fylld av människor, stora skaror syntes också i backens fortsättning upp mot Maria kyrka, på Mariagatan, liksom vid Götgatan och på Södermalmstorg. Det påstods att några sjömän arresterats och förts till Södra stadshuset och att kamrater till dessa nu ville storma huset för att befria de gripna.

Så klirrade den första rutan. Det var som en signal, ruta efter ruta slogs ut av hurrande stenkastare. Några sjömän i blå kläder och halmhattar klättrade upp efter väggarna och försökte riva ner fönsterbågarna till fängelserummen. Gatpojkar och lärlingar hjälpte till med fönsterkrossningen och snart fanns knappast en ruta hel i Stadshuset.

Militärvakten i Södra stadshuset bestod av löjtnant Gustafsköld, en underofficer samt tjugo man. Vid vakthuset på Södermalmstorg fanns löjtnant Sandels med tjugotvå man. När Gustafsköld skickade bud med anhållan om förstärkning avstod Sandels sex man som fick marschera till Stadshuset. Men Sandels såg att situationen blev allt värre, han sände upprepade rapporter till kommendanten om det svåra läget. Ingen hjälp syntes emellertid till och inte heller någon högre militär eller ämbetsman. De två unga officerarna Gustafsskböld och Sandels tycktes helt övergivna, ensamma måste de avgöra hur upploppet skulle stävjas och med sina något mer än fyrtio soldater försöka betvinga en folkmassa på mellan två och tre tusen personer.

Till sist beslöt sig Sandels för att försöka ta sig fram till Stadshuset med sina återstående sexton man för att undsätta de inneslutna. Till att börja med vek folk undan för militären men på Götgatan tätnade hoparna. Man började kasta sten mot soldaterna, som nästan alla fick större eller mindre sår och bulnader.

Vid Stadshusets huvudingång på Götgatan kommenderade Sandels halt och sprang några steg uppför trappan.

Mina herrar! ropade han. Upphören att kasta sten på manskapet – eljest låter jag skjuta på eder!

Det enda svar han fick var hurrarop och nya stenar. Han upprepade varningen och gav sedan en soldat order att skjuta ett skott i luften. Folk tryckte sig mot husväggarna och gatans mitt blev fri. Men fortfarande ven stenarna och några yngre män ropade: De har inte laddat, på dem igen!

Ur mängden steg en man fram, gick med en äppelstor sten i handen allt närmare soldaterna, höjde armen och kastade. Sandels ropade två gånger: Stanna, annars skjuter jag! Men mannen böjde sig ner och tog upp en ny sten från gatan.

Då gav löjtnanten en av gardisterna order att skjuta och stenkastaren föll, träffad i bröstet. Han släpades genast bort av kringstående.

Den lilla truppstyrkan drog sig tillbaka till vakthuset vid Södermalmstorg. Gustafssködls trupp hade åter ansatts av stenkastarna som fått nytt mod efter Sandels reträtt. Porten mot Peter Myndes backe var nära att svikta när massorna trängde på.

Manskapet vid Stadshuset fick order att skjuta. Ett skott träffade en sjöman som med hjälp av en avsliten fönsterlucka försökte slå sig in genom ett av fönstren. Mannen föll i gatan men lyckades ta sig på fötter och försvinna. Blodet rann från hans ansikte och han hade tappat sin vita halmhatt.

Medan detta hände hade löjtnant Sandels fått förstärkning till vakthuset vid Södermalmstorg, arton man under en sergeants befäl. Den nya patrullen fick order om att ta sig till Stadshuset och lyckades ta sig dit genom en tätnande folkmassa medan okvädingsord som ”käringfisar” och ”gåsungar” haglade över dem. Strax därefter anlände fyrtio man från högvakten med en underofficer och en löjtnant som befäl, även dessa sändes vidare till Stadshuset. Större delen av demonstranterna höll nu till i Mariagatan varifrån man kastade stenar och skymford trots att den nyanlände löjtnanten, Schürer von Waldheim, hotade att skjuta. Efter skottlossning över demonstranternas huvuden tömdes till sist gatan. Men ett dödsoffer hade krävts, en ung boktryckerilärling som inte varit inblandad i bråket träffades när han passerade gatan högst uppe vid Maria kyrka.

Vid halvtolvtiden var lugnet återställt även om många människor fortfarande dröjde sig kvar intill Södra stadshuset. Då hade också ordningens högsta väktare äntligen infunnit sig – den nye överståthållaren, kommendanten för stadens garnison samt den senast tillförordnade polismästaren.

Överståthållare Kuylenstierna satt halvgråtande till häst utanför Stadshuset och bönföll mängden att skiljas åt. Två dagar senare var han skild från sin tjänst.

Vid niotiden på morgonen den tjugonde juli fördes Crusenstolpe till Vaxholms fästning, följd av sin hustru som fått tillstånd att dela hans fångenskap. Resan företogs i en salslup som följdes av tre vaktslupar. Militär stod uppställd från Stadshuset till hamnen och en stor folkskara hyllade fången. Två hurrande lärpojkar togs av polisen, fick stryk och släpptes sedan.

Olof Teodor Hultberg var den yngste polismästare staden någonsin haft, endast trettiotvå år gammal sattes han att förvalta det svårskötta ämbetet. Kanske hans bristande erfarenhet var anledning till hans misslyckande. Enligt kritikerna var den nye polismästaren en vän av ”det ryska systemet” – han pryglade de arresterade, ibland för att framtvinga bekännelser, ibland som ett straff föregånget av varken rättegång eller dom.

Under de närmaste dagarna skulle samma anteckning gång på gång komma igen bakom arrestanternas namn i polisdiariet: ”Agas och ställes på fri fot”. Naturligtvis fäste polismästaren avseende vid person, borgare och bättre klädda utsattes aldrig för avbasning.

Ett dussin personer togs vid bråk i Ålandsgränden på kvällen den tjugonde juli, över tjoget natten därpå då det var lördagskväll och mera folk i rörelse.

Men nu hade den nye överståthållaren, Axel Möllerhielm, tillträtt efter Kuylenstiernas korta gästspel. Han fick snabbt läget under kontroll, en förordning publicerades som satte stopp för det nattliga ofoget.

Alla stadens portar skulle hållas låsta från tio på eftermiddagen till fem på morgonen. Föräldrar och husbönder ålades att hålla barn, tjänstefolk och husets arbetare inne under denna tid, de inlåsta fick endast gå ut i föräldrars eller husbondes "rätta ärende". Var och en som var ute efter klockan tio måste på anmodan uppge namn, yrke, bostad och ärende, den som vägrade arresterades. Det var förbjudet att stanna och samtala under den nämnda tiden.

Reglerna var hårda och de kritiserades av tidningarna. Sommartid ville ju människor vara ute, besöka Djurgårdens nöjen, äta på restauranger. Men det visade sig att förordningen, enligt överståthållarens önskan, tillämpades med varsamhet. I början av augusti förlängdes också friheten med en timme, då skulle portarna låsas först klockan elva.

Det blev ganska lugnt på gator och torg, en bataljon av Upplands regemente kunde sändas hem. Man talade om den nya ordningens hälsosamma följder och hoppades att orostiden nu skulle vara över.

Men utredningar, förhör och rättegångar måste ju följa.

Den dödade stenkastaren vid Södra stadshuset den nittonde juli befanns vara en tidigare förrådsdräng vid livbeväringsregementet, Gustaf Adolph Eklund. Sjömannen som fått ett skott i ansiktet dagen därpå hette Lars Olsson. Förutom Olsson var förre gardisten Fritzberg och matrosen Backman starkt misstänkta för att ha agerat och även uppmanat andra att delta. Olsson låg intagen på sjukhus, Fritzberg hölls arresterad en tid men släpptes sedan. När man ville återuppta förhören med de tre hade de avvikit från staden och kunde inte anträffas.

Ingen anstiftare hade upptäckts, ingen våldsverkare dömts. Officerarna som gett order om skottlossning varken dömdes eller frikändes eftersom ingen klagan anförts.

Ibland kände Johannes Ekberg med något av bävan hur hans lilla tobaksbod låg mitt i malströmmen, som en stock som fastnat i en skreva ute bland strömvirvlarna.

Så mycket av det märkligaste och mest skrämmande som hände i staden utspelades utanför hans fönster. Snett över gatan hade von Fersen tvingats ut ur sin vagn 1810, bara ett stenkast längre bort, på Rådhusets gård, hade han sedan pinats ihjäl. Förbi gathörnet mot Riddarhustorget passerade kröningsparader och kungliga likprocessioner. Och under de senaste månaderna hade hurrande och skrikande folkskaror sprungit Stora Nygatan fram, på väg mellan Södra stadshuset och kansler Nermans bostad vid Ålandsgränden. Dragoner hade ridit förbi, med sablarna i högsta hugg förföljt flyende.

När det blev oroligt på gatan låste Johannes dörren och drog sig försiktigt tillbaka innanför boddisken så att han inte syntes utifrån, kvällstid släckte han också ljusen. Osedd iakttog han livet och försökte förstå vad som hände och varför.

Det var inte lätt att finna sammanhang. Så mycket föreföll meningslöst, tillkommet utan tankar och än mindre planer. Det hela hade väl börjat som en protest mot tryckfrihetens underkuvande och kungligt godtycke. Så långt sympatiserade Johannes med demonstranterna även om han inte tyckte att Crusenstolpe var någon riktigt värdig martyr. Han ansåg knappast heller att de som utsatt sig för militärernas kulor – den dödsskjutne förrådsdrängen och den sårade sjömannen – varit några verkliga representanter för tryckfrihetens vänner. Däremot kunde de haft andra och mera personliga skäl, känt behov av att med våld vända sig mot det våld de själva utsattes för i sitt dagliga liv. Militärens drängar och de meniga till sjöss fick mycket stryk, piskades till lydnad.

Våldet gav upphov till hat och födde nytt våld. När blod täckte ögonen och hat fördunklade hjärnan blev detta våld blint och planlöst.

Häromdagen hade man slagit sönder fönstren hos Lars Johan Hierta vid Lilla Nygatan. Hierta var en motståndare till husaga och stred för de svagas rätt, det var svårt att förstå varför folkets vrede skulle drabba honom. Även andra oskyldiga personer hade drabbats av fönsterkrossningen medan många som skulle ha kunnat kallas ”folkets fiender” helt sluppit undan.

Ännu mer förvirrad blev bilden när oroligheterna flammade upp på nytt i slutet av augusti och början av september.

Först var det bara fråga om mera oskyldigt skrål, på Järntorget och i gränderna därintill. Sjömän, gesäller och lärpojkar hade tagit till vana att samlas kring torget och skräna tills de kördes bort av militären.

Men de kom igen i allt större skaror och den tjugoåttonde augusti hördes åter klirrandet från sönderslagna rutor.

Tidigare under sommaren hade man krossat fönstren i de höga ämbetsmännens bostäder. Nu vändes plötsligt vreden mot ett helt annat och oväntat mål: madam Martells ”Venustempel”.

Maria Martell var en av de två värdshusidkande kvinnor som för ett halvår sedan fått tillstånd att öppna bordell, den andra var Anna Carlberg vid Kråkgränden intill Skeppsbron. Tillståndet kunde ses som ett försök att ersätta de existerande hemliga nästena med ställen som kunde inspekteras.

Rutorna krossades, glädjeflickorna skrek i skräck, ängsliga kunder försökte rätta till sin klädsel och fly huset från gårdssidan. Men nog föreföll det som om sällarna på gatan snarare roade sig än gav uttryck för någon vrede.

Så ropade någon: Till Skeppsbron! Där låg ju madam Carlbergs näste, London kallat, och också där krossades rutorna. Men så gavs nya order och nya mål. Vid Skeppsbron bodde också statssekreteraren och presidenten i kommerskollegium Karl David Skogman och nu var det till hans bostad man begav sig.

En militär befälhavare uppgav att han sett bättre klädda herrar, rökande cigarrer och iförda korta slängkappor, dirigera massan.

I slutet av juni hade en förordning, utarbetad under ledning av statssekreteraren Skogman, antagits av regeringen. Men med anledning av den då rådande oron hade man beslutat att dröja med offentliggörandet.

Förordningen, som publicerades den tionde augusti, gällde den judiska befolkningens villkor i Sverige. Denna grupp, som ibland kallades ”den judiska nationen”, bestod av omkring tusen personer, varav trehundra var män över femton år. Judarnas ställning var fastslagen i ett reglemente från 1782. Enligt detta var de förbjudna att bosätta sig annorstädes än i Stockholm, Göteborg eller Norrköping samt, senare, Karlskrona. De fick inte utöva något skråhantverk och tilläts idka handel eller rörelse endast om de löst ett så kallat skyddsbrev.

Regeringen hade funnit att detta reglemente nu var föråldrat och dispenser hade medgivits vid flera tillfällen. Detta hade medfört en del kritik från borgerskapet som fruktade intrång i sina privilegier. Andra ansåg att en viss konkurrens snarare kunde vara gynnsam och rycka upp de svenska företagen. En rad ämbetsverk hade också gett de svenska judarna synnerligen goda vitsord, de sades vara arbetsamma, laglydiga och landet tillgivna, de låg inte heller någon till last.

Enligt Skogmans förordning skulle ”de mosaiska trosbekännarna”, som de med en ny beteckning kallades, få samma ställning som rikets övriga invånare – naturligtvis med undantag för de rättigheter som grundlagen förvägrade främmande trosbekännare, dit hörde valrätt och valbarhet till riksdagen. De skulle få bosätta sig var de ville inom riket och ägna sig åt såväl skråyrken som handel.

Oppositionstidningarna angrep genast regeringen, främst därför att författningen antagits utan att rikets ständer fått tillfälle behandla den. Några av de liberala och i vanliga fall frihandelsvänliga tidningarna och kretsarna reagerade på ett sådant sätt att de regeringstrogna konservativa ibland framstod som mer ”liberala”.

Bland de redan tidigare så hårt ansatta hantverksgesällerna och även hos deras mästare, som sviktade inför fabriksägarnas konkurrens, uppstod ny oro.

Även klart främlingsfientliga yttringar förekom. Kapten Rosenqvist, den storvulne frihetskämpen, skildrade judarna som en skock parasiterande procentare som ville göra svenska folket till sina slavar, Rosenqvist krävde förbud för judar att invandra och ansåg att de som ägde fastigheter skulle berövas dessa utan rannsakning eller dom.

I statssekreterare Skogmans hus krossades nu ett dussintal rutor.

Andra folkhopar drog fram längs Västerlånggatan och Stora Nygatan där flera medlemmar av den judiska församlingen bodde. Även här slogs många fönster sönder. Men bråket avtonade ganska snart och när överståthållaren anlände tillsammans med en stark kavalleripatrull hade folkmassorna redan skingrats.

Kvällen därpå gick det vildare till. Man hade retat upp sig på militärerna och gick nu till storms mot dem. Tegelstenar, vedträn och orenlighet slängdes ut från tak och vindsgluggar. Men fönsterrutorna fick vara den kvällen.

Därefter var det lugnt i nästan två veckor, men den tionde september anordnades en "avskedsföreställning". Då utsattes åter Skogmans hus för skadegörelse, även en del hus som ägdes av mycket aktade judiska familjer. Men nu hade många medborgare tröttnat på de upprepade bråken, krav på åtgärder framfördes allt högre och av allt fler.

För att lugna oppositionen var regeringen beredd att göra eftergifter. Man beslöt att begränsa de fri- och rättigheter som den nya författningen skulle ge judarna. De skulle inte utan vidare få bosätta sig var de ville utanför de fyra tillåtna städerna. Endast de som var svenska medborgare skulle efter myndigheternas hörande och beslut få tillstånd att bo på annan plats.

Aktade judiska familjer, föraktade och ökända bordellvärdinnor, kungatrogna ämbetsmän – så olika grupper hade drabbats. Det gick inte att upptäcka något samband eller någon plan. Förnuftiga och lugnt tänkande kritiker var eniga om att "alla uppträdandena varit alldeles planlösa".

Och trots alla omfattande undersökningar kunde varken anstiftare eller ledare hittas. Man kunde inte heller finna någon verklig och utbredd vilja att störta kung och regering. Många hängav sig åt spekulationer, fantasier om att den landsförviste prinsen av Vasa kanske kunde finnas någonstans i bakgrunden. Men inte ens det svagaste bevis för något sådant kunde framläggas och lika litet kunde man finna några spår av ryska stämplingar. Att konspiratörer trakterat folk på krogarna för att locka till upplopp kunde inte heller bevisas.

Visst fanns anledningar till missnöje, till vrede och hat. Men fortfarande led de flesta i tysthet, som de vänjt sig vid att göra.

Långt ifrån alla var medvetna om hur litet av frihet och människovärde de ägde. De många nöjde sig med att försöka göra det bästa möjliga av sin situation, ta vara på de små glädjeämnen som tillvaron kunde bjuda. Men andra gav upp, söp vidare.

Trots allt kunde de oppositionella tidningarnas vakthållning ibland ge resultat. När makthavarna i sin självfullkomlighet gick alltför långt och bröt mot lagarna hände det att de råkade trampa i en fälla och stod avslöjade.

Den unge tillförordnade polismästaren Hultberg fann sig helt oväntat tvungen att inför justitiekanslern redogöra för hur han genom prygel tvingat fram bekännelser som senare återtagits. Kämnärsrätten hade tillåtit sig att göra en vidlyftig undersökning av hur förhören med tre pojkar gått till och i samband härmed anklagat Hultberg för tjänstefel. Visst hade pojkarna fått prygel på hans befallning, tillstod polismästaren, men han hoppades ändå att justitiekanslern skulle finna att anklagelsen inte förtjänade någon åtgärd.

Men det gjorde den, Hultberg åtalades vid Svea hovrätt och efter detta kom en ström av nya anmälningar. Till sist blev Hultbergs situation omöjlig och han måste begära tjänstledighet. Hovrätten fann att polismästarens åtgärder föranletts av förhastat nit och dömde honom förlustig sitt ämbete. Ärendet gick sedan vidare till Högsta domstolen men innan det prövats där hade Hultberg tagit sitt liv.

Våldet, ”den nationella styrelseprincipen”, krävde många offer. Och nu väntade vintern, i november slog kylan till och hemlösa framdrogs, stelnade av köld, ur sina gömställen.

Johannes Ekberg stod i sin bod och såg ut mot gatan, några av trashankarna som tagits av polisen rullade förbi i en öppen kärra på väg till häktet. Snön föll över de halvnakna stackarna, de verkade som förlamade, nästan döda. Ingen kunde eller ville hjälpa dem, någon nåd fanns inte, bara en evig och oändlig förnedring.

”går allt detta an?”

– – – ”Går allt detta an, Albert?
Han sade ändå intet. Men i hela uttrycket av hans ansikte låg detta svar: Det går an.”

Slutorden i C.J.L. Almqvists skildring av kärlek utan äktenskap, Det går an, 1839.

I staden fanns små bakgator och grändstumpar som var så obetydliga att de inte upptogs med namn på kartorna och inte var kända av andra än dem som bodde där.

Beckbrännargränden var en sådan glömd boplats. Den smet in från Borgmästargränden och gick genom kvarteret Nybygget fram till Kocksgatan. Gränden fanns inte på kartan, bara i verkligheten. Med Falkenbergsgatans östra del förhöll det sig tvärtom, den gick sedan hundra år tillbaka bred och rak på kartorna men fick förgäves sökas på marken.

Så var det ofta i utkanten, planerna blev sent eller aldrig verkställda. Många som bodde där kunde förresten varken läsa eller tyda kartor och höll sig inte heller med sådana märkvärdigheter.

Men Marias far, skräddargesällen Sandman, ägde en ganska ny karta. Han hade stolt förklarat att han med hjälp av den kunde hitta praktiskt taget överallt i staden och varken behövde råd eller färdledare när han skulle besöka dottern i hennes nya bostad. Men när klockan blev fyra på eftermiddagen den söndag Sandman och hans hustru skulle ha kommit klockan två till Beckbrännargränden för ett första besök fick Hugge ge sig ut och leta. Han hittade Sandmans vid Renstiernasgrändens slut uppe i Vita bergen, vid en annan liten på kartan förgäten gränd, Färgargränd, som ledde ner till Vintertullsgatan.

Det var en ganska trivsam och lugn avkrok som Maria och Hugge hamnat i sedan de äntligen lyckats finna en egen bostad. Grändens få hus låg uppe på Vita bergens utlöpare ovanför Pilgatan och en gammal fotkvarn med svängbar överbyggnad var nära granne. Den kallades Tjärbeljan eller Tjärbaljan. Beckbrännare och tjärvräkare hade väl en gång dominerat här.

Huset där de unga hyrde ett spisrum borde kanske stå mitt ute i Falkenbergsgatan, om man skulle tro kartan. I verkligheten stod det uppe på det söderut ganska kala berget där vinden hade fritt spelrum i Tjärbeljans kraftiga vingar hundra alnar från husknuten. Vid hård vind kunde vingarnas dån bli besvärande. Men de som bodde nära vänjde sig.

Annars hade stadens många väderkvarnar förlorat mycket av sin gamla betydelse, de hade svårt att klara sig i konkurrensen med de ångdrivna eldkvarnarna. Ett tecken härpå var väl att de inte längre upptogs på kartorna fastän de fortfarande var bra landmärken. Så inte heller i det fallet hade svärfaderns karta varit till någon hjälp.

I sitt föräldrahem hade Hugge varit det äldsta barnet och noga hävdat sin förstfödslorätt. Och fråga var väl om han inte spelade samma roll i det egna boet. Han visste så väl, han var den som skulle tillfrågas och bestämma om allt.

Maria lät honom hållas. Karlar var ju sådana, stora bortskämda barn. Och Hugge var trots allt inte svår att komma överens med, han var inte elak. Maria lät honom tro att det var han som styrde och ställde, då blev han nöjd och glad och lät henne sköta hemmet och vardagsgöromålen så som det skulle göras och som hon ville ha det gjort.

Det var Hugge själv som yrkat på att de inte skulle gifta sig. Efter hand hade Maria funnit att det nog var ganska bra att det blivit så, nu stod hon inte under Hugges förmyndarskap utan var kvar under sin fars. De pengar hon fått av fadern var hennes egna, liksom möbler och husgeråd som de köpt för pengarna.

Hon misstrodde inte Hugge, ville inte undandra honom något. Ändå kändes det som om hon fått en säkerhet, ett skydd. Hugge var ju litet svår på spriten ibland, blev det värre kunde han förändras, sätta det egna drickandet före hennes och barnets behov. I en sådan situation kunde Maria som ogift skydda sig, den man som enbart sammanbodde med en kvinna hade ingen rätt över henne. Men den gifte kunde supa upp varje öre han tjänade och även det hustrun tjänade, han kunde sälja hemmets gemensamma ägodelar, till och med kläderna.

Sådana tankar fick aldrig komma över hennes läppar, då skulle Hugge ta mycket illa upp. De måste hållas gömda och endast släppas fram i yttersta nöd om allt av lycka och kärlek skulle försvinna.

För just nu var Maria lyckligare och friare än hon någonsin varit.

Hemma hos föräldrarna hade det inte alltid varit lätt. Maria och modern hade haft svårt att komma överens, modern hade samlat all omsorg och oro kring den yngsta. Ibland hade Maria känt sig som en fånge, berövad rätten till fritid och umgänge med jämnåriga.

Nu tog hon igen det förlorade och inte så sällan bjöd hon och Hugge hem några av arbetskamraterna från bryggeriet. Det gick tack vare fadern. Ofta stack han åt sin älsklingsdotter en slant och uppmanade dem att roa sig – "men säj inget till Mamma..."

Maria arbetade igen. Deras barn, en flicka, hade fötts förra sommaren och Maria kunde ta den lilla Kristina med sig till bryggeriet i kvarteret intill.

När sommaren nu åter nalkades öppnades dörrarna och människorna flyttade ut i backarna och upp på bergen. Nu gällde det att ta vara på sol och luft – och så kunde man breda ut sig och slippa trängas. Man lade gamla täcken på marken, dukade fram ur kaffekorgarna.

Kring de kala bergknallarna där Tjärbeljan stod lyste gräset i ljusgröna fläckar på slänterna. Inne i trädgårdarna knoppades träd och buskar men på sluttningen ner mot Pilgatan stod potatislanden svarta, groddarna hade inte hunnit upp ännu.

Ingen lockades att försöka odla berget, där växte inte ens något enstaka träd. Man kunde lata sig med gott samvete. Och kring hela kvarnbacken låg eller satt folk från husen vid Renstiernasgränden, Kocksgatan och Beckbrännargränden, sådana som hyrde eller var inneboende och inte hade täppor att tänka på.

Hugge kände igen många även om han inte var närmare bekant med dem. Det blev så i en stadsutkant som den här, man passerade varann så ofta, kände igen varann men visste mera sällan namnet.

Från ett av de små trähusen intill Renstiernasgränden kom en kvinna med två barn, de hade varit närmaste grannar till Hugges familj i det Nilssonska huset. Det fanns en man i familjen också, en kryddkrämardräng. Han hade blivit invalid, kvinnan och barnen ledde ut honom och satte honom på en stol och där satt han orörlig tills det var dags för honom att ledas in igen.

Kvinnan satt ibland och tecknade, det blev bilder av livet på kvarnbacken. Småbarn hängde runt henne och kommenterade, skrattade när de kände igen varann och sig själva.

Berg hette familjen, kvinnan hette Hedda. Hyggliga människor, folk som man kunde tala med. Men snart anade Maria och Hugge att Hedda inte var vilken kvinna som helst. Hedda hade bestämda åsikter, kunde komma med klart uttalade besked.

Hedda ansåg att det fortfarande fanns mycket av ofrihet kvar i Sverige, nästan slaveri. Den som löd under tjänstehjonsförordningen var tvingad att lyda husbonde och matmor, även vuxna och erfarna tjänstehjon kunde agas som odygdiga barn. Men i stället för att hjälpa och stödja varann tänkte varje arbetare bara på sin egen lilla krets. Fjolårets oroligheter hade visat hur dålig sammanhållningen var när det gällde arbetarna. De som hade mest anledning att klaga och kräva sin rätt hade inte kunnat göra sig hörda. De liberala herrarna hade agerat på ett helt annat och effektivare sätt när de krävt sina rättigheter.

Hedda hade hört att man i andra länder diskuterade ofriheten, drog upp linjer för en frihetskamp. Men hon hade så osäkra uppgifter. Själv hade hon också så små möjligheter att sätta sig in i frågorna, hon måste ju främst tänka på att försörja familjen nu när mannen blivit sjuk.

Maria hade inte tidigare bott så här i utkanten, hon njöt av att så lätt kunna komma ut ur det trånga rummet och upp på det fria berget. Men när den riktiga sommarvärmen kom ville Hugge att de skulle företa en tur längre bort och stanna ute hela lördagsnatten.

Det gällde att få låna en båt och bästa förbindelserna i den vägen hade Hugges morbror som var gårdskarl på Hillska skolan och kände de flesta båtägarna längs Hammarby sjös stränder. Morbrodern lyckades låna en eka billigt av en färgargesäll.

En tur av det här slaget kunde Hedda och hennes barn inte vara med om, de ville inte lämna den sjuke. Men Maria och Hugge slog sig samman med ett par av ungdomarna på bryggeriet. Man kunde dela på kostnaderna och så kändes det tryggt att vara fyra när de skulle övernatta.

Öl och brännvin kunde de köpa billigt i bryggeriet. Några korvar och en bit salt fläsk tog de med.

De samlades hos Hugge och Maria på lördagskvällen, packade in allt i korgar och säckar. Sedan tog de sig fram till Renstiernasgränden och fortsatte den söderut till Vintertullsgatan. Vid tullen följde de en stig längs vattnet, ekan skulle ligga utanför Färgargården.

Det var en ganska liten ekstock men nog räckte den för fyra och en barnunge. De placerade korgar och säckar på den flata botten. Brita fick sitta i förstäven, hon skulle också vara utkik när så behövdes. Maria med den lilla fick ta den bredare aktern. Och insjöarnas enkla farkost sköts ut från stranden och passerade snart Barnängens herrgård innanför den av gjutjärnsstaket kringgärdade parken. Några metande skolpojkar höll till vid Barnängsudden och Hugge berättade att de bortskämda överklassynglen inte bara metade fisk utan också grodor. Hans bror som arbetade vid skolan hade sagt att pojkarna åt grodor.

Det tyckte flickorna lät förfärligt. Men fint folk åt många konstiga och oätliga saker, svampar, musslor och sniglar. Men grodor, det var nog ändå det värsta.

Kvällssolen blankade vattenspegeln kopparröd. På den andra sidan sjön stod skogen, en skogsrand som sträckte sig obruten så långt ögat nådde. Den enda bebyggelsen de nu kunde se där på andra sidan låg nere vid stranden, Hammarby gård med lador och uthus.

Maria lät ena handen hänga ner i vattnet, släpa med. Hon ville knappast tala nu, inte höra mer om grodorna. Upplevelsen av naturen gjorde henne tyst. Just nu var hon lycklig, gled rakt in i solblänket, lyssnade till vattnets porlande mot ekans sidor.

På Mormors holme, sjöns enda litet större ö, var det redan ganska mycket folk. Men Hugge kände till ett bra ställe på Sickla udde inte långt därifrån. Där fanns en lämplig vik att lägga båten i och en skyddad skogsglänta nära stranden.

Gläntan var ledig. De drog upp båten ett stycke, tjudrade den med repet. Bar upp korgar och säckar, började samla pinnar till en eld. Och det dröjde inte länge förrän elden flammade upp och de kunde halstra korvarna över den och sedan koka kaffet.

Från Mormors holme och stränderna intill hördes skratt och rop. I skymningen började allt fler söka sig ut i vattnet, vitbleka gestalter skymtade. Man hoppades eller åtminstone låtsades tro att dunklet dolde tillräckligt, några badkläder hade man ju inte och sådana hade väl heller aldrig begagnats här, knappast ens av finare folk borta vid Barnängen. Men där fanns förstås badhus.

Det var inte många som kunde simma, de flesta bara stod i vattnet, doppade sig, satte sig kanske, tog en klick grönsåpa och tvättade sig. Här kunde man tvätta av vinterns smuts och sommarens svett, sådant var svårt att sköta hemma.

Hugge tog Marias hand, ville locka henne med ut. Hon stod tvekande och försökte skyla sig med en handduk. Men han ryckte den ifrån henne och kastade upp den på stranden. Sedan de tvättat sig försökte han locka henne längre ut i det mörka vattnet, det gick lättare att skölja av sig där det var djupare.

Men jag kan inte simma…

Nej, vem kan det. Men det blir inte djupt så fort här.

Vattnet kändes litet kallare längre ut, det räckte dem nästan till armhålorna nu. Och de stod stilla, rädda för djupet som lurade någonstans utanför. Hon skakade till.

Vi går väl upp nu, sa han. Du får ta handduken först.

Medan de gick mot land lade han ena armen över hennes skuldra, handen hängde ner och omslöt hennes högra bröst. Nu när hon ammade var brösten större än vanligt och det tyckte han om.

Du är vacker, sa han. Hur kunde jag få en sån som dej?

Hon tryckte sig litet tätare intill honom, skrattade.

Nu skulle Mamma se oss, sa hon. Jag tror aldrig Pappa och hon skulle vågat gå så här. Att dom sett varann… Men inte kan man väl bli lycklig av att bara bli överfallen och tagen i mörkret?

Dom flesta tvingas ändå att leva så, sa Hugge. Det finns ingen plats för dom fattiga i ljuset, dom får hålla till i mörkret och trängseln. Också då. Vi har nog kommit till i mörker allihop, som maskar eller gråsuggor.

Det här är den finaste sommar jag nånsin haft, sa Maria. Tror du att vi kan få flera såna?

Ja visst, skrattade han belåtet. Tills vi sitter här med en hel hord ungar omkring oss.

Hon trodde att hon väntade en till nu. Det var naturligtvis i tidigaste laget. Men ändå var han stolt.

Det blir nog en pojke nästa gång...

De låg tillsammans med flickan under det skyddande buskaget, i täckenas värme. Ibland hördes ett rop eller skratt någonstans ifrån, så småningom blev allt tyst.

Åtminstone en söndag i månaden var Maria och Hugge bjudna hem till Marias föräldrar. De bjöds först på kaffe klockan fyra, två timmar senare serverades en liten sexa på kallmat och till sist, klockan åtta, kvällsvard med någon varm rätt. Både till sexan och kvällsvarden dracks öl och Sandman och Hugge fick också brännvin.

Seder som dessa hade inte funnits i Hugges fattiga hem. Även mycket annat var annorlunda, gesällen Sandman prenumererade till exempel på Aftonbladet och ägde flera böcker som han hade uppsatta på en hylla. Ibland läste han upp något stycke ur en tidning eller bok, sådant som han tyckte kunde vara intressant eller nyttigt för de unga att höra.

Axel Sandman hade naturligtvis lagt märke till att dottern trivdes med tillvaron, att hon blivit självständigare – ja, rentav vackrare. Det förvånade honom nog först, hon hade ju ändå fått betydligt enklare nu, även om han försökte hjälpa henne ekonomiskt. Så här nöjd hade hon aldrig verkat när hon bodde hemma och hade det bra.

Något anade han väl – hustrun hade i sin ständiga omtanke och oro kanske gjort huset till litet av ett fängelse för flickorna, de så älskade måste dra sig undan för att rädda sig.

Den äldre av flickorna, hemmadottern Karin, blev bara blekare och tystare. Medan Maria frodades. De mjölkstinna brösten spände ut den öppna blusen, skratten och de livliga åtbörderna blev nästan vällustiga. Så ung och stark, frisk och lycklig att hon varken kunde eller ville dölja sitt välbefinnande.

Axel Sandman såg på sin dotter. Han skulle ha velat vara ung igen, på vandring med säcken på ryggen.

Hon har förvildats, vi har förlorat henne, klagade hustrun sedan dottern gått.

Nå ja... hon är lycklig, svarade Axel Sandman. Det är ändå viktigast, då går väl allt an.

”tager man blott för givet”

”Var och en likt min Vän, som kommer att handlägga fattigförsörjningsärender, blir av en annan åsikt i ämnet än den filantroperna predikat i all sköns enfald och oefterrättelighet. Tager man blott för givet att obildade människor icke äro annat än djur, uti vad födan och propagationen angår, så har man klaven till eländet och sättet att låta det utveckla sig på den naturligaste vägen – – –”

Landshövding, senare finansminister,
Johan af Wingård i brev till historikern
Anders Fryxell, 1840.

I mitten av januari 1840 började riksdagsmännen samlas i Stockholm. Många av dem hade haft en besvärlig resa till huvudstaden eftersom det rått blidväder, vintervägarnas isar hade varit osäkra och slädarnas medar skrapat mot grus och sand. I staden var gatorna moddigare och smutsigare än vanligt och sörjan rann galoscherna fulla under herrarnas vandringar till alla uppvaktningar och middagar som inledde riksdagsarbetet.

Johannes Ekbergs tobakshandel vid Stora Nygatan helt nära Riddarhustorget och Storkyrkobrinken låg väl placerad, många av ståndsrepresentanterna hade vägen förbi. Ibland råkade de stöta samman inne i boden och stod en stund och pratade medan de rökte sina pipor eller cigarrer. I år verkade de påfallande osäkra och uppskärrade, ingen visste ännu hur den politiska sammansättningen skulle bli men man anade att oppositionen denna gång kunde förvandlas till majoritet.

Johannes Ekberg lyssnade intresserat till herrarnas samtal men brukade aldrig med en min visa vad han tyckte eller tänkte. Fast en dag då två bonderepresentanter högljutt förklarat att de skulle se till att skapa en bra folkskola för böndernas barn, dit inga torparungar skulle äga tillträde, kunde tobakshandlaren inte undvika en suck när de gått.

Det enda vittnet till reaktionen var skräddargesällen Sandman som satt på en pall vid disken och med hjälp av handlarens skarpvässade kniv skar små bitar av tobaksflätan han köpt. På skrädderierna kunde de anställda inte röka under arbetet men många av dem nyttjade tuggtobak.

Axel Sandman arbetade vid det fina Söderbergska skrädderiet i Storkyrkobrinken. Han hade handlat sina tobaksflätor av Johannes Ekberg i många år nu och efterhand hade det blivit så att de gärna pratade en stund. De kom bra överens.

Sandman kände till Ekbergs bakgrund. Handlaren hade berättat att hans förfäder varit fattiga fabriksarbetare även om hans far blivit sjöman och underofficer. Det var som skeppsgosse under slaget vid Svensksund som Ekberg själv förlorat sin högra arm. Som krigsinvalid hade han av nåd fått bli tobakshandlare.

Dom tar för givet att alla fattiga är idioter, sa Sandman. Dom vill bara att deras egna ska få kunskap.

Ekberg instämde. Och ämbetsmännen och prästerna vill ha en skola där man bara ska lära proletärerna att lyda och läsa böner, sa han. Och fabriksägarna och brukspatronerna vill att folk ska lära sej så pass mycket att de kan sköta deras nya maskiner. Men inte mera – för kunskaper är farliga.

Alla tänker på sej, sa Sandman. Vi kan aldrig begära att herrefolket ska frigöra oss, men de får inte hindra oss från att befria oss själva. Vår frigörelse måste vara vårt eget verk.

Vår frigörelse måste vara vårt eget verk. Det var en tanke, en mening, som Johannes Ekberg ville minnas. Sandman sa viktiga saker ibland och på ett sätt som fick Johannes att undra om gesällen själv formulerat orden.

Sandman hade ju vandrat långa vägar en gång, kunde skriva och tala tyska språket, hade lärt känna gesäller från många av Europas länder där man diskuterat sociala frågor mycket mer än i Sverige. Det kunde tänkas att han tillhörde någon organisation som hade förbindelser över gränserna. Men sådant kunde man inte fråga om, förtroenden kunde man aldrig be om – bara få. Och det kunde vara säkrare att inte känna andras hemligheter, det man inte visste om bar man inget ansvar för.

Dörren öppnades, nya kunder kom. Sandman stoppade de avskurna små tobaksbitarna i västfickan, reste sig, nickade och gick.

Johannes Ekberg försökte följa riksdagsförhandlingarna så gott han kunde, genom att läsa Aftonbladet och lyssna på sina kunder. Det var svårt att få någon klar överblick eftersom de olika frågorna togs upp såväl i stånd och utskott som vid gemensamma förhandlingar.

Men att det börjat med en skräll var helt tydligt. De viktiga valen till de olika utskotten resulterade i så stora framgångar för oppositionen att hela regeringen begärde sitt avsked. Kung Karl Johan tvingades byta ut de mest kritiserade ministrarna men förmådde ändå bevara en konservativ regering. Och sedan de regeringstrogna hämtat sig lyckades de organisera ett effektivt motstånd och splittra de flertaliga men sins emellan oeniga opponenterna som därigenom snart förlorade sitt övertag.

Några av de stora frågorna som gav upphov till de livligaste debatterna var representationen, fattigvården och folkundervisningen. Som Johannes såg det präglades debatten av en och samma syn: de höga herrarna tog för givet att landets fattiga inte kunde behandlas som människor. De skulle hållas i sina fållor som djur, de skulle inte få bestämma över sig själva och sitt öde. De kunde dö av svält och umbäranden utan att det riktigt angick dem som ansåg sig höra till ett bättre folk. Om dessa bättre sedan kallade sig konservativa eller liberala tycktes inte betyda så mycket när det gällde deras inställning till de fattiga.

Representationsfrågan, hur riksdagen skulle vara sammansatt och väljas, hade diskuterats mycket under de senaste tio åren. De konservativa ville behålla de fyra stånden, de radikala ersätta stånden med en tvåkammarriksdag utsedd genom allmänna val. Hur det än skulle bli var båda sidor ganska eniga om att de som var beroende och kunde anses sakna insikt skulle hållas utanför. Endast de som ägde tillräcklig inkomst eller förmögenhet och var befriade från ”tryckande bekymmer” borde ha rösträtt.

Någon radikal varnade visserligen, det kunde vara oklokt att utestänga de fattiga, man kunde ändå genom lämpliga valkretsindelningar förminska deras inflytande. Biskop Agardh önskade bevara stånden men skapa ett nytt femte stånd – proletärernas. Om folkets flertal kunde inpassas i ett av fem stånd kunde de fattigas mängd aldrig bli av avgörande betydelse. Konstruktionen fanns redan, bondeståndet ensamt representerade fler människor än de tre övriga stånden tillsammans.

Frågan kunde inte lösas denna gång även om ett av liberalerna framlagt förslag om övergång till samfällda val till två kamrar segrade inom konstitutionsutskottet. Förslaget förklarades vilande och frågan skulle tas upp vid kommande riksdagar.

I fattigvårdsfrågan hade man att ta ställning till det omfattande betänkande som framlagts 1839. Alla var ense om att den ökande nöden utgjorde ett stort samhällsont. Vad som orsakade den och hur den kunde avhjälpas var man däremot djupt oense om.

För liberalerna var näringstvånget skuld till allt ont. Om bara industri och jordbruk fick expandera fritt skulle allt lösa sig och mängder av nya arbetstillfällen uppstå.

Enligt de konservativa hade rationaliseringen av jordbruket och industrins utveckling på hantverkets bekostnad gett upphov till arbetslösheten och nöden. Och de som lett denna olyckliga utveckling borde stå för fattigvårdskostnaderna.

Bland både liberaler och konservativa fanns de som varnade för att ge hungrande och arbetslösa hjälp. Präster förklarade att filantropin var skadlig, moralen skulle undergrävas om folk fick hjälp utan att motsvarande arbetsprestation krävdes. En liberal bruksägare menade att uttag av skatter för att ge fattiga hjälp bara skulle "dela förmögenheten och minska barmhärtigheten". Utomlands hade man ju funnit att utbetalande av understöd inte lett till någon minskning av proletärernas antal.

När det gällde undervisningen och den obligatoriska folkskolan menade bönderna att de tidigare fått betala för herreklassens undervisning, nu borde denna vara med och sörja för allmogens. Men, hävdade en del, undervisningen borde avvägas olika för bönders och statstorpares barn, de sistnämnda behövde bara de mest elementära kunskaperna eftersom de ändå aldrig skulle få tillfälle att delta i det offentliga livet.

Några talare varnade för halvbildningens vådor, andra menade att de fattigas barn behövde hållas i arbete så mycket som möjligt varför undervisningen borde inskränkas till få år och få dagar i veckan. Man enades om att fasta skolor borde inrättas där man så kunde och att barn som på grund av fattigdom var förhindrade att genomgå hela folkskolan skulle få sluta tidigare. Jämkningen av ståndens synpunkter skulle bilda grund för en kommande skolstadga.

Riksdagen 1840–1841 blev den längsta och oroligaste under Karl Johans regeringstid, den varade i sjutton månader. Under denna riksdag hade medelklassen fått sitt genombrott som politisk maktfaktor.

Och proletariatet hade förts in i debatten, diskussionen om dess ekonomiska och politiska rättigheter hade trots allt påbörjats. Även om de människor det gällde fortfarande stod långt utanför och betraktades som okunniga barn, ja som själlösa djur.

Medan riksdagsförhandlingarna pågick försökte Johannes Ekberg hålla sig så mycket som möjligt i butiken. Men ibland måste han ändå lämna sin lyssnarpost, då fick hustrun Kerstin eller deras anställda Barbro avlösa honom.

Det var i familjen Brobergs tobaksbod som Johannes gjort sina första lärospån i yrket, och sedan han blivit sin egen hade han i mer än trettio år fört Brobergs varor även om han också hade andra fabrikörers märken.

Brobergs försäljare brukade komma en gång i månaden och ta upp sina order, någon gång om året uppsökte Johannes själv fabriken längst ute vid Danviks tull för att diskutera priser och inköp och se om de hade något nytt att erbjuda.

När han kom en septemberdag fick han höra att företaget skulle upphöra. Henrik Broberg hade varit sjuklig flera år och ville nu avveckla. Broberg var ogift liksom den yngre systern Lina och de funderade på att slå sig ner någonstans utanför staden.

Broberg berättade att hans fosterbror David Drake, som varit delägare i företaget, avlidit under sommaren, sjuttiotvå år gammal. Drake hade väl aldrig varit särskilt intresserad av odlingarna och fabriken men brukat komma en gång om året för att titta på räkenskaperna. Änkan och barnen hade inget emot att man sålde.

Ekonomiskt betydde beskedet knappast någonting för Johannes, han fick köpa från andra fabriker. Men det var en tradition som bröts, något som fick honom att tänka på åldrande och tidens gång, ingenting var evigt fast man ibland kunde inbilla sig att det var det. Han måste in i den gamla boden och titta en sista gång, där hade han snurrat ihop sin första strut snus när han var en fjortonårig pojkvasker. Det var tre år innan Henrik och hans syskon kommit till Brobergs. Och David Drake hade varit en ung och upprorisk läkare som ibland kommit ut till Johannes i boden och suttit där i ett hörn och sugit på sin pipa medan han talat om den stora revolutionen. Nu skulle de göra sig av med allt, marken där tobaksplantor och annan växtlighet frodats skulle säljas och kanske bebyggas, tobaksfabriken rivas. Fabrikslokalerna var gamla och dåliga. Men det var synd om de anställda, det var inte lätt att få nytt arbete nu för tiden. Broberg hade ändå lyckats ordna arbete åt några av dem.

Besöket blev kortare än beräknat, det fanns inga framtida affärer att tala om. Men Johannes beställde en del av stapelvarorna som nu såldes ut billigt, snus och tobakskarduser.

När Johannes kom ner till Stora Nygatan igen fann han att det nog var matdags. Eftersom de inte väntade honom i boden ännu på en stund tyckte han att han för en gångs skull kunde kosta på sig att äta ute, sitta ensam i lugn och ro och tänka tillbaka på den tid som nu var över.

Johannes åt egentligen inte gärna på krog, han hade svårt att skära med sin enda hand och ville inte besvära med att be om hjälp. Han fick välja något som han kunde klara och det blev gröt. Till gröten drack han öl.

Det var ganska tomt på det lilla stället vid Storkyrkobrinken, de flesta middagsätarna hade hunnit försvinna och bara några få gäster fanns kvar. Men efter en stund kom en försenad matgäst, det var Axel Sandman.

Han hälsade och frågade om han fick slå sig ner, han hade varit tvungen att ta sista stygnen på ett par byxor som måste bli klara och därför blivit senare än han brukade vara. Sedan undrade han om Ekberg hört något nytt från riksdagen.

Jo, Johannes hade fått låna en bilaga till doktor Geijers Litteraturbladet. Där fanns återgivet det yttrande om rösträtt som doktorn avlämnat till konstitutionsutskottet.

Johannes drog upp det tryckta bladet ur sin rockficka, han tänkte låta skriva av de intressantaste styckena. Och han pekade på några rader som han fann särskilt viktiga.

Sandman fick upp glasögonen, höjde bladet så att ljuset från fönstret föll över texten, läste:

”En slavklass begynner i själva verket åter avsättas, mitt i civilisationens sköte – en klass av proletärer, obesuttna, försvarslösa, vilka, tillväxande i förfärlig progression, så mycket bittrare känna sig utkastade ur samhället, som distanserna inom detsamma i allmänhet blivit jämnade, och det avstånd i fråga om rättigheter, vilket fordom skilde några få bättre lottade från mängden, allt mera förminskats. Har detta onda hunnit sin höjd, återstår blott att möta våld mot våld.”

Om bara våldet återstår finns inte mycket hopp, sa Sandman. Stenkastare förmår inte mycket mot militärernas gevär, det har vi sett.

Det höll Johannes Ekberg med om. Senast i fjol hade ett revoltförsök snabbt krossats i Paris. Men den fredliga vägen var oerhört lång och svår och många skulle förlora både hopp och tålamod innan några förbättringar uppnåddes.

En del människor hade lyckats samla sig kring sina intressen, organisera sig. Nykterhetens vänner hade gjort så, även religiösa grupper trots kyrkans motstånd.

Hantverksgesällerna hade ju sina skråorganisationer, men alla försök att där ta upp frågor om arbetsförhållanden och löner var förbjudna. Sådant kallades ”sammangaddning” och bestraffades.

Sandman hade hört att man bildat hemliga sammanslutningar utomlands. Sedan upproret i Paris slagits ner var det främst i London. Där fanns en organisation som kallades De förföljdas förbund, några vandrande svenska gesäller hade haft förbindelse med den. Men vad detta förbund egentligen ville och hur stort det var, det visste han inte.

Nog kunde det finnas anledning att bilda ett De förföljdas förbund också i Stockholm, menade Sandman. Inte minst för de svältande och arbetslösa som hungern drev från landsbygden och som sökte sig till staden i förhoppning om att finna något arbete där och på så sätt kunna rädda sig själva och sina barn.

De kom från backstugor och jordkojor och var vana att frysa och svälta, de var klädda i smutsiga trasor, hade levt på bröd bakat av sådor och halm, mossa och bark.

Under sommaren och hösten hade många av dem sovit utomhus, under trätrappor, i buskage och prång. Ibland togs de av polisen, dömdes som lösdrivare till några dagars fängelse "vid vatten och bröd" – då hade de åtminstone logi och någon kost. Men inte ens myndigheterna kunde finna att det var helt lyckligt att placera bostadslösa tillsammans med förbrytare. Överståthållaren hade till och med sagt att Lagstiftaren när han velat straffa fattigdomen nära nog framkallat brottet.

En sista möjlighet var fattigbaracken. Två sådana hade inrättats, en i det tidigare Sandbergska bryggeriet vid Jakobsbergsgatan på Norr, en annan i den gamla klädesfabriken vid Nytorget på Söder, "Malongen".

Fattigbaracken var inte avsedd som ersättning för en bostad, den var ett natthärbärge och ingenting mer. Under dagarna stod den låst och tom.

När föreståndaren, en före detta underofficer, klockan sju på kvällen öppnade porten till Malongen väntade redan en lång kö utanför i kylan och snön. Särskilt stamkunderna ville försäkra sig om platser de utvalt – skyddade hörn, ställen där det inte drog, utrymmena närmast den värmande spismuren.

En efter en passerade de föreståndaren som satt vid ett bord och noterade deras namn och födelseår och frågade efter församling och arbetsbetyg. Någon kontroll förekom inte och även de som saknade betyg släpptes in. Det fanns två rum för män och ett för kvinnor.

I varje rum stod höga och breda träställningar i vilka sovbritsar var inbyggda som hyllorna i ett skåp. Några sängkläder fanns inte, inte ens halm. Huvudgärden bestod av en planka som räckte från britsens ena ände till den andra och var och en av de tre britsarna i varje ställning gav utrymme för minst ett tiotal sovande. På britsarnas trä låg de hemlösa i sina trasiga och ofta våta kläder.

De låg hårdare och sämre än boskapen. Men boskapen representerade ett värde för sina ägare och måste skyddas och vårdas, medan dessa människor var värdelösa och bara till besvär för hyggligt folk. De fick vara tacksamma för den barmhärtighet som visades dem när de tilläts ligga i baracken. De fick ett kvarter svagdricka och ett litet bröd var innan de kördes ut i kylan nästa morgon.

Julius Klings far hade varit knekt och torpare. Men eftersom Julius inte följt fadern i spåren som knekt hade han förlorat torpstugan och blivit arbetare på stat på det adelsägda godset i Östergötland. Han hade gift sig med pigan Lena när hon väntade barn, till och med fått en liten slant för besväret. Barnet var inte hans, dess fars namn fick inte nämnas. Men alla visste vem det var, greven-godsägaren betäckte alla unga och någorlunda vackra flickor på godset lika träget som tjuren Herkules betäckte kvigorna. De vackraste av grevens illegala döttrar kunde få arbeta som huspigor på herrgården och gjordes också med barn så att greven ibland var både far och morfar till samma barnunge. Det hände också att halvsyskon gifte sig eftersom det ofta var oklart med släktförhållandena och greven aldrig nämndes som far till andra än de legala barnen. Var det någon som klagade väntade avsked och vräkning av hela familjen. Och prästen, som kände förhållandena väl, höll straffpredikningar om de unga flickornas leverne och hotade med åtal för förtal och falska anklagelser om någon ville yppa den kända sanningen.

Lenas barn, en pojke, hade varit klen och sjuklig och dött efter några månader. Men Lena själv var stark och frisk och såg nog ovanligt bra ut också. Så grevens intresse väcktes på nytt och Lena erbjöds arbete i herrgårdsköket. När hon väntade barn nästa gång var Julius fräck nog att fråga om han inte kunde få en slant den här gången också. Men då hade både Julius och Lena blivit vräkta.

Då hade Julius Kling beslutat att överge stattorparnas slavliv för att vandra till huvudstaden och söka arbete där.

Men det fanns många som kommit före dem i samma ärende och arbetstillfällena var få. Påhugg hade han fått ibland och tidvis hade han och Lena och den halvåriga dottern bott inneboende. Men hösten hade varit svår, några nätter hade de legat i ett vedskjul innan kylan tvingat dem till fattigbaracken.

Lena och barnet fick gå in i kvinnornas rum. Lena hade en

extra tröja som hon lindade in den lilla grevinnan i. Hon kallade barnet så ibland när Julius inte hörde henne.

Julius hade gått in i det mindre av männens två rum och lyckats finna en plats vid kortsidan av en av britsarna, det betydde att han skulle få nattkamrat bara på ena sidan. Han vände ansiktet mot väggen och ryggen mot omvärlden och försökte låta bli att tänka på morgondagen.

Allt fler kom och trängde sig in på britsarna, alla utrymmen fylldes. Det var minst några hundra människor i de tre rummen. Luften blev till en vidrigt stinkande ånga som blandades med lukten av enrisrök, under dagen hade man försökt röka ut dunsterna.

Några oljelampor lyste svagt. En del av nattgästerna satt på sina sovplatser och åt av hoptiggda matrester som de fört med sig, andra drack, en del försökte lägga trasor om sår och bulnader. Några skyldes knappast av sina trasiga kläder, saknade strumpor och skor.

Asylen för de husvilla var inte bara eller kanske inte ens främst ett barmhärtighetsverk till de utsattas och eländas fromma. Myndigheterna hade påpekat att kostnaderna för härbärgena gagnade stadens bättre ställda medborgare som på detta sätt kunde fredas från de vådor som hotade från en växande folkhop utan hem, utan bröd, utan seder och snart sagt utan religion samt utan känsla för annat än de djuriska behoven.

”eländets och lastens frimureri”

”Men om kvällen fylles den öde boningen. Där blir då både liv och mod, men det är brännvinets mod. Rummet kan med möda rymma dem alla, som här hava sitt inträde, eller sitt 'tillhåll' såsom det heter. Det behövs också icke om sommaren, emedan de då sova på gatan, med jorden till huvudgärd och natten till sängtäcke, och om vintern i nyligen till detta ändamål uppförda sovbaracker.

Denna befolkning utgör kärnhuset för polisbetjäningens rapporter, och här uppväxer och utbildas den förhoppningsfulla generation, som under namn av 'hamnbusar' driver sitt spel på torgen och vid hamnarna, med sitt öga på varje lass och händerna i varje obevakad ficka. Det är eländets och lastens frimureri, som sammanhåller dem. De igenkänna varann om de än aldrig sett varandra förr; allt vad de äga hava de gemensamt, uselhet och last, och polisen när de söker en tjuv, kan låta dem draga strå, utan fruktan för misstag.”

J.F.Bahr i Stockholm.
Handbok för resande, 1841.

De flesta av utkantens gator var egentligen bara dåliga vägar eller gräsbevuxna stigar, utan stenläggning eller annan utfyllnad. De följde terrängen, klättrade upp- och nerför backar och bergknallar, slutade ibland vid ett stup där en brant trappa ledde till låglandet nedanför.

Dessa gator inhägnades av fallfärdiga plank och småkåkar av trä. Några av husen kunde se ganska välskötta ut, i de små fönstren som tätats med mossa stod krukväxter mellan prydliga gardiner. Andra hus var i sämre skick, papper och trasor stack ut ur sönderslagna rutor, murkna fönsterluckor hängde snett från enstaka bevarade gångjärn, orenlighet tornade upp sig innanför planken och rann ibland ut och bildade pölar i svackorna.

Intill Lilla Bondegatan, ganska nära det kala berget ovanför varvet och Tegelviken, låg Lusasken. Här hade förfallet gått så långt att plankporten mot gatan inte ens gick att stänga, den stod på glänt både dag och natt och liksom inbjöd till besök. Och det var många som kom, sökte sig en stunds skydd mot vind och köld.

Husägaren var en äldre man som försörjde sig på att ha inneboende och på att sälja brännvin glasvis mot kontant betalning. Under dagarna, då många av de inneboende var ute för att tigga eller söka arbete, lät han några av fattigbarackens nattgäster få vistas där billigt. En av kvinnorna som övernattade i baracken lämnade sitt barn i Lusasken när hon skurade trappor och golv och hade andra tillfälliga dagsverken.

Lena och Julius Kling gick dit och fick löfte att ha barnet där under dagarna. Flickan fick ligga i en vrå där det redan låg några spädbarn. I köket fanns också ett par åldringar som nattetid bodde på härbärget och så några av Lusaskens inneboende som inte hade arbete så här års. En av dem var en krympling som under den varma årstiden brukade försöka ta sig ut för att ligga i något gathörn och be om allmosor, vintertid måste han stanna inne. Men hans gamla mor höll sig ute i kylan för att tigga ihop pengar till logi och mat åt sig och sonen.

Lena svepte koftan om barnet. Sixten, som krymplingen hette, lovade att slå larm om någon försökte stjäla koftan, hindra förmådde han däremot inte. Han var iklädd ett gammalt trasigt skinnförkläde och låg alltid på mage på golvet – och på gatan. Bara om han låg så kunde han med kryckornas hjälp själv ta sig upp.

Någon övervakning av barnen kunde det annars inte bli fråga om. De fick ligga och skrika tills deras mödrar återvände. Lena tog sig dit åtminstone någon gång under dagen för att ge barnet bröstet.

Det var ganska kallt i huset eftersom kylan drog in genom de trasiga fönstren. Lyckligtvis var värden hemma på dagarna och för att själv slippa frysa tände han ibland eld i den öppna spisen. Några småpojkar som tillhörde de inneboende stal skålvirke vid byggen och rivningsplatser eller hämtade risknippen vid Hammarby sjö och fick en sup för besväret. När spädbarnen skrek alltför störande kunde husägaren ge dem en klut doppad i brännvin, då domnade de av.

Även om livet i Lusasken var eländigt skulle Julius och Lena gärna ha flyttat dit om de bara haft råd och det funnits plats. Nu måste de försöka hålla sig kvar i fattigbaracken under nätterna. När våren och värmen kom och allt blev litet lättare kunde de kanske finna någon annan utväg.

Under vintern var arbetstillfällena alltid få. Det mesta utomhusarbetet, vid byggen och varv, upphörde, sedan isen lagt sig låg hamnarna tomma och öde. Några påhugg fanns väl ändå att söka men det var många om dem och Julius och Lena saknade rekommendationer och betyg eftersom de fördrivits från sin tidigare arbetsplats. Utan betyg var de också fredlösa och kunde när som helst gripas av polisen, betyget gällde som ett pass.

Så fann Lena en möjlighet – hon hade något att sälja. Köparen bodde i huset bredvid Lusasken, en kvinna som var uppasserska på ett kaffehus.

Värdshusjungfrur och kaffehusuppasserskor hade inget gott rykte. De hade ingen arbetslön men skulle hålla sig välklädda och rena och se bra ut. Deras förtjänst bestod av drickspengar och vad de kunde få som tack för vänligt bemötande och tillmötesgående. Särskilt kaffehusens flickor ansågs ha en allt annat än dygdig vandel.

Mamsell Åberg som bodde tillsammans med sin mor hade fött ett barn. Under grossessen hade hon inte kunnat arbeta men nu ville hon tillbaka till kaffehuset så fort som möjligt och då behövde hon en amma för barnet.

Mamsellen hade sett Lena gå förbi med sitt barn och förstått att hon var utan arbete. Hon frågade om de var friska, det var de. Då erbjöd mamsell Åberg en slant och frukost varje dag om Lena åtog sig att amma hennes nyfödde pojke, Lenas barn kunde få ligga i köket under dagarna, mamsellens mor skulle vakta barnen. Det var ett gott anbud.

Nu gick Lena varje dag till Åbergs lilla trivsamma hem, ammade barnen, åt frukost, drack kaffe och pratade med madam Åberg. Lena gav sig god tid, var glad att slippa gå ute i kylan. Hon tittade också ofta in i Lusasken, ville bevara förbindelsen. Det kunde ju tänkas att de skulle få råd att bli inhysingar där, och även om huset naturligtvis inte bjöd någon bra bostad så var det i alla fall bättre än baracken.

Efter hand blev hon riktigt god vän med Lusaskens ägare, förre gardisten Bergbom. Han lovade att Lena och hennes man skulle få komma dit så snart det gick, mot våren lättade det alltid när många flyttade ut i buskarna.

Det gick faktiskt fortare än så, polisen tog en inneboende tjuvfamilj – man och kvinna och en tioårig pojke. Vid den tiden hade Julius också fått ett mera långvarigt påhugg, hos en gammal skrothandlare som skulle sortera och flytta sitt väldiga lager. Så familjen Kling flyttade in i Lusasken och låg i ett hörn ganska nära spisen. Julius hade fått några gamla säckar och ett trasigt täcke av skrothandlaren så nu behövde de inte ligga på bara golvet längre. Och när det började växa gräs skulle Lena stoppa säckarna fulla, då fick de kuddar också. I Lusasken kunde de ha sådant, i baracken hade ingenting fått lämnas kvar under dagarna.

Huset som inte utan skäl bar sitt namn bestod av ett stort kök, en liten kammare och en ännu mindre förstuga. I köket sov ett tjugotal inneboende och där fanns också ett bord och några bänkar i hörnet närmast dörren. I kammaren bodde Bergbom, dit ledde en dörr från förstugan och en från köket. Men in i kammarn var ingen välkommen och dörrarna dit hölls låsta.

Bordet och bänkarna i köket var inte avsedda för de inneboende. Jo, ville de köpa en sup kunde de sitta där och dricka ur den, liksom folk som kom utifrån. Några karaffer och ett tiotal glas förvarades i ett väggskåp ovanför bordet, nattetid tog Bergbom karafferna med in på kammarn.

Det var ingen registrerad och godkänd krog som värden drev, ingen skylt upplyste om dess existens. Den var bara ett tillhåll för de invigda, en begränsad krets.

De inneboende var vinddrivna människor som inte förmått söka mer ordnade förhållanden. Några sängar fanns inte utan de låg på trägolvet på de trasor de själva kunnat skaffa sig. Även om de inte betalade mycket i hyra så medförde deras antal att värden fick större inkomst av dem än om han hyrt ut ett välinrett rum till en ensam person.

Hans inneboende var tacksamma och nöjda, jämfört med härbärget i Malongen var Bergboms kök en god bostad. De flesta av dem stannade en längre tid, lärde känna varann och bildade en gemenskap. Värden tillät inte bråk och slagsmål och den som försökte stjäla av sina medboende åkte skoningslöst ut i kylan.

Vad ni gör utanför huset angår mej inte, sa han. Men här håller ni er i skinnet. Och bär ni er åt så att ni drar hit polisen kommer ni aldrig in här mer.

Även om den förre gardisten fyllt sextio var han fortfarande en obruten och stark karl som kunde se till att han blev åtlydd. Om det hände att någon försökte sätta sig upp mot honom så fick Bergbom också sina inneboendes hjälp och stöd. De ville bevara den ordning som trots allt rådde i denna de utsattas och utslagnas fredade vrå.

Det dröjde inte många dagar förrän Lena kände de inneboende. Hon var inte rädd för att utlämna sig själv och sitt, berätta om sina erfarenheter och upplevelser. I gengäld fick hon ofta andras skildringar och förtroenden.

Julius hade ett annat sätt, han beblandade sig inte gärna med olyckskamraterna. Ibland varnade han Lena för att bli alltför god vän med "tjyvpacket", hon borde hålla sig på sin kant, som han gjorde. Själv dröjde han ute så länge som möjligt, kom helst inte in förrän det var dags att sova. Envist sökte han även den obetydligaste förtjänst och försökte utföra varje arbete till så stor belåtenhet att han kunde ges nya uppdrag. Skrothandlarens lager hade aldrig varit så välordnat som nu, och åtminstone några dagar i månaden fick Julius återkomma dit för att bevara ordningen och sortera in nyinköp.

Lena tog det lättare, gick litet lojt mellan Åbergskans och Bergboms kök, satt och pratade med madam Åberg och stod sedan vid Bergboms bord och skämtade med gubben och hans gäster. Efter hand fick hon till och med förtroendet att slå sprit i glasen och inkassera pengarna, då hände det allt oftare att hon fick en dricksslant att stoppa i egen ficka.

En förutsättning för sådana inkomster var förstås att hon inte var fjär och otillgänglig utan tog emot en och annan klapp. Inom anständighetens gränser, tyckte hon själv. Då fick man kanske inte dra de gränserna alltför snävt men hur som helst hade hon ju varit med om värre. Dessutom var Bergbom hennes vän och beskyddare och skulle inte tillåta några grövre övergrepp i sitt kök.

Männen som kom och gick, som tog några supar och sedan försvann, hade ofta något paket med sig och inledde då besöket med att gå in i den stängda kammaren. När de kom ut därifrån hade de inget att bära på längre men däremot pengar att dricka för. Lena förstod vad det betydde, Bergbom var inte bara hyresvärd och krögare utan också hälare. Eller kanske snarare en hälares underhuggare. För då och då kom en litet finare herre åkande i vagn, han var aldrig inne i köket utan steg direkt från förstugan in i kammaren och sedan ut samma väg. Och när han gick bar hans kusk ut ett par resväskor som föreföll ganska tunga.

Men sådant skulle man väl helst inte se och absolut inte tala om.

Visst fanns det "tjyvpack", som Julius sa, i Lusasken, både bland de mera tillfälliga besökarna och bland de inneboende. Det fanns tiggare också och en del av dem stal naturligtvis också om tillfälle gavs. Tiggarungarna höll till vid saluplatser som torg och fiskar- och slaktarhusen, under den varma årstiden också i hamnarna. Alltid fanns det något att hitta, skämd mat och frukt som kastats, trasiga lådor och korgar som ingen bevakade. Några av flickorna försökte sälja enkla halsband, godsaker eller virkningar som deras mödrar tillverkat. Ibland fick de en slant för krafset de sålde, ibland gällde betalningen andra tjänster. Många av småflickorna blev tidigt fräcka och utmanande, nästan uppmanade männen att sticka in händerna under deras koftor och kjolar.

När Lena såg tiggarflickornas beteende kände hon oro för "lilla grevinnans" öde, sådant måste flickan skyddas ifrån. Det var viktigt att Julius arbetade som han gjorde, så småningom fick han kanske fast anställning och tillräckligt betalt för att de skulle kunna flytta till något eget. Ändå trivdes Lena i Lusasken, något hände alltid, hon var omtyckt och hade många vänner här. Och så länge flickan var så liten begrep hon ingenting, tog ingen skada.

Det fanns hyggligt och hederligt folk här också. Som krymplingen Sixten och hans gamla mor. Yrkestiggare men inga tjuvar, människor som inte kunde få arbete men ändå måste ha rätt att leva. Det fanns också de som hade säsongarbete eller mera tillfälligt blivit arbetslösa. Ett par hamnarbetare, en sjöman, några kvinnor som hade utearbeten i tobaksplantager och trädgårdar, en positivspelare med en dotter som dansade till musiken och gick runt med tallriken för att få pengar från åskådarna. Någon lördagskväll hände det att de uppträdde i Lusasken och då bjöd Bergbom dem på en sup och inhysingarna skramlade ihop några småslantar på tallriken.

Men om Julius var inne gav han aldrig något och han blev misslynt om Lena gjorde det.

Tjuvar och hälare, tiggare, arbetsovilliga och arbetssökande – över dem alla hängde lagens och de framgångsrikas hot.

Under 1830-talets senare hälft hade brottsligheten ökat oroväckande snabbt i landet, i Stockholm mer än fördubblats. Problemet togs upp i den ännu pågående riksdagen och möjliga åtgärder diskuterades. Andre stadsläkaren, assessor af Grubbens, föreslog att en korrektionsinrättning skulle anläggas på den ganska rymningssäkra Gotska Sandön, han biträddes av hovmarskalken Taube som gjort ett kostnadsförslag för inrättningen, den skulle kosta närmare en miljon riksdaler. Men då skulle också anstalten vara av typen cellfängelse, där fångarna hölls i enskilt förvar. Man började alltmer anse att de stora gemensamma fängelserummen inte befrämjade missdådarnas utveckling till bättre människor. Förslaget avslogs dock, i stället förordades ett cellfängelse intill Rådhuset vid Myntgatan.

Samtidigt som brottsligheten växte måste man konstatera att de försvarslösas antal var betydligt större än de kriminellas. Och arbets- och korrektionsinrättningarna för arbetslösa och arbetsovilliga var minst lika ineffektiva som de egentliga fängelserna. Fångvårdsstyrelsen hade redan för några år sedan beklagat att barn och åldringar sattes på Långholmen som försvarslösa. Den äldste som satt som arbetsovillig på Långholmen var inte mindre än hundra år gammal, det fanns intagna åldringar som var blinda. Fångvårdsstyrelsen ansåg att sådana fall mer hörde hemma på barmhärtighetsanstalter än i fängelser. Närmare tusentalet ostraffade människor hade suttit på korrektionsanstalt i mer än tio år, över tvåhundra av dem sedan tjugo år tillbaka eller ännu längre.

Nu räckte snart inte utrymmena till för fler. Fångvårdsstyrelsen återupptog därför ett tidigare förslag: manliga lösdrivare borde i stället insättas i kronoarbetskompanier där den militära tukten skulle lära dem ordning och flit på ett bättre sätt än arbetsinrättningarna förmådde.

Men de som var föremål för veklagan och planerade åtgärder visste ingenting om vad som försiggick. De var fullt upptagna av vardagens bekymmer och kampen för att överleva.

Våren kom sakta och som motvilligt – men den var ändå på väg. Snön smalt och smältvattnet rann nerför bergsbranterna där stigarna ibland liknade bäckar. När solen sken klev de gamla ut ur husen, stod bländade i ljuset och kände livets och värmens återkomst. Sixten tog sig ut på gatan igen och fram till hörnet av Tjärhovs tvärgränd där han låg på mage i sörjan.

Ännu var det för tidigt att stänga fattigbaracken, nätterna var allför kalla. Inte heller de inneboende ville lämna sina vinteriden. Men byggen och andra utearbetsplatser levde upp igen och allteftersom dagarna blev längre ökade också arbetstiden, ljuset måste tillvaratas.

I slutet av april miste Lena sin dagliga lilla förtjänst, mamsell Åberg ansåg att det var tid att avvänja barnet. Då fick också "lilla grevinnan" bli utan modersmjölk, hon var nästan årsgammal och det var hög tid att sluta amma henne. Som tur var hade Lena kvar möjligheten att få drickspengar av Bergboms supgäster.

Hon tyckte att hon måste muntra upp dem, locka fram litet större slantar ur deras fickor. Som avskedspresent hade hon fått några av mamsell Åbergs avlagda blusar. De hade visserligen en del fläckar som inte gick att få bort men var ändå betydligt bättre än den enda som Lena själv hade. Egentligen var de för små, Lena var kraftigare än den tidigare ägarinnan. Även om hon lämnade de översta knapparna oknäppta så stramade blusarna som sprickfärdiga korvskinn. Ur försörjningssynpunkt var det snarast en fördel, drickspengarna ökade på anständighetens bekostnad.

Julius hade fått ett arbete som nog skulle vara över sommaren och framåt hösten. Arbetsplatsen låg lyckligt nära, nere vid Danviks tull. Där hade en färgare Hoving för sjuttio år sedan byggt en två våningar hög malmgård och bott och drivit sin verksamhet i den. Skjul och baracker hade sedan vuxit upp omkring gården och anläggningarna övertagits av andra färgare. Den siste av dem hade dött för något år sedan och nu hade Aftonbladets ägare, Lars Johan Hierta, köpt tomterna av färgaränkan.

Hierta hade tillsammans med en tjugofemårig kemist och apotekare Michaelson några år tidigare anlagt en liten experimentfabrik vid Liljeholmen, för tillverkning av stearinljus. Sådana hade inte förut tillverkats fabriksmässigt i Sverige, man hade fått nöja sig med de fula och besvärliga talgljusen vilkas vekar ständigt måste snoppas med ljussaxen. Även vaxljus fanns men de var dyra och inte ens förmöget folk använde dem annat än vid fester och som skrivbords- och sigilleringsljus.

Nu hade försöken med stearin nått så långt att en fabrikation i större skala kunde igångsättas och tillverkningen flyttas från den trånga experimentfabriken vid Liljeholmen utanför västra Södermalm till en ny anläggning vid Danviken längst bort i öster. Flyttningen skulle inte bli av förrän framåt hösten men innan dess skulle en del oanvändbara skjul rivas, nya byggas och malmgården och området omkring den ordningställas.

Julius var daglönare, en grovarbetare som stod långt under de yrkeskunniga timmermän och murare som utförde byggnadsarbetet. Han deltog i rivningarna, bar skräp och rivningsvirke till åkarnas vagnar, körde grus och jord i kärror och gick till handa. Nu gällde det att försöka hålla sig framme om det skulle bli fråga om några anställningar vid fabriken till hösten. Men en arbetskamrat hade hört att Hierta tänkt ta hjälp av säsonganställt dalfolk, det där kringvandrande dalfolket höll sig minsann alltid framme och berövade de infödda stadsborna deras arbetstillfällen. Då teg Julius, han var inte säker på att en invandrad östgöte kunde godtas framför en dalkarl.

Arbetsdagarna var långa och hårda, när Julius kom tillbaka till Lusasken på kvällarna var han ledbruten, trött och hungrig. Han hade gett Lena pengar och det var meningen att hon skulle skaffa mat. Köpt något hade hon väl gjort men när det gällde tillagningen blev inte alltid så mycket av, antingen hade hon inte fått plats vid spisen eller var det så varmt inne att de andra i huset inte velat att man skulle tända eld. Då åt han den kalla mat som fanns och drack ur sin egen flaska, han gynnade aldrig Bergboms spritservering. Sedan kröp han ihop i sitt hörn och somnade.

Lena satt oftast kvar vid bordet och karafferna, fyllde glas och tog emot betalning, skämtade med männen. Hon var inte trött och hade inte lust att sova ännu, hon sov hellre på mornarna när de flesta, liksom Julius, givit sig iväg. Då var det lugnare och tystare och då hände just ingenting.

Hon kände att hon och Julius höll på att driva ifrån varann. Ibland oroade det henne, hon hade tyckt om honom även om han ofta var vresig och tycktes leva bara för att arbeta. De var ändå gifta och hade hållit ihop i fem år. Att han inte brydde sig särskilt mycket om flickan kunde hon förstå, ungen var ju så lik greven, hade inte minsta drag av Julius.

Men hon kände sig kritiserad och förskjuten, han tänkte bara på sig själv och gnällde om maten och struntade i hur hon hade det. Då var det inte mer än rätt åt honom om hon lät andra, som var mer intresserade, uppvakta sig.

Det hände väl en hel del i staden denna sommar men alla nyheter nådde inte fram till den yttersta utkanten. Strax före midsommar hade i alla fall några från Lusasken deltagit i kravallerna kring greve Horns hus vid Klara södra kyrkogata då ett tiotal fönsterrutor krossats. Om anledningen till upploppet var att greven var känd för att piska sina kuskar och betjänter eller om skälet var att han brutit med de radikala liberalerna och motarbetat dem var folk tydligen oense om. Men att greven var besvärlig att ha att göra med, obehärskad, elak, bördsstolt och motståndare till varje slag av reformer – det enades man om.

Vad som hänt när assessor Crusenstolpe återkom från arresten i Vaxholm i juli och hyllades av sina vänner utanför bostaden vid Packartorget, det berättade man gärna om överallt. Välkomsthyllningarna hade störts av att den kände rojalisten Sven Adolf Norling, överdirektör för veterinärinrättningen och omtalad för sina grova skämt, tubbat två renhållningsmadammer att låta en väl fylld latrintrumma glida från stången och hamna mitt bland de uppvaktande.

Alla skrattade men ingen från Lusasken hade varit närvarande, folk som höll till där gick knappast ända bort till Norrmalm för att titta på en tidningsskrivare.

Däremot var ganska många nere vid den nya stearinfabriken och såg hur röken bolmade från den höga skorstenen. Då var man långt inne i augusti och hösten nära.

Det hade inte anställts fullt så många masar och kullor som man väntat sig, ännu så länge fanns det bara sju säsongarbetande från dalfolket och två fast anställda stockholmare. Fast det skulle nog snart bli fler, ljustillverkning i större skala krävde mycket folk.

Men nog var det litet underligt att man nu börjat tillverka ljus här borta i utkantsmörkret.

”adlade i döden”

”Vi sett det nyss, ett hav av eld sig tände,
och över staden lyste himlen röd,
en blick, en suck vart bröst till Herran sände,
men ingenstädes fruktans jämmer ljöd,
ty intet mäktar svenskens mod förfära,
att likar hjälpa är hans skönsta lära.
– – –
Medborgare er grav med lagrar sira,
själv landets Konung offrar däruppå,
de flesta av er voro barn av nöden,
men I ha'n blivit adlade i döden!”

Ur vers förmodligen skriven av kyrkoherde
Olof Winter, utdelad vid jordfästning
i Katarina kyrka 22.2.1842.

Det var en underlig vinter, tyckte stadsborna. Isen lade sig inte, marken var bar, gröna grässtrån kröp upp, vid jultid började syrenernas bladknoppar att slå ut i löv. På nyårsdagen prunkade nyutslagna penséer, så många att små buketter såldes på gatorna. Och dagen därpå dansade en våryr säl bland vattenvirvlarna i Norrström.

Nere i Stadsgården fanns inte mycket växtlighet och där märktes inte solvärmen, berget upp mot Katarina kyrka bildade en väldig barriär mot söder och solen. Men Strömmens vatten var öppet även om några skutor knappast vågat sig in så här års.

Stadsgården var egentligen ett hamnområde och redan på 1500-talet hade det bestämts att den skulle ”förbli alldeles fri och ouppbyggd”. Men byggnadsförbudet hade aldrig varit effektivt. Hamnen hade blivit en arbetsplats också för andra än sjöns och hamnens arbetare. Vid bryggorna trängdes sjöfolket med tvätterskor och roddarmadammer, längs bergskanten fanns stuvarkontor, försäljningsbodar, upplag och raden av krogar. Det fanns också bostäder, vidare en kasern för renhållningshjon och en reservoar för orenlighet. Vid Ballastplatsen nedanför Söderbergs trappor hade man till och med byggt stora femvåningshus för fabriksverksamhet. Mellan vattnet och fabriksbyggnaderna smalnade strandkanten till en trång gångstig. Längre österut blev det så trångt att stigen helt försvann och ersattes av en smal träbrygga som löpte utmed strandremsan bort mot området Sista styvern. Där låg en krog med samma namn och därifrån ledde en brant trätrappa uppför berget.

I de höga husen vid Ballastplatsen inrymdes sedan flera år tillbaka firman Bergman & Bohnstedts stora fabriksanläggning. Det var stadens första maskindrivna bomullsspinneri, spindlarna drevs av kraften från en av ångbåtskonstruktören Owens ångmaskiner. Spinnerimaskinerna var av belgiskt fabrikat, England som varit föregångslandet när det gällde sådana tillät ingen export.

För att täcka ångmaskinens behov av bränsle hade man omgärdat fabriken med väldiga vedhögar, omkring tusen famnar ved låg staplade intill husmurarna.

Bergman & Bohnstedts bomull hade snabbt blivit mycket populär, kanske därför att många köpare tytt namnstämpeln B & B som en förkortning av Bästa Bomull. Omkring trehundra personer arbetade vid företaget, de flesta minderåriga. Fabriksanläggningen ansågs vara den största och förnämsta i sitt slag inom hela riket.

Tidigare hade arbetarna inom manufakturerna ofta bott på arbetsplatsen. Men då hade arbetslokalerna varit uppdelade på många smårum och maskinerna varit få. I de väldiga arbetssalarna drevs mer än tiotusen spindlar av flera hundra maskiner – där ville man inte ha några boende. Många av arbetarna var dessutom barn från trakten och bodde hos föräldrarna. Men det fanns också hela familjer som arbetade på spinneriet och några av dem var inhysta i ett mindre hus som var anslutet till fabriksbyggnaden, det låg inkilat mellan ångpannehuset längst i öster och den egentliga fabriken. Väster om fabriken låg det stora magasinshuset där såväl den ännu obehandlade som den färdigspunna bomullen förvarades.

Lördagskvällar vintertid brukade det vara ganska lugnt och tyst nere i Stadsgården. De som bodde där var inte så många och de som arbetade där hade avslutat arbetsveckan och givit sig hem eller ut i staden. Några lyktor spred sitt svaga sken över en ganska övergiven hamn, flera av krogarna hade stängt, fabriken låg mörk.

Fabrikör August Bergman besökte Kungliga teatern. Där gavs en föreställning till förmån för skådespelerskan Maria Charlotta Erikson, en aktris som ansågs representera det milda behaget och den kvinnliga älskvärdheten. Ett stort antal av teaterns främsta krafter framträdde i en kavalkad där stycken hämtats ur olika omtyckta föreställningar, såväl skådespel som operor.

Medan operasångaren Julius Günther sjöng en aria ur Aubers opera Den stumma från Portici – "Hugsvalare för dem som lida" – kom en vaktmästare med ett meddelande till fabrikör Bergman som hastigt reste sig och lämnade teatern.

Ryktet att staden drabbats av en stor brand spred sig bland publiken och skapade oro. Men man lugnade sig när man fick höra att det var Stadsgården som härjades, då var det knappast någon mer besökare än Bergman som var utsatt.

Kronprins Oskar, som också var närvarande, gav sig dock hastigt därifrån, han skulle ta ledningen av släckningsarbetet.

Elden hade upptäckts vid niotiden, den hade uppstått i bostadshuset. Det berättades att en flicka gått in på ett klädeskontor där tvättade linnetyger hängt på tork. Flickan som lyst sig med ett bart ljus hade antagligen förorsakat branden.

Olyckligtvis var vinden ganska stark och östlig. Elden hade upptäckts av fabrikens portvakt som försökt varna de boende och också sänt bud om vad som hänt. Vinden förde elden västerut, mot fabrikshuset som var skilt från bostadshuset endast av en trädörr. Det dröjde inte länge förrän eldslågorna slog ut genom fabrikshusets söndersprängda fönster.

Väldiga lågor steg mot skyn, den blodfärgade himlen speglades i det mörka vattnet, tycktes flamma i fönstren på Skeppsholmens hus.

Kyrkklockornas klämtningar och synen av det väldiga bålet drog stora folkmassor mot hamnen, sprutorna och deras tillbringare fick svårt att komma fram.

Kronprinsen, över- och underståthållaren, de båda polismästarna och brandchefen anlände, försök gjordes att driva undan alla som inte gjorde någon nytta. Men många åskådare kastade sig in i husen för att försöka hjälpa boende ut eller för att rädda vad som räddas kunde.

Flickan som man förmodade orsakat branden bars ut och lades på bår, hon var tolv år och svårt bränd. Hennes två små bröder, tre och sex år gamla, var redan döda. En bokhållare försökte rädda företagets räkenskaper och viktiga papper men skadades allvarligt av en kullrasande mur och dog efter några timmar.

Intill Tegelviken hade arbetare från varv och brädgårdar samt hamnarbetare samlats. Varvsarbetarna bemannade den stora pråmsprutan, en grupp hamnarbetare tog sig genom porten vid varvet och förbi Sista styvern fram mot brandplatsen. Brädgårdsarbetarna fick stanna kvar, för att finnas på plats om branden skulle sprida sig ditåt.

Den stora sprutpråmen var tung och svårmanövrerad och det dröjde innan den kunde ta sig fram. När den väl kommit i rätt position visade det sig att slangarna var så dåliga att de gång på gång sprack och måste ersättas av andra och repareras.

Hamnarbetarna kunde bara dra med sig några mindre sprutor på den smala och ojämna väg de hade att ta sig fram på. Men med pumparnas hjälp kunde de sedan ta vatten direkt från Strömmen och börja begjuta det ännu inte antända ångpannehuset. Fast de hade ingen möjlighet att ta sig fram till husets mest utsatta sida, mot bostadshuset där elden börjat. Där stängdes de av de våldsamt vindfladdrande eldkvastarna.

Bomullsspinneriet låg ju vid vattnet, stigen som skilde spinneriet från vattenkanten var inte mer än sex alnar bred. Ändå var det svårt att få fram vatten till släckningen, stigen var oframkomlig, där sprutade lågorna ut ur de brinnande husen. Bakom husen, intill berget, var det lika trångt, där hade en smal gård delvis sprängts in i bergväggen. Risken var stor att de som försökte ta sig fram där skulle få fallande murar över sig.

De stora vedhögarna täcktes över med brandsegel som begöts med vatten men fattade ändå eld. Vinden pressade lågor och gnistor västerut, över eldsläckarna och mot lagermagasinet som ännu inte antänts.

Vid tolvtiden på natten hade elden nått också magasinshuset.

Två timmar senare störtade golvens bjälklag ner och den ena väggen föll. Många dödades, hur många visste man inte. Det var omöjligt att försöka rädda någon ur de brinnande ruinerna. Och nu började också ångpannehuset brinna, antänt av vedhögarna intill dess väggar.

Då fick hamnarbetarna gå till förnyad attack. Lagbasen Jöns Eriksson och några av hans män klev ned i en stor roddbåt som låg nära Sista styvern, lyckades få ombord en av sprutorna och rodde ut så att de kunde bespruta huset från Strömmen. Slanghållaren som också riktade strålen var trettioårige Alfred Jonsson. Skräcken, som han kallades, väste fram sina eder när båten gled för långt ut och strålen inte nådde fram, han arbetade som besatt och märkte knappast att gnistorna pyrde i hans kläder. Men när de hotade att slå ut i eld riktade han slangen så att han själv och kamraterna fick en räddande dusch.

Jöns Eriksson tänkte fortfarande på Skräcken som "pojken", en ung drasut som nog hade varit ganska intresserad av hans dotter. Och sämre karl kunde väl flickan få.

För några år sedan hade Jöns försökt hålla de unga ifrån varandra, tyckt att flickan varit alltför omogen för att ha pojksällskap. Nu ville han snarare sammanföra dem på nytt så att Johanna inte rände iväg och hittade någon sämre. Hon var ju nitton år nu. Skräcken var nog bara alltför lydig och försiktig, sedan Jöns talat med honom för fyra år sedan hade han snällt hållit sig undan.

Jöns fick inte tillfälle att tänka mer på egna angelägenheter, pumpverket hade hakat upp sig, Skräcken stod där förbittrad med slangen som hängde slak i hans hand. De fick ro tillbaka till stranden närmare Sista styvern och försöka få ordning på sprutan igen. Men det lyckades inte, arbetslaget fick stå och se på när lågorna omvärvde ångpannehuset.

Aska och gnistor regnade över hus och vatten. Så småningom avtog elden i intensitet men husrester och vedtravar pyrde och rök hela söndagen. Först vid halvfemtiden på måndagsmorgonen kunde "glädjetrummorna" tillkännage att faran var förbi.

Den våldsamma och förödande branden engagerade, väckte stark medkänsla med offren. Man tänkte också på de många fattiga barn som blivit utan arbete. För omkring trehundra människor, de flesta barn, fanns nu inte någon annan utväg än att kasta sig i den allmänna medlidsamhetens och välgörenhetens armar. Kung Karl Johan lät sammankalla statsrådet för att diskutera lämpliga åtgärder.

Ett lugnande besked kom från fabrikör Bergman, som meddelade att de drabbade bland spinneriets arbetare redan fått viss hjälp och skulle få stöd också i fortsättningen. Detta bekräftades av ett tiotal av de anställda, som samtidigt klagade över att ”vanartiga människor” utgav sig för att tillhöra de drabbade och tiggde pengar.

Så snart elden släckts började man röja i ruinerna och gräva i aska och bråte för att finna lämningar efter de omkomna.

Bland dem som burits ut ur de brinnande husen hade fyra avlidit, manufakturisten Sjöbergs tre barn samt bokhållaren Hök. Elva personer saknades och antogs ha blivit kvar i lågorna. Dessutom fick man räkna med att några okända och av ingen efterfrågade hemlösa logerat mellan vedhögarna och omkommit där.

Till de elva saknade hörde förutom vid fabriken anställda flera personer som givit sig ut för att delta i släckningsarbetet men som aldrig återvänt därifrån.

Grävningarna pågick i mer än en vecka. Hur intensiv branden varit framgick av de starkt förbrända resterna. Andre stadsläkaren af Grubbens och stadsfiskalen Fredholm gjorde förteckningar över lårpipor, ryggkotor och huvudskallar som hittades. Lämningarna efter de innebrända var inte mera omfattande än att alla rymdes i en och samma kista.

Kung Karl Johan hade i god tid meddelat att begravningen av dessa elva skulle ske på hans enskilda bekostnad. Han hade också sagt att de anhöriga ägde rätt att inbjuda vilka och så många de önskade till jordfästningsakten i Katarina kyrka. Trehundrafyrtio gäster samlades i Neptuniordens vackra lokaler ovanpå källaren Pelikan i Brunnsbacken intill Slussen och gick sedan därifrån i procession till Katarina kyrka, där kyrkoherden och hovpredikanten Olof Winter var officiant. Det var på dagen en månad efter det att branden utbrutit.

Skräcken hade fått inbjudningskort för två personer. Det var inte något tack för hans insatser vid bekämpandet av elden utan en följd av att han som inneboende bott i samma rum som en vid branden omkommen.

När Skräcken nyligen varit hembjuden till sin lagbas, Jöns Eriksson, hade han frågat Johanna om hon ville följa med. Skräcken hämtade henne, han hade fått låna en mörk kostym, och Johanna hade en stor svart sjal över den ljusa klänningen. De bjöds på portvin och kakor i Neptuniordens sal och vandrade sedan med i processionen till kyrkan.

Många oinbjudna anslöt sig till tåget som blev allt längre ju närmare kyrkan man kom. Säkert flera tusen människor väntade där, men nitiska väktare såg till att endast de som hade inbjudningskort släpptes in. Klockan blev fem innan det var dags att inleda akten.

"Herre min Gud", läste kyrkoherde Winter ur Davids sjuttiotredje psalm, "du leder mig efter ditt råd och upptager mig på ändalykten med ära".

Och han talade om den vådeld som ödelagt en kostbar inrättning där hundratals fattiga arbetare i flera år funnit bärgning och varit lyckliga. Om hur de drabbats av vådelden och hur människor från alla delar av staden skyndat till hjälp. Men lågorna fick överhand, under fasans jämmerrop hade många blivit deras rov. Lämningarna efter elva av dessa förvarades nu i den likkista man hade för ögonen. Men hur likgiltigt var det ändå inte om kroppen, det dödliga av människan, förgjordes, blott själen räddades och fick inkomma i det land som är de frommas bestämmelse.

Dit hade de som blivit lågornas rov kommit, sådant var hans och de närvarandes hopp. Många av dem hade skyndat till hjälp, drivna av en helig plikt. Även om deras ädla vilja kunde glömmas på jorden så var den ej glömd i himmelen. De sörjande kunde ta tröst av vissheten att Gud upptagit dem till sig med ära.

Kyrkoherden uppmanade till tacksamhet inte bara mot Gud utan också mot människor, för allt deltagande de anhöriga mött. Och mot ägarna av den vackra och nyttiga, nu i grus och aska förvandlade egendom där deras anhöriga funnit sin död. Och mot Landets Fader, den älskade konung, som visat dem alla sitt nådiga deltagande och sin konungsliga frikostighet.

Talet avslutades med "allas vår gemensamma bönesuck":

Vår Konung och vårt Fosterland
O Fädrens Gud beskydda!
Slut kärlekens och fridens band
Omkring Palats och hydda.
Amen.

Vädret var fortfarande lika underligt. Den första lärkan ansågs vara ett säkert förebud om vårens ankomst, den anlände till Stockholms utkanter redan den sjuttonde februari. Enligt sed sköts den för att skytten skulle kunna överlämna den till slottets kök och få sin belöning – och lärkan anrättas att ätas av de kungliga. Den artonde februari plockades utslagna sippor, i mars började fartygen komma och gå i hamnen.

När båtarna kom igång levde staden upp på nytt. Det blev livligt nere i Stadsgården, hamnarbetarna som suttit och suktat på härbärgen och som inneboende fick inkomster, kunde åter besöka krogarna. Även om lönen var låg och tillvaron fattig och hungrig orkade de skratta igen och skämta med varann.

Denna vår drev de gärna med Skräcken som förälskat sig i basens mulliga dotter. Skräcken var litet fumlig, sa man, och valde därför en flicka som han inte riskerade att tappa bort i sänghalmen. Och hungriga dagar kunde han bli mätt bara av att titta på henne.

Skräcken hade sällan svar att komma med. Men att han drog sig undan från de andras sällskap berodde inte på att han tog illa upp utan på att han ville ha några slantar kvar att spendera när han mötte Johanna.

Ganska ofta blev det så att han träffade henne tillsammans med hennes vänner, Malin och Olof. Dem hade han mött en gång för länge sedan, vid de där kravallerna på lövmarknaden sedan domen över Crusenstolpe fallit. Då hade de förefallit så unga, nu var det som om de blivit mera jämnåriga med honom även om det ju fortfarande var omkring tio år som skilde i ålder.

Trots allt tonade tragedien bort för dem som bara befunnit sig i händelsernas utkant. Livet gick vidare.

En av dessa ovanligt varma och soliga vårsöndagar träffades de fyra i hörnet av Pilgatan och Tjärhovs tvärgränd. Skräcken pekade på det Nilssonska huset som höll på att repareras, där hade han bott innan hans familj splittrats efter moderns död. Den tidigare ägaren, kapten Rosenqvist, hade sålt huset och flyttat ur landet. Nu blev det kanske bättre för dem som bodde kvar, det verkade åtminstone så eftersom huset snyggades upp.

De vandrade förbi varvet där Olofs far varit förrådsförvaltare, passerade brädgården där Skräckens far fortfarande arbetade kvar. Vid Danviks tullstuga med dess bom tilläts de passera utan krångel. Liljeholmens stearinfabrik på andra sidan vägen föreföll stängd och tyst, det skulle dröja till fram mot hösten innan det säsongarbetande dalfolket återkom och verksamheten blossade upp på nytt.

Vägen slingrade vidare under Klippans berg, ”Danviks krokar” kallades den här. Sedan fortsatte den mellan ”Lugnet” med sina småkåkar intill stranden, och Henriksdalsberget. Vandrarna höll sig fortfarande nära stranden och kom så småningom till en ekbevuxen udde som sträckte sig ut i Hammarby sjö.

Olof var den ende som varit här tidigare och det var han som ledde dem. Han kallade udden för Paradiset och menade att man knappast kunde hitta en vackrare plats.

Och de slog sig ner i paradiset.

Visst trivdes de tillsammans, alla fyra. Men ändå var det väl till ett möte mellan bara två som de vandrat. Korgarna fick stå kvar på platsen där de rastat medan de strövade omkring på udden två och två. De skulle se om de kunde hitta några gullvivor. Och sådana fanns det gott om, de behövde inte leta länge förrän de fått ihop ganska stora buketter.

Johanna hittade en glänta nära stranden, ett kullblåst träd bildade något som kunde likna en bänk.

Kom Alfred, sa hon till Skräcken, vi kan väl sitta här en stund, det är ju så vackert med solen som blänker i sjön.

Skräcken var inte nödbedd utan satte sig så nära henne som han gärna kunde komma. Efter en stund lade han armen om henne också, för att liksom göra det litet bekvämare för henne. Och hon tog villigt vara på bekvämligheten. Hennes stora bröst kom så nära hans händer att han inte kunde låta bli att leta fram dem ur tröjorna. Och plötsligt hade han frigjort dem, de reste sig som stora ljusa sockerbullar.

Tycker du också att jag är för stor och tjock? kom det lite olyckligt från Johanna.

Han insåg att han måste säga något, få henne att förstå vad han kände och tyckte.

Du är så grann, sa han till sist. Och det granna kan väl aldrig bli för mycket.

Och han kysste henne, först hennes bröst som han inte mött förut och sedan hennes mun som han kände litet bättre. Tills det föreföll som om hon tyckte att det räckte för den här gången och milt sköt honom åt sidan och knäppte blusen.

Mer än så blev det inte den söndagen. Men även om hon nu stängde paradiset förstod han att det snart skulle öppnas igen.

De hörde hur Malin och Olof ropade på dem. De andra två hade tydligen återvänt till rastplatsen.

De satt mycket riktigt där, ett stycke ifrån varandra. Men det var nog inte bara solen som färgat deras ansikten så röda. Fast inte kunde den taniga Malin bjuda på något som liknade Johannas överdådiga prakt, tänkte Skräcken. Han kunde rentav tycka synd om Olof som hade så litet att ta i. Men pojken var förstås ganska tanig själv och önskade kanske inte mer än vad Malin kunde bjuda på.

De tre som levde under mera ordnade förhållanden skulle hem till kvällsmålet. Skräcken hade inte så bråttom. Men efter vad som hänt gick han nog trots allt på krogen för att fira denna dag.

Medan våren fortskred och sommaren kom röjde man på brandplatsen. Fast det föreföll inte som om man hade några byggnadsplaner där, den olyckliga branden hade visat att det inte var lämpligt att placera någon liknande bebyggelse inom det trånga hamnområdet.

Fabrikör Bergman hade också, visade det sig, beslutat att förlägga verksamheten till annan plats. Han inköpte ett område i Helgona socken strax utanför Nyköping och anlade där Hargs bomullsspinneri och väveri, som blev socknens största och mest omhuldade industri. Några av de vuxna arbetarna från det gamla spinneriet följde honom dit.

De vid branden omkomna hade kanske blivit ”adlade i döden”. Men de levande fanns fortfarande kvar i sin fattigdom och sitt elände. Medlidandet som blossat upp under de dramatiska dagarna falnade snart och allt blev som vanligt igen.

"att arbeta för rika grannar"

"Det gynnsammaste förhållandet för en flitig och sparsam arbetsklass är att arbeta för rika grannar, emedan den därigenom tillskyndas alla fördelarna av lyxen utan att inlockas i vådorna eller olyckorna av denna bland de övriga samhällsklasserna sig insmygande kräfta."

Statistikern C. af Forsell
om 1840-talets
arbetsförhållanden.

Under denna varma och torra sommar var det skönt att sitta i den lummiga Löfbergska trädgården. Lisa Boman kände ingen större lust att lämna den och vandra ut i världen på andra sidan de höga planken. Hon tillbringade gärna lördagskvällar och söndagar i den stilla och skyddade trädgården, satt tillsammans med Gustaf, drack en kopp kaffe, sydde.

Egentligen hade de det ganska bra, mycket bra för att vara fattiga arbetare. De hade förmåner som få vanliga människor hade möjlighet att åtnjuta. Trädgårdens lugn och avskildhet, frihet från inneboende – det skulle förstås deras arbetsgivare heller aldrig tillåta dem att ha. Ibland fick de njuta av de märkliga och dyrbara frukter som odlades i växthusen. Naturligtvis bara av missformade eller på annat sätt osäljbara exemplar, men ändå. Det hände också att grosshandlare Löfberg gav dem rester från sina måltider, när han haft gäster kunde det bli ganska mycket över.

Gustaf kallades trädgårdsmästare numer. Han hade inte någon mästarlön men de hade fått flytta in i trädgårdsmästarbostaden en trappa upp och hade både kök och rum nu. Malin fick ligga i köket, Lisa och Gustaf i rummet. Så de bodde nästan som bättre folk.

Hemma i Tvätterskegården hade Lisas mor fått dåligt samvete när de haft så stora utrymmen att de inte behövt trängas, då hade hon ansett det nödvändigt att hyra ut. Här var Lisa och Gustaf oansvariga i det avseendet, hade bara att tacka och ta emot.

Ibland var det skönt att inte behöva bestämma själv, att vara beroende.

Men det gällde att sköta sig, att inte utmana den som hade makten. Lisa ville inte ha för mycket folk springande hos sig. Hon drog sig undan tidigare vänner, gav inte heller Malin tillstånd att ta hem sina vänner så ofta. Ändå behövde Lisa inte känna sig ogin och ogästvänlig, hon var bara förståndig, fogade sig efter förhållandena.

Johannes och Kerstin kom förstås någon gång, likaså Charlotta, mera sällan Hedda. Johannes tycktes ha imponerat på grosshandlare Löfberg, de bemötte varann mycket artigt.

Karolina och Lisa möttes varje vardag när de arbetade tillsammans så det räckte väl. Maja-Greta hade hon helt förlorat ur sikte. Gustafs mor hade dött för flera år sedan och hans bror hade flyttat långt bort på Ladugårdslandet och hördes sällan eller aldrig av.

Någon gång kunde Lisa tänka på att hon själv en gång så envist kämpat för att få möta sina vänner. Inte gjorde det väl så mycket om Malin tog hem Olof och Johanna, de var gamla bekanta till familjen. Men den där litet konstige Jonsson, som till råga på allt kallades Skräcken, ville Lisa inte gärna se här. Hon tröstade sig med att hon tillät Malin att träffa vännerna hur mycket som helst hemma hos dem eller utomhus. Och Malin bråkade inte, hon hade alltid varit snäll och lydig. Nu var hon vuxen också, blev tjugoett i december.

När det gällde Malins uppförande och seder så hade flickan tidigare aldrig gett sin mor några bekymmer. Men den här våren och sommaren hade Lisa ändå oroat sig ibland. Olof hade kommit och hämtat Malin några gånger och när man såg de två ungdomarna tillsammans kunde man ana att de hade något ihop även om de försökte dölja sina känslor när de var iakttagna.

Lisa själv hade väntat Malin innan hon gifte sig. Hon hade tyckt mycket illa om att hennes egen mor lagt sig i hennes förhållande till Gustaf. Men Lisa hade trots allt förstått sin mor och gett henne rätt – man borde gifta sig innan man fick barn, om inte annat så för barnets skull. Och det hade hon också gjort även om hon stått där med magen i vädret när prästen läste över henne och Gustaf.

Lisas mor hade själv aldrig blivit gift, mannen hon väntat barn med hade smitit från sitt ansvar. Lisa hade fått heta horunge och oäkting, känt sig föraktad och utstött.

Den unga Malin fick inte göra om den äldre Malins misstag. Därför talade Lisa gång på gång med flickan, varnade och hotade. Även om hon inte trodde att den beskedlige Olof skulle överge Malin om något hände så borde de ändå vänta, gifta sig först och få barn sedan.

Malin lovade visserligen att förhålla sig så att föräldrarna inte behövde skämmas för henne, men sedan ville hon inte tala mer om den saken och blev misslynt när Lisa tjatade och tog upp frågan på nytt. Den enda märkbara följden av samtalen blev att Olof inte längre kom på besök eller hämtade Malin.

Sedan Lisa och Karolina övertagit tvätteriarbetet efter sina mödrar hade de försökt bygga upp en krets av fasta och belåtna kunder. Deras enda möjlighet att vidga skaran var att åstadkomma ett arbete som var så bra att kunderna rekommenderade dem till vänner och bekanta. Helst borde kunderna bo någonstans i närheten, vara väl beställda grannar. Att gå långa vägar för att med dragkärrans hjälp hämta och lämna tvätt lönade sig sämre, ingen ville ju heller betala mer för att transporterna blev besvärliga och tidsödande.

Grosshandlare Löfberg nyttjade deras tjänster liksom flera av traktens husägare, butiksinnehavare och hantverkare. En av prästerna i Katarina och några tjänstemän vid varvet fanns också med och under sommaren även några av malmgårdarnas ägare.

Brobergs hade sålt sin mark och lagt ner tobaksfabriken men Lisa och Karolina och deras döttrar fortsatte att nyttja den tidigare brobergska bryggan i Hammarby sjö. Ännu så länge hade ingen klagat eller förbjudit det. Bykstuga måste de hyra, de hade tid tingad två dagar i veckan i en bykstuga som tillhörde bryggare Ackerman vid Pilgatan.

Lisa kunde känna sig ganska nöjd och tillfreds, hon hade på nytt byggt upp den ordnade tillvaro som hennes mor en gång rivit ner. Hon var en duktig tvätterska med belåtna kunder, både hon och Gustaf var kända som ordentliga och arbetsamma människor som genom hårt arbete uppnått en någorlunda tryggad ställning.

Trots detta var hon ofta orolig, starkt medveten om hur osäkert och tillfälligt allt ändå var. Runt omkring henne, utanför de skyddande planken, fanns nöd, sjukdom och brottslighet, otaliga faror som hotade. En dag kunde en störtvåg därutifrån bryta ner planket och föra henne och hennes värld med sig i återsvallet. Grosshandlare Löfberg åldrades, han kanske inte orkade behålla trädgården så länge till, när som helst kunde han dö. Att finna någon som ville fortsätta verket var förmodligen inte så lätt, marken kunde nyttjas på mera lönande sätt.

Men hotet mot den nuvarande någorlunda goda tillvaron kom inte bara utifrån. Åren gick, snart skulle ålderdom och krämpor komma. Katekesen sa visst att arbete befordrade hälsa och välstånd men det slet också ner och knäckte människor. Lisa hade upplevt hur mormor och mor drabbats av värk i utslitna kroppar.

Hon hade fyllt fyrtiotre i år, Gustaf var två år äldre. Tiden började kännas utmätt, krafterna var i avtagande.

Gustaf hade nog önskat flera barn men Lisa hade vägrat, tyckt att de inte kunde försörja fler. Nu kunde hon ibland undra om han inte haft rätt ändå – många barn kunde försörja ett föräldrapar, ett ensamt barn och därtill en flicka knappast ta hand om någon mer än sig själv.

Men det var för sent nu.

Under den varma sommaren fick drängarna köra många turer för att hämta vatten till grosshandlare Löfbergs trädgård. Torkan och hettan dröjde kvar även när hösten kom. I mitten av oktober stod Mälarens vatten en halv fot lägre än någonsin förr och Uppsala-ångbåtarnas turer måste ställas in. Först den nittonde oktober kom kraftigt och ihållande regn. Men då hade grödan torkat och missväxt sedan länge konstaterats.

1843 blev ett svårt år med höjda livsmedelspriser och ökad arbetslöshet. En följd av de försämrade förhållandena blev att många unga gesäller gav sig ut i Europa. Flera av dem sökte sig till Paris där de hoppades nå förbindelse med de socialistiska och revolutionära grupper som återuppstått efter tidigare förföljelse. Hotet mot gesällfriheten gav vandrarna ny kraft och motståndsvilja, nu sökte man råd och hjälp av erfarnare revoltörer.

Året 1843 var dock inte bara ett nödår utan också ett ”jubelår”.

I februari hade ett fjärdedels århundrade förgått sedan Karl XIV Johan besteg den svenska tronen. Under hela hans regeringstid hade det rått fred, ingen tidigare svensk kung hade upplevt detsamma.

Jubileumsdagen, den femte februari, inträffade lyckligt nog på en söndag, den firades i alla landets kyrkor med bön och lovsång och psalmen *Nu tacker Gud allt folk*. På måndagen hölls den "profana" festen, då bespisades stadens alla fattiga med god kost på barmhärtighetsinrättningarna, på Kungliga teatern gavs frispektakel. Borgerskapet höll bal på Börsen och kungen hämtades dit från Slottet av borgerskapets fackelbärande kavalleri. Alla allmänna och många enskilda byggnader var illuminerade och många människor hade gett sig ut på gatorna för att beskåda prakten.

Inne i Lusasken var det ovanligt tomt och stilla. Sixten och hans mor och även de andra yrkestiggarna hade släpat sig ut i förhoppning om att folk skulle gripas av festyra och bli spendersamma. Tjyvpacket, som de kallades, vädrade också goda affärer, ficktjuvarna skulle agera i folksamlingarna och inbrottsspecialisterna söka sig till öde utkantsgator och tomma hus. Några av dem tog en färdknäpp vid Bergboms spritbord innan de gav sig av, skämtade med Lena som fyllde i deras glas.

Går affärerna bra ska du få en sidensjal att lägga om halsen, sa Jocke. Han låtsades lägga en sjal omkring henne, stoppa ner snibbarna mellan hennes bröst. Och ett par strumpor av mej, sa Oskar och lyfte upp hennes kjolar.

Av mej ska hon ha ett förklä' med spetsar att hänga på lilla magen. Tobbe var med i leken han också, strök henne över magen.

De där ungherrarna hade alltid haft svårt att hålla fingrarna i styr och senaste tiden hade hon knappt kunnat freda sig för dem. Julius hade fått tillfälligt arbete på en gård utanför staden och kom bara till Lusasken på lördagskvällar och söndagar, i hans frånvaro blev Lena ett lovligare och inte alltför ovilligt villebråd.

Det var väl en ganska oskyldig lek, tyckte hon. Och lönande dessutom. Fast blånupen blev hon och ganska hårdhänt daskad.

Visst fick hon tvivelaktiga anbud också, löften om dyrare gåvor och större slantar om hon följde med. Det gjorde hon inte, hon ville ändå inte bedra Julius. Trots att han ofta var tvär och butter och inte var så angelägen om henne längre. Den stora jubelsöndagen, i går, hade han inte ens varit här och hon undrade nog om han tänkte överge henne, bara försvinna. Egentligen hade han varit litet konstig alltsen hon fått "lilla grevinnan", för tre år sedan. Stina var så lik sin köttslige far att hon blev en ständig påminnelse om något som helst borde glömmas.

Kumpanerna var klara för avfärd, Tobbe satte hatten på huvudet, sträckte ut armarna och såg ut och talade som en aktör. Farväl, min sköna, deklamerade han. Önska oss nu lycka på färden. Och det gjorde hon, vinkade när de gick.

Sedan ungherrarna gått blev det lugnt i huset. Några gamlingar och berusade låg i sina hörn, barnungarna hade somnat. Ett par pinnar glödde i spisen. Lena släckte två av de brinnande talgljusen, det räckte med en dank nu. Hon satte sig på bänken vid bordet, hällde upp ett glas brännvin men betalade först med drickspengarna hon fått.

Förre gardisten Bergbom kom ut från sin kammare. Lena reste sig från bänken, förklarade att hon betalat för det hon drack. Bergbom nickade bara, då svepte hon supen i ett enda drag och satte glaset ifrån sig.

Häll i ett glas åt mej och ta ett själv också, sa han. Och sitt, för all del. Nej, nej – låt karaffen stå kvar, vi kanske vill ha mer.

Hon lydde. Bergbom var hennes hyresvärd och arbetsgivare, sängplatsens och karaffernas ägare. Och han hade inte fått hyran för den här veckan eftersom Julius inte kommit. Slantarna som Lena själv hade kvar skulle knappast räcka.

Kom han inte, mannen? undrade Bergbom.

Nej, svarade hon. Han kom väl inte ifrån. Får vi vänta litet med hyran?

Bergboms svar dröjde. Som om han funderade på vad han skulle svara. Eller försökte han skrämma upp henne?

Det är förstås emot överenskommelsen, sa han till sist. Men det vore ju synd om lillflickan ifall hon skulle behöva ge sej ut i kylan. Vi kanske kan ordna det på något sätt. Lena skulle kunna ta hand om min tvätt.

Ja, visst kan jag det, sa hon. Men inte lät det särskilt lockande.

Hon hade inte tillräckligt varma kläder för att ge sig ut i vinterkylan och ligga vid en vak och skölja tvätt.

Häll i glasen, sa Bergbom. Jag bjuder.

Lena lydde, log tacksamt. Han skulle kanske ge henne anstånd ändå och Julius kom kanske någon dag i veckan.

Hon är ganska vänlig mot pojkarna, tyckte Bergbom. Låter dom hållas och tafsa.

Dom vänslas bara litet, sa hon. Och jag vill ju inte vara ovänlig, då kanske dom blir arga och går nån annanstans.

Jag har inte klagat, förklarade Bergbom och sänkte sedan rösten: Jag tänkte bara att hon kanske kunde vara litet vänlig mot mej också. Så kunde vi glömma skulden och säja att den här veckan också är betald.

Det var onekligen ett rejält anbud. Men det skrämde henne också, hon hade ändå inte haft någon annan karl än greven sen hon gifte sig med Julius. Och hon anade att hände det en gång så skulle det bli fler.

Men jag är inte en sån kvinna, viskade hon undvikande.

Vill hon inte så slipper hon, svarade Bergbom och ställde in karaffen i skåpet. Men för en gångs skull kan det väl ändå gå an att göra ett undantag. Om hon får en hel riksdaler förutom två veckors hyra.

Det var alltför lockande. För en gångs skull. Och för en hel riksdaler. Julius ville ju aldrig, inte när de bodde så här i alla fall. Och Bergbom var väl ändå en ganska hygglig karl fast han var litet till åren.

Hon försökte le.

Visst kan jag vara litet snäll mot honom, viskade hon. Bara han inte ställer till med något farligt.

Det tar vi oss en sup på, sa Bergbom och tog fram karafferna ur skåpet. Nu var det slutsålt för i kväll, han skulle ta in dem i sin kammare. Men först drack de, skålade till och med.

Bergbom tog det sista brinnande talgljuset från bordet, lyste henne ut ur rummet och in i förstugan. Där låste han upp dörren till sin kammare och släppte in henne. En liten oljelampa brann på byrån, han tände ytterligare några ljus.

Lena såg sig omkring, förutom byrån och en ganska stor säng

med bolster och kuddar fanns en spis, ett bord och några stolar och en kista. I ett hörn låg inslagna paket, antagligen sådant som ungherrarna haft med sig.

Vi tar en sup till medan vi bekantar oss, sa Bergbom och slog upp.

När de druckit ur ställde han glasen på en stol och började lösa upp hennes kläder. Det var för sent att ångra sig och spriten hade gjort henne rätt omtöcknad.

Med Julius hade hon mest bara varit i mörker. Han hade inte önskat något annat. Men greven...

Ett ögonblick tyckte Lena att hon var tillbaka på herrgården igen, att det var greven som stod där och klev ur byxorna. Fast det var bara Bergbom och nu hoppades hon att det snart skulle vara över, att gubben inte skulle orka så mycket.

Men hon kände inte Bergbom tillräckligt. Han var en gammal härdad och hårdför gardist som blivit bedragen och övergiven av sin hustru och inte kände någon barmhärtighet inför fruntimmer som gick att övertala. Dessutom satsade han sannerligen inte en hel riksdaler och mer därtill utan att kräva ersättning för varje runstycke.

Han var fruktansvärt uthållig, hon måste undra om det var något fel på honom eftersom han aldrig tycktes komma fram till slutet. Han var rå och hårdhänt också. När han inte tyckte att hon bjöd till tillräckligt grymtade han att han inte skulle betala om hon inte gjorde nytta för pengarna.

Äntligen var han färdig. Hon tog emot sin riksdaler, samlade ihop sina kläder. Det här fick då vara både första och sista gången.

Sköter du dej lika bra nästa gång ska du få två riksdaler, sa Bergbom.

Julius var försvunnen, kom inte mer. Lena anmälde försvinnandet, men det enda besked hon kunde få var att han erhållit sin lön och lämnat gården där han tillfälligt arbetat. Han hade inte sagt något om vart han skulle bege sig.

Så blev hon helt beroende av Bergboms välvilja. Något tal om två riksdaler var det inte längre, hon fick nöja sig med sängplats för sig och barnet, några supar och skillingar som ersättning.

Det dröjde inte länge förrän Lena förstod att hon väntade barn.

Hon försökte tala med Bergbom, få honom att erkänna faderskapet och ansvara för ungen. Men det lyssnade han inte på.

Du är ju gift, sa han, då ska du väl inte erkänna att du begått hor och att ungen du väntar är en horunge. Längtar du efter att hamna i fängelse som äktenskapsbryterska? Det är naturligtvis din förlupne karl som är barnafadern.

Lena visste inte om det var sant att hon kunde straffas – men tanken skrämde henne. Hon ville egentligen inte alls binda sig vid Bergbom, bara få pengar och komma ifrån honom. Hon grubblade över hur hon skulle kunna försörja sig, en kvinna med ett litet barn och ett annat på väg kunde knappast få arbete.

Det blev Oskar, den minst framfusige av ungherrarna, som till sist hjälpte henne. Han bodde med sin mor i ett kyffe strax intill kvarnen Hatten i Vita bergen. Visst var Oskar en tjuv och nog fordrade han att få ta henne när det passade honom, om det så var mitt på ljusa dagen. Ändå var han en snäll och inte alltför krävande man. Och fast han inte var någon framstående yrkesman utan bara en småtjuv så tjänade han mycket mer än en skicklig arbetare eller gesäll – så någon nöd behövde de inte lida.

I november föddes barnet, det blev en flicka till och hon fick namnet Klara. "Gardistungen" Klara var välskapt och frisk, verkade betydligt livskraftigare än "lilla grevinnan" Stina.

Så skulle Lena och hennes barn välmående överleva detta nödår då så många människor dukade under. Flera uthungrade och eländа tog sina liv, andra dog av umbäranden och sjukdomar. Men Lena satt i tjuven Oskars spisrum och lekte med sina barn medan Oskars mor tåligt tvättade och lagade mat och eldade åt dem.

Värre kunde det ha varit. Lena trivdes ganska bra nu. Oskar var roligare än Julius och knusslade inte heller med slantarna. Dessutom var han snäll mot småflickorna.

"dessa kojans barn"

"Ni frågar vem jag är! En man av dräggen,
en mask, ett kräk, likt flugan uppå väggen,
ett utav dessa kojans barn, så små
att ni ej ser när ni dem trampar på!

En utav detta pack, som man ej unnar
en enda drick ur ljusets tusen brunnar,
som man förmenar ens vad skugga är
av helig känsla, ädlare begär."

En arbetare talar, ur dikt i Orvar Odds samling Min fattiga sångmö, 1844.

Under vintern 1843–1844 var gamle kung Karl Johan krasslig. Det började med att han föll över en sängkammarskärm och skadade knäna. Därefter hette det ofta att han på grund av "opasslighet" var förhindrad att närvara vid olika evenemang. Han kunde inte ens delta i firandet av sin födelsedag den tjugosjätte januari. Den tjugosjunde hölls det förbön för honom i slottskapellet och följande dag, en söndag, i alla stadens kyrkor. Nu hade han börjat få värk och ristningar i högra foten och värken spred sig till benet med svullnader och rodnader som följd. Krafterna avtog. Den elfte februari orkade dock den sjuke monarken diktera en stolt självdeklaration. Den inleddes: "Jag önskar ej döden, jag fruktar den ej: min levnad har gått över åttio år. Naturen återtager sina rättigheter. Ingen har fyllt en bana, liknande min."

Han kunde hållas vid liv ännu några veckor men dog på eftermiddagen den åttonde mars.

Föregående år hade varit "jubileumsåret". Nu väntade "kröningsåret". Men först skulle det bli likvisning och begravning. Sådana evenemang kunde väl knappast kallas fester – men välbesökta skådespel var de onekligen. Ja, det visade sig att nästan alltför många stockholmare ville se den döde, och eftersom svenskarna ännu inte lärt sig att *formera queue* blev det dåligt med ordningen vid likvisningen. Tumult uppstod och en kvinnlig besökare klämdes ihjäl av framträngande skådelystna. Slottets ståthållare konstaterade bistert att undersåtarna inte var värda att man ställde till något roligt för dem, så illa uppträdde de.

Det blev knappast bättre på begravningsdagen den tjugosjätte april. Enligt gammal sed skulle för ändamålet särskilt slagna begravningspenningar kastas ut till folket av räntmästaren och hans beridna följe. Så skedde vid Slottsbacken och på flera av stadens torg och överallt uppstod kalabalik. Folk trängde på, slogs om slantarna, låg i stora krälande högar på marken. När räntmästarföljet drog vidare till nästa plats följdes det av en stor hop springande pojkar beredda att fortsätta slagsmålet. På kvällen bjöds mynten ut runt om i staden, försäljarna sades främst vara lärpojkar och hamnbusar, kojornas barn.

Uppslutningen kring begravningsprocessionen från Slottet till Riddarholmskyrkan blev stor men lugn. När den blomstersmyckade kyrkan visades för allmänheten några dagar senare rådde också god ordning. Myndigheterna kunde nöjda konstatera att folket gjort framsteg i konsten att ordna sig i en oavbruten marschlinje.

Några veckor före kungabegravningen jordfästes förre hökardrängen Mats Berg, som efter längre tids sjukdom avlidit i en ålder av femtiofyra år. Hustrun Hedda, de två barnen och några få vänner var närvarande.

Visst sörjde de honom. De närmaste ville knappast ens för sig själva erkänna att hans död också betydde en befrielse för dem. Sedan Mats råkat ut för en olyckshändelse för sju år sedan hade han mest varit sängliggande. Den som ständigt låg hotades av andra sjukdomar, en lunginflammation hade gjort slut på hans liv.

Mats hade sagt att han ville dö, inte orkade leva med värken och känslan av att ligga sina närmaste till last. De hade försäkrat att de så gärna hjälpte honom, att de önskade få ha honom kvar så länge som möjligt. Men visst hade det varit svårt många gånger, både att se honom lida och att hinna sköta en sjukling, när tillvaron krävde så mycket annat om de skulle kunna reda sig.

Så snart de varit lediga från arbete och skola hade de varit bundna vid Mats' sjuksäng. Under den varma fjolårssommaren hade Hedda inte kunnat ta sig ut och sitta på Tjärbeljans kvarnbacke en enda gång. Sommaren som nu kom var inte alls lika varm och skön, tvärtom regnade det ganska mycket. Men ändå kunde hon komma ut tillsammans med barnen ganska många gånger. Och mötte åter det unga paret från Beckbrännargränden, Lindgrens.

Först trodde Hedda att hon såg fel, kunde det verkligen vara Lindgrens som hade ett halvdussin ungar omkring sig? De hade bara haft två och en på väg när hon mött dem på kvarnbacken senast.

Men det hade varit så gott som barn och år, sa Maria. Ett år hade de till och med fått tvillingar. Men nu fick det nog vara slut, det fanns inte plats för fler där hemma.

Tidigare somrar hade Hugge och Maria lånat en båt ibland och rott ut på Hammarby sjö och övernattat vid Sicklastranden. Men sedan barnen blivit så många vågade de sig inte ut längre, de kunde inte simma och det var svårt att hålla reda på alla i en liten skranglig båt. Så nu blev det kvarnbacken både lördagskvällar och söndagar. Om det inte regnade – man hade fått ett riktigt vätår.

En söndag i juli var Hugge Lindgrens yngre bror Kalle med, han var tjugotre år nu och arbetade fortfarande som dräng på Hillska skolan nere vid Barnängen. Kalle sa inte mycket, det fanns inte heller många tillfällen till det när Hugge var med.

Först när Hugge tagit några supar och lagt sig på rygg och somnat i eftermiddagssolen kom Kalle in i samtalet. När Hedda frågade berättade han gärna om det dagliga livet på Barnängen, om de förmögna familjernas pojkar som bodde och studerade där. Trots att elevernas föräldrar betalade höga avgifter hade skolan alltid ont om pengar. Om man skulle kunna fortsätta behövdes flera elever, åtminstone så att de uppgick till ett hundratal, hade Kalle hört. Hur länge det kunde gå var osäkert. Just nu hade pojkarna sommarlov och då arbetade Kalle mest i trädgården och parken.

Heddas dotter, sjuttonåriga Anna-Lena, hade inte något arbete utan hjälpte modern att färglägga bilder åt ett tryckeri. Det var bara de enklaste sakerna flickan fick ta över, det mesta måste Hedda göra själv. Trodde Kalle att det trots allt fanns något arbete för dottern på ett ställe som Hillska skolan? Kalle lovade att fråga kokerskan, som alltid var så vänlig emot honom, det kunde tänkas att någon av flickorna i köket fått annat arbete under sommaren och inte återkom när det nya skolåret började i augusti.

Med anledning av kungaskiftet hade en urtima riksdag inkallats, den öppnades i mitten av juli. Även denna gång tog man upp representationsreformen. Frågan gällde huruvida de fyra stånden skulle ersättas av en tvåkammarriksdag och valrätten utökas. Adeln och prästerna var fortfarande motståndare till reformen och fann att Sverige hotades av upplösning. De två högstaståndens omedgörlighet gav upphov till kravaller på gatorna, folkhopar samlades på Riddarhustorget, tågade över Norrbro och krossade fönster hos ärkebiskopen, som under riksdagen bodde på Norrmalm.

Överhuvudtaget var det bråkigt i staden, rån och överfall tycktes bli allt vanligare. En kammarjunkare rånades och mördades på den ödsliga och långa Nya Kungsholmsbron. Rykten om att höga herrar planerade att göra folket till sina slavar gav upphov till nya oroligheter. Kravallerna i samband med likvisningen förvärrade tillståndet ytterligare. På den nye kungens, Oskar I:s, anmodan uppmanade stadens femtio äldste husbönderna att söka förhindra tjänstefolket från onödigt vandrande på gatorna under kvällarna. Det påstods att många borgare ansåg tillståndet så kritiskt att de gick med laddade pistoler för att kunna freda sig.

Många menade att förhoppningar om dödsstraffets avskaffande gett bovarna nytt mod och ny fräckhet. Man fick inte skydda brottet under filantropiens mantel.

De som talade mot lagarnas humanisering och mot avskaffande av dödsstraffet kritiserade indirekt också kung Oskar, som varit en drivande kraft bakom förslaget. De blev lugnade när kungen på nyåret 1845 undertecknade inte mindre än sju dödsdomar.

Riksdagen uttalade sig ändå i princip för en ny strafflag. Andra viktiga beslut fattades. Indragningsmakten – möjligheten att dra in misshagliga tidningar – avskaffades. Trots adelns protester fastställdes lika arvsrätt för män och kvinnor på landsbygden, sådan gällde redan i städerna.

Även kröningen – och då inte minst utgifterna för denna – diskuterades. Radikaler ansåg att akten var en föråldrad ceremoni – ett uttryck för vidskepelse som en upplyst tid borde avskaffa.

Kröningen skedde i slutet av september och firades under enklare former än tidigare. Dagen var allt annat än inbjudande, mulen och regnig. Processionen uppsköts någon timme, därefter beslöt man att på grund av regnet förkorta färdvägen. Halvspringande tog sig de defilerande genaste vägen över den yttre borggården och in i Storkyrkan. Inga kröningsmynt utkastades varför slagsmål kunde undvikas. Däremot inbjöds på kungens bekostnad tusentalet hantverksgesäller, fabriksarbetare, sjömän och militärer till middagar i börssalen och stadshuset.

Den nye kungens valspråk löd: *Rätt och sanning*. Det var naturligtvis vackra och förpliktigande ord, men kojornas folk tyckte nog att gamle Karl Johans motto varit bättre: *Folkets kärlek min belöning*.

Ändå ingav kung Oskar dem hopp och förväntningar. Det hade talats så mycket om hans förståelse för de betryckta. Hans första åtgärd som regent, under faderns sjukdom, motsvarade dock inte förhoppningarna. I januari hade han undertecknat ett beslut rörande gesällvandringen, som innebar att gesäller och fabriksarbetare alltid måste bära med sig en så kallad gesällbok i vilken praktiskt taget vem som helst hade rätt att göra anteckningar och även ta del av klagomål mot bokens innehavare. Beslutet innehöll också betydande inskränkningar av gesällvandringarna.

Trots förbud samlades gesällerna för att diskutera situationen. Skräddargesällerna avfattade en lång skrivelse till kung Oskar i vilken man starkt protesterade mot den nya förordningen. Senare följde en gemensam skrivelse från ett stort antal gesällskap i staden och protester kom även från andra städer. När inget svar avhördes sändes nya brev och i riksdagen tog en liberal målarmästare upp gesällernas sak. Men någon förbättring blev det inte och man fick inga svar på sina många skrivelser.

Ändå hade något betydelsefullt skett – arbetare hade genomfört sin första stora gemensamma aktion, mot förbud samlat sig till protest.

Anna-Lena Berg fick arbete i Hillska skolans kök, tack vare kokerskans rekommendation. Kokerskan tyckte sig veta att Kalle Lindgren aldrig skulle ha talat för någon ovärdig. Kalles släkt hade sedan gammalt gott rykte på Barnängen, där arbetade förutom Kalle själv hans morbror gårdskarlen och hans syster. Agda hade tidigare varit piga hos rektor Björling, efter rektorns avgång var hon tjänarinna hos skolchefen Lewin.

Men, framhöll kokerskan, ingen visste hur länge någon blev kvar här. Elevantalet sjönk. Vid våravslutningen hade man nittiofem elever, till höstterminen fanns bara ett åttiotal anmälda. Skolchefen, fabrikör Edward Hale Lewin, var den som med egna medel höll skolan igång men hans förmögenhet kunde knappast räcka i evighet. Lewin var engelsman, en entusiastisk elev från Hills ursprungliga skola i England. Han hade kommit till Barnängen som lärare i engelska och de senaste fyra åren hade han personligen stått för förlusterna.

Anna-Lena var ändå glad att få börja, det var mera omväxlande att arbeta så här än att sitta hemma och färglägga. Nu hade hon arbetskamrater och liv och rörelse runt omkring sig. Hon hjälpte till i köket och skötte dukningen i matsalen, serverade lärarna vid deras bord medan en annan av flickorna portionerade ut till eleverna.

Kalle såg hon ofta, han kom med mjölken, hämtade matvaror från källarna, tvättade matsalsgolvet och krattade gården. Eftersom han varit anställd i många år kunde han ge råd och visa henne till rätta.

Anna-Lena fann att de fina gossarna inte alltid var så fina i tal och handlingar. Någon gång kunde hon ha svårt att freda sig, bar hon en stor trave tallrikar kunde hon inte släppa den för att undvika pojkarnas näsvisheter. Då kändes det tryggt om Kalle fanns i närheten, han tillät dem inte att ta sig några friheter mot henne, då gav han dem en åthutning, hur försynt han annars alltid var.

De äldsta eleverna var i artonårsåldern, välklädda unga herrar, kanske vana att utnyttja föräldrahemmens hunsade pigor. Men den idealistiska skolan godkände inte sådana snedsprång, det som kunde vara tillåtet och förlåtet hemma bestraffades här med arrest och sänkt sedebetyg. Så när drängen hotade att anmäla pojkarna om de inte höll sig i styr gjorde det verkan.

Vid arbetsdagens slut följde Kalle ofta Anna-Lena hem. Det var mörkt då och utanför Barnängens ståtliga gallergrind lyste få lyktor. Vägen blev kortast om man gick genom Vita bergen, mellan de grå och ofta förfallna småkåkarna vid Bergsprängargrändens klippor och prång. Fast man fick se sig för, skrovliga stenar stack upp, orenlighet hade stjälpts ut i svackorna och uteliggare låg i buskarna. Härbärget öppnade inte förrän den första november.

En ensam flicka borde nog hellre ta omvägen genom Vintertullsgatan och över Nytorget. Men tillsammans med Kalle blev vandringen bara spännande. Efterhand lärde de känna varandra allt bättre, kom varandra närmare. När de gick de vindlande stigarna över berget lade hon armen kring hans midja, han sin arm över hennes axlar.

Det började våras, kvällarna blev längre och ljusare, buskarnas och trädens bladknoppar svällde. Men framtiden tycktes allt mörkare. Denna vår 1845 höll Hillska skolans styrelse flera krissammanträden, fabrikör Lewin hade förlorat större delen av sin förmögenhet och kunde inte längre ge någon ekonomisk hjälp. Alla förstod att slutet snart måste komma. Det gjorde inte Kalle Lindgren säkrare, han tyckte sig se hur trygghet och framtid försvann för honom, snart skulle han stå utan arbete.

Ändå fattade han mod.

Kalle och jag är överens, sa Anna-Lena till modern en kväll när hon kom hem. Vi ska hålla ihop.

Kalle Lindgren är en bra pojke, svarade Hedda. Jag hoppas och tror att ni får det bra tillsammans.

Några dagar före midsommar föddes Marias och Hugges sjunde barn, en pojke som skulle få heta Ture. Namnet hade ingen släktanknytning, såväl farfars som morfars namn hade redan utnyttjats. Men den här lille såg ut som en pigg ture, sa Hugge.

Ett par timmar senare, vid halvtvåtiden på eftermiddagen, hördes en väldig skräll, det var det gamla kastellet på Kastellholmen som flög i luften. I det lilla åttkantiga huset bedrevs tillverkning av krutkarduser och patroner. Explosionen spräckte fyrahundra fönsterrutor i de närbelägna husen, och ända borta i träkåkarna vid Beckbrännargränden skallrade rutorna. Det var inte många ungar som fick en sån salut, sa fadern. Och salut kunde man kanske kalla det eftersom ingen funnits i byggnaden eller skadats när explosionen inträffade.

Men modern var beslutsammare än förr: Det här är den sista, fler får det inte bli. Hugge tog yttrandet som en from önskan men blev snart varse att hon menade allvar. Det blev inte mer som förr i sängen och han tyckte att livet förlorat sin mening. Fast han måste ju medge att hon kunde ha rätt, de hade inte råd med fler och inte plats heller. Och Maria kunde behöva några lugnare och lättare år, befrias från bördan att alltid bära nya barn.

Men han drack nog mer än tidigare efter det beskedet, tyckte att han måste söva oro och lust, behövde tröst.

Eftersom sommaren blev solig och vacker kändes inte trångboddheten så besvärande, så mycket som möjligt höll man sig utomhus och ungarna spred sig över kvarnbacken och lekte på gräsplättarna och i bergsskrevorna. Kristina, den äldsta, som börjat skolan och var sommarledig, fick övervaka de mindre. Fast lille Ture tog Maria med sig till bryggeriet, där låg han i en låda medan hon arbetade. Ackerman var som tur var en förstående och snäll arbetsgivare.

Tillvaron var strängt och hårt reglerad. Den gav men tog tillbaka. En vacker sommar betydde nästan alltid en fattig vinter, torkan skapade missväxt, glädje och frihet följdes av hunger och ofrihet. Livsmedelspriserna steg igen, arbetslösheten ökade.

Denna mörka höst besökte två skräddargesäller, Olof Renhult och Sven Trägårdh, gesällskapets läkare, tidigare fattigläkaren Johan Ellmin, för att med honom diskutera möjligheten att grunda en bildningscirkel för män av gesällers stånd och villkor. Cirkelns syfte skulle vara att bereda deltagarna tillfälle att gemensamt inhämta nyttiga kunskaper. Gesällerna var i trettiofemårsåldern, Ellmin femton år äldre.

Bakom orden fanns det som inte fick och kunde sägas – behovet av en organisation för de betryckta. Resultatet av besöket blev inte heller det avsedda. Det bildades ett sällskap där politiska frågor inte fick diskuteras och till vilket inte bara arbetare utan även andra intresserade, också arbetsgivare, inbjöds. För att kunna hålla sammanträden utan att riskera polisingripanden måste man ansöka om tillstånd hos överståthållaren och ange sällskapets syfte.

Snart blev ”herrarna”, som från början ej alls var tänkta som medlemmar, de tongivande. Men ur bildningscirkeln skulle så småningom andra grupper växa fram.

Många gesäller och andra arbetare misstrodde cirkeln.

Till de misstänksamma hörde Axel Sandman. Han hade brevförbindelser med de skräddargesäller som vandrat mot Paris några år tidigare och deras brev talade inte samma försiktiga och försonliga språk som bildningscirkelns.

Sandman höll sig undan, avvaktade utvecklingen.

”den andra historien”

”Den skrivna historien har den bildade klassen till författare, läsare och aktörer. Den andra historien, som ännu är oskriven, är i dess ställe levande. Dess liv är visserligen infernaliskt, men säkert är däremot att detta liv är verkligt.

Georg Swederus i Om fattigväsendet, 1847.

”Lagarna tjäna till att skydda den del av folket som har egendom, samt i det närmaste utestänga och hindra samt göra det omöjligt för den som intet äger, att förvärva något.

Religionen däremot, såsom den allmännast tydes och tillämpas, är till för att trösta arbetaren däröver, att han intet har och intet kan få.”

Skräddargesällen Sven Trägårdh vid möte i Skyddsföreningen för frigivna fångar, 1847.

Olof, son till Håkan och Charlotta Rapp, hade lagt av sin fars knektnamn och kallade sig Håkansson. Han tyckte att han hedrade fadern minst lika bra på det sättet.

Olof, som snart skulle fylla tjugotre år, arbetade i madam Rundströms delikatesstånd i Syltgången, där han från springpojke och hantlangare upphöjts till bodbetjänt. Syltgången hade inte fått sitt namn av att man kunde köpa sylt där utan efter de köttvaror som såldes i stånden – pressylta och kalvsylta. Rundströms omtyckta varor tillverkades till stor del av Olofs mor och tillverkningen ägde rum i madam Rundströms hem.

Rundströmskan hade blivit änka och gammal, snart sjuttiofem, hon expedierade sällan några kunder numera, satt bara på sin pall bakom disken, övervakade personalen och tog hand om pengarna. Hennes äldre syster, madam Nordblom, hade sålt sina stånd i Fiskargången och Lutfiskgången. Båda madammerna hade gjort goda affärer i många år och försörjt både män och barn. Men barnen ville inte överta stånden i de dragiga och ganska otrevliga gångarna. De hade blivit för fina, ville inte stinka härsken sill eller riskera att få flottfläckar på kläderna, viskade de anställda.

Amalia Lilja, en kusin till Olofs mor, arbetade fortfarande kvar i det tidigare nordblomska ståndet i Fiskargången. Men Amalias bror Ture, som varit anställd på Owens verkstad, hade bytt arbete sedan den kände ångbåtskonstruktören tvingats slå vantarna i bordet. Eftersom Ture Lilja var en skicklig mekaniker hade han fått anställning hos bröderna Bolinder som nyligen inrättat en verkstad på kungsholmssidan av Klara sjö. De sista åren som Owens verkstad varit i gång hade man bland annat tillverkat järnspisar och trädgårdssoffor av gjutjärn, det var sådana saker som Bolinders nu börjat med. Landets verkstäder hade haft en svår tid och många av dem hade gått under – men nu kunde man ana en ljusning, räkna med en fortskridande industrialisering.

Sedan ett år tillbaka var Olof förlovad med Malin Boman. Det hade blivit så, de hade ju känt varann sedan de var barn. Någon himlastormande förälskelse hade de knappast upplevt, mer av pålitlig värme och förtrolighet. De kände varandra så väl, riskerade inte att göra några obehagliga upptäckter. Båda var arbetsamma och skötsamma. Malin hade lovat sin mor att inte ställa till med barn innan hon gifte sig, hon och Olof skulle vara ett ärbart par när prästen läste över dem. Och hittills hade de inte tagit några avgörande risker.

Men nu ville de gifta sig, flytta hemifrån, äntligen få känna sig som vuxna. Och denna vår hade de begärt lysning. Prästen som tagit emot dem, komminister Nils Ignell, var en ganska omtalad herre, anklagad för irrlärighet. Det påstods att han ville förnya den lutherska reformationen och var alltför liberal. Tidigare detta år, 1846, hade han varit på förslag till kyrkoherdetjänsten i Kungsholmens församling men inte fått en enda röst vid valet.

Ignell hade inte varit svår att ha att göra med, tyckte Olof, tvärtom hade prästen uttryckt sin glädje över både Olofs och Malins kunskaper och också lovat att viga dem.

Malin skulle fortsätta med tvätten efter giftermålet. Olof hade undrat om han skulle höra efter med Rundströmskan om Malin kunde få något arbete i saluhallen. Men Malin var inte road av affärslivet, hon hade sitt yrkeskunnande och ville fortsätta att tvätta. Även om hon ibland tyckte att modern och Karolina bestämde för mycket så skulle väl så småningom den dag komma då hon själv och Johanna kunde ta över helt.

Ett eget hem att sköta och bestämma i ville Malin få snarast möjligt, ibland kände hon sig som en fånge innanför planket och den stängda porten. Och det retade henne att modern skulle bestämma vilka som fick komma hem till dem. När det gällt inbjudningarna till bröllopet hade Malin stått på sig för att få bjuda Skräcken. Eftersom trädgårdens ägare, grosshandlare Löfberg, var sjuk och inte vistades på sin malmgård nu gav modern till sist med sig. Men gästerna måste bli få, ansåg Lisa Boman. De närmaste släktingarna: Olofs mor och syster, Lisas morbror Johannes med fru. Och så vännerna: Karolina och Jöns Eriksson, Johanna och Skräcken och Johannas två yngre syskon, Lisas gamla vän Hedda.

Det skulle bli femton personer med brudpar och värdpar inräknade. Men Johannes hustru Kerstin blev sjuk. Och prästen kunde inte komma med, han hade flera brudpar att viga samma dag.

Bröllopet blev enkelt och stillsamt, det fanns ingen risk för att grosshandlare Löfberg skulle nås av några klagomål. Malin slapp till och med brudvisningen, de närmaste grannarna hade för länge sedan vant sig vid att porten i planket alltid hölls låst. Den stängda trädgården och livet därinne angick dem inte.

Johannes Ekberg började känna sig gammal och trött. Och de var väl också ganska gamla, han och hans Kerstin. Bara tre år kvar till sjuttio för dem båda. Kerstin hade varit dålig ofta det senaste året och nu låg hon igen med feber och värk. Lyckligtvis hade de fortfarande hjälp av Barbro som lovat att se till Kerstin medan Johannes var borta.

Han satt bredvid Hedda Berg och det passade honom bra, de hade alltid mycket att tala om och han hade också ett ärende att framföra till henne. Men det var av sådan art att han inte ville bli avlyssnad. Så han väntade tills bröllopsgästerna efter måltiden svalkade sig i den försommarvackra trädgården. Då gick Hedda och han tillsammans ut till det stora växthuset, stannade utanför och såg in genom glasrutorna, beundrade de exotiska växterna därinnanför medan de pratade.

Johannes fråga gällde om Hedda var intresserad av att åta sig ett mera omfattande skrivarbete. Och om hon i så fall kunde utföra ett sådant arbete utan att några utomstående fick vetskap om det. Helst borde även hennes närmaste hållas utanför.

En god vän till Johannes, en skräddargesäll, och kamrater till denne, mottog en hel del brev och cirkulärskrivelser från arbetarorganisationer utomlands. Det kunde vara skrivelser på både tyska, franska, engelska och danska som gesällerna översatte till svenska. Det blev inga skönskrifter precis, som de åstadkom, utan ibland ganska svårlästa papper med massor av överskrivningar och rättelser. Tanken var att översätta de viktigaste skrivelserna och så småningom ge ut dem i tryck. Skriften skulle ge en föreställning om vad de så kallade kommunisterna ville. Kunde Hedda åtaga sig renskrivandet?

Nyligen hade Lars Johan Hierta låtit utge ”Upplysningar om kommunismen”, en sammanställning av några småskrifter av den franske utopisten Etienne Cabet, en religiöst engagerad kommunist. Det som Johannes vänner ville utge skulle vara något handgripligare, mera likna ett handlingsprogram.

Ordet kommunist kom ju från det franska ordet för gemenskap, *communauté*, och avsåg någon som arbetade för en större och bättre gemenskap. Kommunisterna ville införa egendomsgemenskap i samhället sedan de med fredliga metoder erövrat makten. Därför talade de också för allmän rösträtt och alla människors lika värde.

Men eftersom de som nu ägde pengarna och makten önskade bibehålla den rådande ordningen riskerade de som talade för en ny gemenskap att bestraffas för konspirationer mot det bestående samhället. Därför måste mycket av arbetet ske i hemlighet. Hedda skulle bara samarbeta med skräddargesällen och få material genom denne. Om det var något som var oklart när det gällde texterna kunde gesällen ge råd. Johannes själv var inte tillräckligt insatt i arbetet. Men ersättningen skulle hon få genom honom.

Att det var Johannes som också skulle stå för den kostnaden nämnde han inte. Det var hans självpåtagna andel i arbetet för en bättre morgondag.

För Hedda lät det som om avtalet med Johannes Ekbergs vän kunde betyda ett ganska långvarigt uppdrag. Det passade henne bra. Dels ville hon gärna göra något för att förbättra de fattigas förhållanden, dels behövde hon själv varje inkomst hon kunde få. I slutet av april hade alla anställda vid Hillska skolan på Barnängen fått motta sina uppsägningar och examensdagen den sjuttonde juni hade skolstyrelsen haft sitt sista sammanträde. Därmed hade skolan upphört, vilket betydde att Heddas dotter Anna-Lena inte längre hade något avlönat arbete.

Kalle Lindgrens gamle morbror hade också fått lämna sitt arbete, av skolstyrelsen hade han hjälpts in på fattighuset. Men Kalle skulle anställas på nytt och få stanna kvar som vakt och vårdare av lokaler och trädgård tills man lyckades finna en köpare av anläggningen. Och för en sådan kunde det vara av intresse att behålla en gårdskarl som kände till förhållandena. Kalle hade också erbjudits en ganska bra bostad inom området eftersom han borde finnas på plats även nattetid.

Kanske vågade Anna-Lena och Kalle trots allt gifta sig. Och då ville Hedda gärna hjälpa dem med utgifterna för bosättningen.

Skräddargesällen, som Hedda skulle få att göra med, visade sig vara en bekant också till henne – Axel Sandman. Visserligen hade hon bara träffat honom och hans hustru en enda gång på kvarnbacken. Men Axel Sandmans dotter Maria och hennes familj kände hon ju väl och skulle till och med bli släkt med dem när Anna-Lena gifte sig.

Johannes föreslog ett möte mellan Hedda och Sandman kommande torsdag. De kunde träffas i lagerrummet innanför boden och han skulle se till att ingen annan fanns där då.

Hedda måste le när hon hörde Johannes, han verkade inte trött längre utan föreföll att trivas i konspirationens töcken. Glömde ålder, krämpor och bekymmer, blev nästan som en pojke när han planerade de invigdas hemlighetsfulla möte.

Ja, denna vår och sommar hände mycket. Det verkade som om de förtryckta äntligen vaknat upp och som om åtminstone några av dem börjat samla sig till motstånd och kamp. För dem som var med tycktes det som om en ny svensk historia hade påbörjats, berättelsen om hur de okända och glömda trädde ut ur det mörker som dolt dem och började förbereda ett samhälle som gav plats också för dem och deras barn.

Under våren hade några sättare på Aftonbladet och en korrekturläsare på Stockholms Dagblad inbjudit till bildandet av en ny organisation för konstförvanter – eller typografer, som de yngre bland dem gärna kallade sig. Många samfund, föreningar och gillen hade uppstått under de senaste åren, påpekade man i inbjudan, dock inte för de arbetande klassernas folk. Ändå var det just de som hade långa arbetsdagar och låga löner som bäst behövde få mötas till bildande nöjen och tidsfördriv på lediga stunder, i stället för att samlas på krogarna.

Naturligtvis fanns önskningar om något mer än bildande nöjen. Man ville också fungera som en facklig organisation även om detta inte kunde utsägas klart.

Den nya föreningen möttes dock inte av särskilt stort intresse, inte ens bland typograferna själva. Endast ett fyrtiotal deltog i verksamheten. Stadgarna föreskrev att inga starkare drycker än vin skulle få serveras på sammankomsterna. Det blev en anledning för många att dra sig undan, ett sådant förmyndarskap var olidligt för fria män, ansåg man.

Boktryckarnas organisation gjorde sitt bästa för att stoppa den nya sammanslutningen. Men den levde trots allt vidare, ett första och ofullkomligt försök till fackförening.

Medan typograferna började bygga sin organisation återkom ett flertal gesäller, främst skräddare, till Sverige efter flera år utomlands. De började organisera arbetargrupper redan i Göteborg och fortsatte i andra städer som de passerade på väg till Stockholm. Av De rättfärdigas förbund i London och Skandinaviska sällskapet i Paris hade de försetts med goda råd och agitationsmaterial.

En av dessa skräddargesäller var tjugosexårige Carl Rudolf Löwstädt vars gesällvandring pågått i sex år. Han hade en annan och mera borgerlig bakgrund än kamraterna.

Hans far, Carl Teodor Leufstedt, hade utvandrat från det som tidigare kallades Svenska Pommern och bosatt sig i Stockholm. Han kallade sig hovdekorationsmålare men blev främst känd som litograf och karikatyrtecknare. Tillsammans med bokhandlaren Per Götrek utgav han en skämttidning, och i samarbete med skalden Erik Sjöberg, ”Vitalis”, tillkom en del småtryck, mest illustrerade smädevisor. Hemmet var tvåspråkigt eftersom konstnären helst talade sitt tyska modersmål.

Under de många gesällåren hade Carl Rudolf också lärt sig franska och blivit personligt bekant med flera av de franska arbetarledarna, bland dem Etienne Cabet. I Stockholm kände han bokhandlaren Götrek sedan barndomsåren.

Carl Rudolf Löwstädt hade alltså både kunskaper och förbindelser, han var ung och stod fri och kunde ge mycket i arbetet för den politiska organisation som nu planerades.

Sommaren 1846 blev ännu en av dessa varma somrar som följdes av missväxt. Bristen på brödsäd blev mycket stor under vintern som följde. England hade just avskaffat sina spannmålstullar, vilket gav möjligheter till starkt ökad export från Sverige, och de svenska odlarna tillvaratog situationen. Men kraven på svenskt exportförbud blev allt starkare och när det senare visade sig att även sommaren 1847 skulle ge dålig skörd infördes förbudet.

Ett annat orosämne var den nya fabriks- och hantverksordning som skulle börja gälla den första juli 1847. Den innebar skråväsendets upplösning och fall även om mästare- och gesälltitlarna tills vidare skulle överleva i en del hantverk. De gamla skråämbetena upphörde och i stället bildades en gemensam hantverkarförening.

För arbetarna bjöd den nya ordningen på både för- och nackdelar. De utbildades rättsliga ställning stärktes, de skulle städslas för en viss tid och fick under denna tid inte avskedas, de stod inte heller under husagan. De outbildade var däremot fortfarande tjänstehjon. Stadgan förde dock de olika arbetargrupperna närmare varandra medan skråväsendet ofta isolerat dem från varandra.

Ännu visste man för litet om vilka följder den nya lagen skulle få, många fruktade sänkta löner. Söndagsbladet förutspådde de gamla hantverkarnas undergång och menade att de yngre förmågor som lockades av de nya friheterna skulle hamna i procenteri och fördärv.

Den ökade oron ledde till intensivare mötesverksamhet på olika håll, också i den försiktiga bildningscirkeln. Där höll i januari 1847 komminister Ignell från Katarina församling ett föredrag om ”kommunism och kristendom”, som Ignell menade var oförenliga. Han bemöttes av skräddargesällen Forsell som ansåg att kristendomens och kommunismens läror egentligen var samma sak, kommunism var ingenting annat än praktisk kristendom. Forsell, en elev till Etienne Cabet, framhöll den arbetsvilja och bildningstörst som fanns hos folket.

Vid samma tid bildades också Skandinaviska sällskapet i Stockholm – och som en inre, hemlig kärna inom detta, Kommunistiska sällskapet. Skandinaviska sällskapets tillkomst avslöjades ganska snabbt av det konservativa bladet Hermoder, varför sällskapets ledning skyndade att sända sina stadgar till överståthållarämbetet. Sällskapet skulle, i likhet med de som fanns i Köpenhamn och andra städer utomlands, verka för sann medborgerlighet och broderlighet mellan de nordiska folken.

Existensen av Kommunistiska sällskapet hemlighölls dock för myndigheterna. Däremot sökte man förbindelse med motsvarande grupper utomlands och i Cabets Le Populaire infördes ibland något överdrivna uppgifter om de svenska kommunisternas organisatoriska framgångar.

Den som åtminstone utåt mer och mer framstod som de svenska arbetarnas främste talesman var skräddargesällen Sven Trägårdh. Han verkade inom både Bildningscirkeln och Skandinaviska sällskapet, han talade på möten anordnade av Skyddsföreningen för frigivna fångar. En starkt engagerad sympatisör och medarbetare var bokhandlaren Per Götrek, i vilkens hem vid Järntorget Kommunistiska sällskapet samlades. Götrek var en svärmare och fantast, knappast lämplig att delta i det mera fördolda arbetet, han var alltför känd, alltför frispråkig och världsfrämmande.

Carl Rudolf Löwstädt syntes inte mycket. Men han höll kontakt med sällskapen och med byråerna ute i världen, han läste och översatte deras brev och propagandamaterial. Översättningarna lämnade han till gesällen Sandman som såg till att de blev renskrivna. Så småningom samlades en stor bandomknuten bunt av papper på Löwstädts bord. Det översta bladet hade en omsorgsfullt textad rubrik: *Om Proletariatet och dess befrielse genom den sanna kommunismen.*

Under våren 1847 anlände från London en agitator, han uppträdde under namnet Heinrich Anders och var utsänd av De rättfärdigas förbund. Till detta förbund hade nyligen Karl Marx och Friedrich Engels, som tillsammans drev en socialistisk byrå i Brüssel, anslutit sig. Byrån anordnade i juni den första kommunistiska världskongressen och höll sedan ytterligare en kongress vid slutet av året. Vid dessa möten diskuterades hur en kommande världsrevolution skulle kunna genomföras och Marx fick i uppdrag att skriva rörelsens program.

Ännu så länge hade byrån i Brüssel inte något avgörande inflytande. Den lära som Anders skulle propagera för i Norden var Cabets kristna kommunism – som Marx snart skulle beteckna som uteslutande utopisk och värd att bekämpa.

Anders sammanträffade med Trägårdh och gesällerna kring honom samt med Götrek. Ur sin välpackade ränsel överlämnade Anders buntar av medfört propagandamaterial. Men efter bara några dagar i Stockholm fortsatte han vandringen norrut mot Uppsala och Gävle och därefter mot Norge. Några egentliga spår av hans verksamhet ute i landet kunde knappast märkas.

Johannes Ekberg försökte följa vad som hände men de uppgifter han fick var inte särskilt många eller detaljrika. Han tillhörde inte den inre kretsen även om han någon gång var med på mötena hemma hos bokhandlare Götrek. Det var inte så ofta han kunde komma ifrån, hustrun Kerstin blev sämre, tobaksboden krävde också så mycket av hans tid.

I augusti dog Kerstin och då förlorade Johannes livslusten och livsviljan. Han kände sig gammal och trött, ensam och utanför livet. Försökte ändå att sköta boden, han hade ju lovat att hjälpa till med tryckkostnaderna för skriften som Löwstädt och de andra arbetade med.

Frigörelsearbetet var viktigt, det ansåg han fortfarande. Men han insåg att han själv inte skulle få uppleva någon skördetid, inte få vara med när "den andra historien", som skrevs i hemlighet, en dag skulle offentliggöras. Ändå hade han fått uppleva början till något nytt, aningarnas och de första förhoppningarnas tid.

Han orkade inte riktigt ta del av skeendet, inte möta människor och tala med dem, inte läsa som förr. Det kändes inte heller så viktigt att äta ordentligt och sköta hälsan. Barbro kom och hjälpte honom ibland med städning och tvätt och vad som behövdes, hon oroade sig för honom, förmanade honom. Och han lovade att sköta om sig bättre men sedan blev just inte så mycket av.

En dag kom Hedda och visade honom ett upprop ur Le Populaire som hon renskrivit för den planerade skriften. Det var Cabets uppmaning till emigration till det förlovade landet, drömmarnas Ikarien, det samhälle som de franska kommunisterna skulle grunda i Norra Amerika. De förföljda och förtryckta uppmanades att lämna träldomens hyddor för att söka ett jordiskt paradis med mänskliga rättigheter, frihet och jämlikhet:

”Nya Världsupptäckare, låtom oss upptäcka och grundlägga en ny värld, ett Guds och hans rättvisas rike på jorden.

Nya Missionärer, låtom oss ej allenast predika, utan även utöva broderkärleken, och inskriva den i våra lagar, våra institutioner, på våra minnesvårdar, och framför allt i våra hjärtan.”

Visst hade Johannes velat följa med på färden till detta framtidsland. Men det var för sent, han var dömd att stå kvar och se de unga försvinna bort mot en lyckligare framtid.

”striden kan ej undvikas”

”Kommunismen, detta Proletariatets Evangelium, återförvisande till den ursprungliga kristendomen, har det gemensamt med denna, att dess läror ej spridas genom högskolorna, utan utgå från verkstäderna och de fattigas boningar. Den har det gemensamt med Kristi Evangelium, som var judarna en förargelse och grekerna en dårskap, att den måste bliva en förargelse för den privilegierade klassen och en dårskap för den världsliga visdomen.”

”Striden kan ej undvikas. Den gäller samhället; den gäller mänskligheten och dess framtid. Det vore skäligt, att den, medan ännu tid är, bilades. En våldsam omstörtning, en revolution, är oundviklig, såvida ej en reform på fredlig väg dessförinnan beredes.”

Ur Om proletariatet och dess befrielse genom den sanna kommunismen, utgiven 1847.

”Striden kan ej undvikas.”

Gång på gång återvände Axel Sandman till den korta meningen som kändes så viktig, så avgörande och ödesdiger.

Han hade lyckats bygga upp en ganska god tillvaro. Han var en erkänt duktig hantverksgesäll och som sådan hade han det onekligen bra, betydligt bättre än de flesta arbetare. Borde han då inte vara nöjd och undvika allt som kunde kasta honom och hans närmaste i olycka?

Ändå kunde han inte komma ifrån det han lärt och upplevt under ungdoms- och vandringsåren, krav måste ställas på en större solidaritet än familjens, ett gemensamt ansvarstagande var nödvändigt. Kvar fanns också denna okuvliga önskan att tillerkännas människovärde, att erövra samma rättigheter som de erkända medborgarna. Trots allt tillhörde han fortfarande slavarnas klass, de som inte ägde någon rätt eller möjlighet att påverka samhällsutvecklingen utan stod nedanför, under samhällets golv.

I handen höll han skriften som de så länge arbetat med, vars innehåll diskuterats sida för sida och mening för mening innan den till sist tryckts. Riktigt ense hade de aldrig blivit och det kunde säkert en uppmärksam läsare upptäcka. De hade hämtat innehållet från många olika håll och där fanns motsägelser, uttryck för ganska olika uppfattningar. Etienne Cabets milda, allt förlåtande och förstående kristendom bröt mot Friedrich Engels hårda stridsparoller. Man förklarade kommunisterna vara "all mänsklig ordning undergivna" men påstod också att "en våldsam omstörtning, en revolution är oundviklig" om kraven inte uppfylldes.

Själv hade Sandman väl hört till dem som talade för de kraftigare orden och åtgärderna, han var dessutom en av de icke-religiösa. Han hade inte velat ha med det avslutande kapitlet med de fromma Cabet-kommunisternas fantasier om att grunda en mönsterstat i Amerika. De tyska kommunisterna ansåg det vara en olycka om de som skulle bygga ett nytt Europa övergav sin uppgift, Sandman hade lyckats få med några rader om den saken.

Trots ofullkomligheterna och motsättningarna han fann var Axel Sandman ändå ganska nöjd med resultatet. De hade kommit med något nytt, en programförklaring. Men det skulle inte förvåna honom om skriften beslagtogs. Han kände stor respekt för Cabet-vännen och skräddarkollegan Löwstädt som vågat ta på sig ansvaret som utgivare och var den främst utsatte om myndigheterna slog till.

Även om Sandman var stolt över skriften och sitt medarbetarskap så tänkte han inte visa den för sina anhöriga. Hustrun skulle bara bli orolig. Och förebrående om hon fick höra att han till och med satsat pengar på företaget. Svärsonen Hugge kunde inte läsa och för de egna barnen var det kanske lugnast och bäst om de ingenting visste.

Man var inne i november månad nu men vintern dröjde fortfarande. Någon snö hade inte kommit ännu utan staden låg i grått dis, en våtklibbig dimma.

Axel Sandman stoppade ner den lilla skriften i fickan för att skydda den mot fukten, exemplaret skulle han överlämna till sin vän tobakshandlaren vid Stora Nygatan. Johannes Ekberg hade varit med och bekostat tryckningen och hörde till de första som skulle få se resultatet.

Ekberg stod i boden och var upptagen av några kunder, den som bara skulle ha snus blev snabbt expedierad men den som skulle köpa en pipa tycktes aldrig komma till beslut. Till sist bestämde han sig ändå och Sandman fick möjlighet att utan vittnen överlämna skriften.

Ekberg såg tärd och eländig ut. Sandman ville gärna locka med vännen på krogen, sitta och prata en stund, muntra upp honom. Men i dag skulle inte biträdet komma utan handlaren måste hålla sig vid sin disk.

Riksdagsmännen hade kommit nu, sa Ekberg. Regeringen skulle lägga fram flera nya och stora förslag till riksdagen. Ny strafflag, höjd brännvinsbeskattning, en frihandelsvänlig tullstadga. Förmodligen hade regeringen känt sig handlingskraftig och hoppfull men nog lät det som om de flesta riksdagsmännen var tvehågsna eller missnöjda. Liberalerna tyckte att alla reformer var för dyrbara, brännvinsbrännare och tullskyddsvänner kände sig förföljda och missgynnade. Om representationsförslag och utökad valrätt hördes inte ett ord. Det verkade som om de konservativa stärkte sina ställningar, deras ledare – gamle von Hartmansdorff – var fortfarande lika stridbar och motsatte sig allt tal om nyheter och reformer. Han tyckte lika illa om allmänna val och näringsfrihet som om järnvägarna, som major von Rosen blivit så imponerad av och ville införa i Sverige.

Ekberg försökte hålla kvar intresset för vad som hände i samhället. Men Sandman anade att vännen inte riktigt orkade. Det blev inte mycket mer än ansatser.

När kvällen kom och Johannes stängt affären satte han sig i lagerskrubben innanför boden. Sedan Kerstin dött hade han lämnat den lilla bostaden de haft i samma hus, skrubben räckte för hans behov.

Han hade bara ätit några brödbitar och druckit en mugg öl under dagen och nu borde han väl laga något åt sig. Men det blev inte så, han kände sig inte hungrig och det föreföll så onödigt att vidta några åtgärder när han var ensam. Det fanns några skivor salt fläsk och dem åt han som de var. En kall potatis gick ner den också. Sedan tände han ändå i järnspisen, främst för att få litet värme till natten men också för att värma en kopp kaffe.

Johannes placerade ett ljus på bordshörnet, lade sig på träsoffan med sitt eget gamla täcke under och Kerstins över sig. Tog fram skriften han fått av Sandman, bläddrade, läste några rader här och några där.

Slaven var såld en gång för alla, proletären måste dagligen och stundligen sälja sig själv, läste han. Proletären kunde bara befrias genom att all egendomsrätt, all konkurrens och alla klasskillnader upphävdes.

Den fridsamt progressiva kommunismen ville bibehålla äktenskap och familjeliv, i renad och fullkomligare form. Den fordrade demokratiens fullständiga införande men tillät inte att någon våldsamt berövades sin enskilda egendom.

Genom lagstiftning skulle den privata egendomen inskränkas och så småningom förvandlas till samhällelig. Arbetarna skulle sysselsättas på nationella fabriker och gods, barnen skulle uppfostras på statens bekostnad och vårdas i av staten inrättade anstalter.

Nationaliteten skulle försvinna sedan folken förenats genom gemenlighetsprincipen – på samma sätt som ståndsskillnaden skulle bortfalla genom privategendomens upphävande.

Kommunism var motsatsen till individualism, den var enhet, jämlikhet, frihet, solidarisk ansvarighet, en allmän försäkringsanstalt. Den gav ett fullkomligt förverkligande av *samhället*.

Den talade dock inte för någon omöjlig absolut jämlikhet utan för en förnuftig och möjlig. Den som var större till växten skulle erhålla en större klädnad än den som var mindre, annars blev den större ej lika väl klädd som den mindre.

Johannes läste häpen och oroad. Mycket kunde han hålla med om men absolut inte allt. Han vågade inte tro att alla problem skulle kunna lösas så lätt och lyckligt ens genom kommunismen.

”Inom kommunismen skall man icke mer finna några olovliga kärleksförhållanden, några tjuvar, några lättingar, några druckna...”

Bröder, förlåt min vantro, viskade han och släckte ljuset.

Han orkade inte läsa mer nu, inte ens grubbla över det han läst. Utan kröp ner i mörker och ensamhet.

Europa hade jäst och bubblat av oro ända sedan den franska julirevolutionen 1830. Under de senaste åren hade temperaturen stigit. Industrialiseringen fortskred allt snabbare vilket betydde att städernas proletariat växte. Socialistiska rörelser hade uppstått, gjort de fattiga medvetna om sitt elände och manat till revolution och kamp.

Fruktan för uppror hade tvingat monarker och regeringar att söka stöd hos den nya stora medelklassen för försvar av gemensamma privilegier.

Samtidigt krävde hela nationer och folk, förtryckta, besatta och styckade, sin frihet och sina rättigheter. Italienare, ungrare och tjecker protesterade mot det österrikiska kejsarväldet, polacker deltog i alla tänkbara rörelser för att bidra till Polens återförenande, i många tyska småstater började krav resas på politisk förening och gemensamt parlament.

Som vanligt var det i Frankrike – och i Paris – som det pyrande missnöjet först slog ut i öppen eld.

Ludvig Filip, en gång hälsad och hyllad som "borgarkungen", hade avvisat önskningar om reformer och tillsatt den oböjlige och hårde François Guizot som statsminister. Guizot var en stark motståndare till kraven på att även en stor del av arbetarklassen skulle få rösträtt. Stora möten, så kallade reformbanketter, anordnades för att driva på utvecklingen till ökad demokrati.

En sådan bankett för tiotusen förhandsanmälda gäster skulle hållas i Paris den tjugoandra februari men hindrades av regeringen som drog samman trupper i och omkring staden. Det gav upproriska parisare anledning att börja bygga barrikader på gatorna och kräva Guizots avsättning. Staden förvandlades till ett slagfält när militärer gick till angrepp mot folkmassorna som samlats på öppna platser och bakom barrikader. Flera bataljoner av nationalgardet övergick till de upproriska och snart kom meddelandet att kungen avskedat Guizot. Inom medelklassen jublade man och ansåg segern vunnen. Men arbetare och republikaner stannade kvar på barrikaderna och fortsatte striden trots att den liberala oppositionens företrädare Adolpe Thiers fått uppdraget att bilda regering.

Den tjugofjärde februari abdikerade Ludvig Filip till förmån för sin sonson, ”greven av Paris”, som under förmyndarskap av sin mor, hertiginnan av Orléans, skulle efterträda kungen. Men eftergiften var inte tillräcklig. Folkmassor belägrade Tuilerierna och kungafamiljen flydde, först kungen och senare också hertiginnan med son. En provisorisk regering med sex mera moderata republikaner tillsattes men inte heller den åtgärden godkändes. Folkmassorna under röda fanor krävde nu egendomsgemenskap och arbetarregering.

Så långt nådde man inte, men i en provisorisk regering intogs en tidningsutgivare som representant för arbetarna, och skriftställaren och socialisten Louis Blanc tillsattes som statssekreterare med särskild uppgift att ta hand om arbetarnas problem. Nationella verkstäder skulle anläggas. Nya val skulle hållas och mot tidigare tvåhundratusen röstberättigade skulle nu nio miljoner fransmän få delta i riksdagsvalen.

Från Paris spred sig revolutionsvågen ut över Europa. Skrämda tyska småfurstar tvingades acceptera krav på val av ett gemensamt tyskt parlament. Preussens kejsare, Fredrik Wilhelm IV, satte sig emot planerna men efter upplopp i Berlin i mars förklarade han sig beredd att ta ledningen för en tysk-nationell rörelse och liberalisering.

I Österrike tvingades den gamle furst Metternich avgå och fly. Oroligheterna där följdes av uppror inom olika delar av kejsardömet, i Italien, Ungern och Tjeckien.

Samma dag som Ludvig Filip abdikerade låg Karl Marx' och Friedrich Engels' Kommunistiska manifestet färdigtryckt i London.

Kommunistiska sällskapet sammanträdde under vintern varannan måndag i bokhandlare Götreks bostad vid Järntorget. Beteckningen ”sällskap” var ganska passande, under sällskapliga former samtalade man om dagens frågor och möjligheten att lösa dem med de kommunistiska idéernas hjälp. Närvarande på mötena var sällan mer än sex till åtta personer och man höll inte så hårt på att de som kom skulle vara medlemmar, man kunde ta intresserade vänner med sig och någon kontroll förekom inte, dörren stod olåst.

Sällskapet var inte anmält till och godkänt av myndigheterna, på så sätt kunde det betraktas som "hemligt". Men man gjorde knappast någon hemlighet av sitt deltagande, när skriften Om proletariatet hade utkommit sändes ett meddelande om detta till Cabets tidning i Paris, undertecknat med namnen på de tio mest aktiva. När brevet infördes i Le Populaire hade namnen dock inte tagits med.

Kommunistiska sällskapet hade bildats som en grupp inom det av överståthållarämbetet godkända Skandinaviska sällskapet, det höll sina sammanträden de måndagar då Skandinaviska sällskapet inte träffades. Vid de senaste sammanträdena hade kommunisterna främst diskuterat skriften de utgivit, vid varje möte lästes också översatta stycken ur Le Populaire, som man prenumerade på.

Vid mötet den trettonde mars kunde värden Götrek endast då och då delta i samtalet, han hade legat sjuk och var ännu inte helt återställd. Sju deltagare kom, skräddargesällerna Löwstädt och Pettersson hörde till de trägnaste, metallarbetaren Gahnström och juvelerargesällen Lindgren var mera nyvunna medlemmar. Skomakare Ljungberg och urmakare Zetterlund hade inbjudits av Götrek, hur arrendator Sandberg hittat dit visste ingen riktigt. Han hade väl hört talas om sällskapet och var intresserad av saken, det fick räcka.

Mötet inleddes som vanligt med att Löwstädt läste och översatte det senast anlända numret av Le Populaire. Det hade dock utgivits före de senaste sensationella händelserna i Paris och hade inte något att berätta om dem utan handlade främst om den planerade resan till drömmarnas Ikarien. Man diskuterade naturligtvis ändå vad som hänt och Götrek kom då in i rummet. Han uttryckte förhoppningar om att Cabet och deras andra vänner inte skulle svika den fredliga kommunismens väg. Vid slutet av det två timmar långa mötet insamlades två skillingar från var och en, pengarna skulle användas till prenumeration på Le Populaire och lämnades till Löwstädt som skötte förbindelsen.

Medan mötet pågick verkade det som om den för de övriga okände arrendatorn Sandberg blev mer och mer ointresserad av vad som försiggick. Förmodligen motsvarade inte kretsen hans förväntningar och han gick lika ensam och okänd som han kommit. Senare skulle det visa sig att han inte var arrendator av

Äppelvikens gård, som han uppgivit, utan en tjugoårig lärling hos glasmästare Booberg på Ladugårdslandet.

Glasmästarlärlingen var inte den ende som besviken lämnat Kommunistiska sällskapets möten. Flera besökare hade ganska snart tröttnat. Dit hörde tre radikala studenter från Lund som funnit Götreks kommunister alltför stillsamt och religiöst idealistiska. Studenterna ville gå snabbare och hårdare fram och såg snarast religionen som ett hinder. Skräddargesällen Axel Sandman hade liknande invändningar och tyckte att Götrek nog snarare var en kuf än en samhällsomstörtare. Gesällerna Renhult och Trägårdh var inte heller med så ofta, antagligen tyckte de sig göra mera nytta genom att delta i större sammankomster där deras idéer nådde fler – i bildningscirkeln, i skyddsföreningen och i det nybildade Stockholms reformsällskap.

Reformsällskapet hade börjat sin verksamhet som en organisation främst för liberala riksdagsmän som önskade en representationsreform. Vid ett möte den första mars hade man förändrat organisationen så att den nu var öppen för alla. Men hantverkare och andra arbetare var ganska få, majoriteten utgjordes av medelklassliberaler som stod ganska ljumma inför arbetarnas önskningar att vinna rösträtt. Trägårdh hade framträtt några gånger och talat för de mångas rätt, vilket skapat mera oro än förståelse, för att tysta honom och andra mindre vana talare beslöts att inga skrivna anföranden skulle få uppläsas vid mötena. Frågan om arbetarnas rösträtt lämnades obesvarad även om Trägårdh stötts av de lundastudenter som han tidigare mött i Kommunistiska sällskapet.

Några dagar efter det att nyheten om oroligheterna i Paris nått Stockholm inbjöd reformvännerna till en subskriberad middag. Den skulle äga rum lördagen den artonde mars i de la Croix' salong vid Brunkebergstorg. Från början hade man tänkt sig en "reformbankett", men eftersom ju en sådan inlett oroligheterna i Paris undveks namnet och man beslöt att allt skulle göras för att tillställningen inte skulle förvandlas till en revolutionsdemonstration. Vid middagen skulle endast två skålar få utbringas – för kungen och för representationsreformen. Anförandena som hölls skulle i förväg vara godkända av arrangörerna och mötet avslutas med folksången. Restriktionerna ledde till att några mera revolutionära herrar strök sina namn på deltagarlistorna, bland dem August Blanche och Anders Lindeberg.

Kung Oskar hade också vidtagit en åtgärd för att lugna sinnena. Han kallade till sig konstitutionsutskottet och uttryckte en allvarlig önskan om att ett fullständigt förslag till ny representationsordning snabbt skulle läggas fram i riksdagen.

Nyheterna om revolutionärernas framgångar och det franska kungadömets fall väckte en storm av känslor också i Sverige. I Uppsala och Lund tågade studenter genom gatorna, hurrade för republiken och sjöng Marseljäsen. I Stockholm blev det trångt på värdshusen, också där sjöng man och skålade för de tappra parisarna. Även många som i vanliga fall kände sig som rojalister greps för en tid av republikansk yra och gladdes åt ”frihetens seger”.

De konservativa bladen varnade för denna ”lek med elden” men Aftonbladet svarade att så talade politiska krukor. Söndagsbladet, som var motståndare till näringsfrihet och ointresserat av representationsreformen, angrep på nytt ”de liberala storpratarna” och ansåg att de i stället för att skrodera om frihet borde göra något för att rädda arbetarna ur deras elände.

Samtidigt som hänförda röster jublade över fransmännens erövrade friheter spreds oroväckande men osanna rykten om att riksdagen skulle ha beslutat om starka inskränkningar av fattiga svenskars rättigheter. Höga statstjänstemän och politiker möttes i hemmen av gråtande tjänstefolk som hört rykten om att tjänstehjonen skulle iföras samma grå uniform som fångarna och behandlas därefter.

Upproriska anslag började dyka upp på husväggarna men revs hastigt ner av poliser och laglydiga medborgare.

Man fruktade nu att reformsällskapets middag skulle kunna utlösa den oro som bubblade och kokade under den till synes lugna ytan. På morgonen lördagen den artonde mars förstärktes vakthållningen överallt i staden och mindre truppavdelningar anlände under hela förmiddagen till Slottet.

”då är leken slutad”

”Fattighärbärgen och baracker förslå icke mera. Nya fängelser resas oupphörligt. Sveriges jord skall snart icke mera trampas av ett ärligt fritt folk utan bliva grundplanen till ett enda förfärligt fängelse. – – – Svenskar! Revolutionens timme är slagen. Handling och endast handling gäller det!”

”Men darren despoter, förtryckare, blodsugare! Snart slår eder sista timma. Då är leken slutad. Allvaret träder upp. Ett slag av Folkstyrkans järnhandske skall på en gång krossa eder och tronen och monarkin för evigt.”

Ur upprop vid mars-oroligheterna 1848.

Lördagsmorgonen var kall men solen blänkte i gatornas is och hårdtrampade snö. Under natten hade upprop av olika slag klistrats på väggar och portar. Några uppmanade till strid och revolution men de flesta bara till uppslutning på Brunkebergstorg, man ville genom en samling på torget understryka de krav på rösträttsreform som skulle framföras vid reformsällskapets middag på de la Croix.

Drängen Hugge Lindgren, som hackat bort is utanför bryggeriets port vid Pilgatan och nu sandade, fick order av bryggare Ackerman att ta ner anslaget som satts upp på porten. Innehållet var ganska oförargligt, Hugge visade det för en läskunnig arbetskamrat: Femtusen medborgare samlas på Brunkeberg i afton. Leve reformen! Allmän valrätt!

Hugge begrep inte vad det där reformpratet skulle tjäna till, det föreföll honom inte så viktigt. Han ville ha mat och pengar och bättre villkor överhuvudtaget – men frågan om rätten att vara med och välja folk till riksdagen intresserade honom inte. Han lyssnade inte heller på diskussionerna om näringsfrihetens vådor och skyddstullarnas välsignelser som gesällerna och deras mästare förde. De gnällde över att de förlorat sina privilegier och krävde att deras tillverkning också i fortsättningen skulle skyddas genom höga tullar på utländska varor. Men Hugge tyckte att de struntförnäma gesällerna gott kunde få känna på hur vanliga arbetare hade det, de hade suttit länge nog på sina höga hästar och inbillat sig att de var förmer än vanligt folk.

Senaste tiden hade en del gesäller varit ovanligt ihärdiga, de hade sökt de annars glömda, outbildade grovarbetarnas sällskap och uppmanat dem att vara med och göra revolution, som man gjort i Paris. Visst kunde det låta lockande, det fanns ett par kitsliga poliser som Hugge inte skulle ha något emot att ge ett kok stryk.

Men med tanke på familjen avstod han nog ändå, alldeles riskfritt kunde det knappast vara även om den där gesällen på krogen påstått att ingen makt i världen kunde stå emot folkets enade kraft. Man behövde bara se vad som nu hänt ute i Europa – och svenskarna var väl inte sämre än andra.

Gesällen hade också kommit med det där talet om att alla arbetare och tjänstehjon skulle kläs i fångdräkt, ges halverade löner och inhysas med sina familjer i arbetslokalerna. Det lät illa, men dagen därpå hade bryggare Ackerman berättat att sådana rykten spreds av illvilliga människor och var helt sanningslösa. Det kunde Ackerman ge sitt hedersord på. Och Ackerman var ju en hederlig karl, även om han var arbetsgivare.

Förresten blev det kanske inte så mycket av. Det var dåligt väder för stenkastare, kylan gjorde att de knaggliga gatstenarna satt som fastgjutna. Kanske Hugge ändå gick ut en stund, för att vara med och se om något hände. Fast de där spinkiga gesällerna dög nog inte mycket till, de fick säkert stryk.

”Reformmiddagen” började klockan tre på eftermiddagen. Även om fönstren hölls stängda strömmade taffelmusikens toner och bifallsropen vid tal och skålar ut över Brunkebergstorg. Framåt femtiden hade en hel del folk, mest kvinnor och pojkar, samlats på torget. De flesta kvinnorna försvann snart medan pojkarna blev allt fler och hurrade allt högre och oftare. Nu började också män komma, en del av dem med en järnstång instoppad i rockärmen. Några var klädda på ett sätt som väckte uppmärksamhet, en hade en lång ljusblå paletå, en annan bar en mössa med påsytt röd-brunt sammetstyg. Andra hade svärtat sig i ansiktet med hjälp av bränd kork, någon hade till och med lösnäsa. Kanske avsikten med klädseln var att de skulle synas, dirigera uppbådade kamrater?

Ändå fanns fortfarande mer av fest än uppror i bilden. Allt föreföll någorlunda lugnt när middagsgästerna från de la Croix började strömma ut och ta sig hemåt vid sextiden.

Ingenting särskilt störande hade hänt. Kungafamiljen beslöt sig för att trots allt besöka Operan där man gav Friskytten med Jenny Lind som främsta attraktion. Överståthållare Sprengtporten och den tillfällige garnisonschefen general Lefrén följde de kungliga dit. Ankomsten var försenad, man kom först vid slutet av första akten. Kungen hälsades av leverop och folksången, "Ur svenska hjärtans djup". I pausen mellan andra och tredje akten försvann först överståthållaren och sedan kungafamiljen. Man hade fått meddelande om att oron växt och att stora folkmassor var på väg från Brunkebergstorg mot stadens inre.

Det var vid halvåttatiden på kvällen som stämningen på torget hårdnade. Nu hurrade man inte bara för reformen längre utan också för republik och fransysk frihet. En guldsmed, som varit på reformmiddagen, och några gesäller hävdade att ville man ha något gjort så skulle man tåga till Storkyrkobrinken. Det var där de konservativas ledare, von Hartmansdorff, bodde. På Brunkebergstorg fanns en hög med gatsten som skulle användas vid den pågående stensättningen, högen minskade märkbart när skarorna drog därifrån.

Hartmansdorff kunde känna sig missförstådd. Ingen hade väl så ihärdigt som han motarbetat både näringsfriheten och planerna på minskade importtullar, åtgärder som förespråkats av liberalerna och som retade hantverkarmästarna och många av deras gesäller. Men Hartmansdorff var samtidigt en stark motståndare till den önskade representationsreformen.

Ingen polis eller militär hade posterats utanför huset, Storkyrkobrinken fylldes snabbt av folk. Den första stenen krossade ett fönster i våningen en trappa upp i huset nummer nio – och de som visste bättre ropade att det var en trappa högre som Hartmansdorff bodde.

Under tiden hade kung Oskar återvänt till Slottet och beslutat att själv försöka lugna massorna. Han red ut följd av sina söner och överståthållaren och blev snart omringad av folk som ville framföra sina önskemål och synpunkter. En grosshandlare som deltagit i reformmiddagen – och senare skulle beklaga sig över att han ”för mycket upprymd efter en god middag opåkallat blandade sig i saken” – gjorde sig till folkets talesman och framförde kravet att några arresterade demonstranter skulle friges, vilket kungen beviljade. Polismästaren bars av folket till Rådhuset vid Myntgatan och under jubel släpptes de arresterade ut.

Hartmansdorff var hemma. Under ropet ”Ner med Hartmansdorff” krossades fönster och man försökte slå sig in genom porten. Guldsmeden Lenholm ledde aktionen och delade ut pengar bland de mest aktiva. Polisbefäl misshandlades och måste uppsöka fältskär. När det såg ut som om porten skulle ge vika kom till sist undsättning, en avdelning av Livgardet till häst som sänts ut från högvakten vid Slottet.

Inne i huset hade Hartmansdorff med hjälp av vänner och tjänare flyttat undan möbler och tavlor och satt upp kraftiga gardiner. När rutorna slogs ut blev det så kallt inne att man fick söka en fristad hos fröken Ehrencrona en trappa högre.

Med ryttarna från livgardet kom också överståthållare Sprengtporten, mannen som avsatts vid oroligheterna tio år tidigare men som vunnit kung Oskars bevågenhet. Truppen utsattes för stenkastning men lyckades tömma brinken, varefter bevakningen av huset övertogs av femtio man från Svea garde. Flera av militärerna skadades, en häst fick ett ben avslaget. Även demonstranter sårades, de flesta av sabelhugg, en målarmästare förlorade ett öra, en annan ”bättre karl” näsan. Vid niotiden gav uppretade militärer eld och några demonstranter träffades. Femton personer, varav några poliser, infördes under kvällen på fältskär Herberts rakstuga vid Storkyrkobrinken och sex på Palmblads vid Stora Nygatan.

Hugge Lindgren hade kommit iväg senare än han tänkt sig och när han nådde Storkyrkobrinken var folk på väg därifrån, nu skulle man till ärkebiskop Wingård vid Drottninggatan. Wingård ansågs vara folkets värsta motståndare näst Hartmansdorff. Men på vägen dit hittade man andra mål, först Lejas galanteriaffär vid Gustav Adolfs torg. Där såldes sådana importerade ”nipper” som man tyckte borde beläggas med höga tullar. Affärslokalen skyddades av kraftiga träluckor men fönstren i våningarna ovanför slogs ut.

Hugge deltog inte, han hade inte ens försett sig med stenar. Han höll sig också undan för hästgardisterna som ingrep, tänkte inte ta stryk för gesällernas sak. Men följde med gjorde han, såg på håll hur polisstationen och häktet vid Kastenhof anfölls. En lång karl i ljusblå rock tycktes leda striden, han blåste då och då i visselpipa. Hos Wingård och en rad andra höga herrar krossades fönstren, de sönderslagna rutorna i staden kunde nu räknas i hundratal. Hos konditor Davidsson i huset bredvid ärkebiskopen tillgreps likörer och godsaker ur butiken. På Jakobs torg fann man en ny stenhög och med hjälp av den gick rutorna på Blasieholmen. Även där var mannen i den blå paletån verksam, en tjugosexårig snickarlärling Södergren.

Mycket som hände kunde förefalla motstridigt, nyckfullt. Man ropade "ner med näringsfriheten" utanför Hartmansdorffs port, slog ut rutor hos liberalen Hierta vid Brunkebergstorg, hurrade för republiken och sjöng folksången, "som går till kungen fram".

Någon delade ut lappar som uppmanade folk att komma igen dagen därpå – helst försedda med gevär.

Bland dem som uppträdde särskilt hotfullt var glasmästare Booberg och hans lärling Sandberg, mannen som kallat sig arrendator när han besökt Götreks hem. Någon menade att de var ute för att skaffa glasmästarna och därmed sig själva mer arbete.

Rösterna som alltmer ljudligt sjöng folksången fick revolutionärerna att misströsta. De verkligt aktiva var alltför få och saknade effektiva vapen. Några av dem försökte skriva nya upprop under natten. Något tröstades de av Söndagsbladet nästa morgon, där berättades att revolutionens brand fortsatt att sprida sig över Europa, att land efter land följde exemplet från Paris. Men något om lördagskvällens händelser hade man inte hunnit få med.

Under natten till söndagen och på söndagsmorgonen fördes nya militärstyrkor in i staden. Och då började också några unga män, som vid reformmiddagen entusiastiskt tecknat sig som medlemmar i ett nationalgarde, att samla frivilliga. Men nu gällde det ett medborgargarde av helt annat slag än det nationalgarde som hjälpt de upproriska i Paris till seger, här gällde det ordningens upprätthållande.

Då sov Hugge Lindgren fortfarande, trött efter nattens kringspringande. Men när han vaknade beslöt han sig för att gå ut på nytt. För säkerhets skull, om han skulle bli angripen, stoppade han ner några stenar i fickorna.

Vädret var gråruggigt men mot eftermiddagen klarnade det och då sökte sig allt flera ut, om inte annat så för att beskåda förödelsen efter gårdagens strider.

Skeppsholmsbron hade rivits upp ett stycke, man ville hindra folk från att ta sig ut till vapenförråden på holmen. Vid Slussen bevakades broarna av militärer som hindrade pojkar och andra misstänkta figurer från att ta sig över till stadens inre. Men Hugge och hans vän Storsäcken, som han mött på vägen dit, kom ostörda igenom, militärerna var fullt sysselsatta med att driva bort en skock barnungar.

Kanske de hade sluppit fram ändå, de föreföll ganska fridsamma. Den annars så buttre Storsäcken berättade skrattande om dottern han fått för två år sedan, en liten rolig en som hette Annika och hade gullhårslockar. Storsäcken var gift, det var bäst så, tyckte han. Eftersom hans hustru ärvt en gammal kåk nära Barnängen, genom giftermålet blev den ju hans. Nu tog de emot inneboende och på så sätt klarade de sig över vintern när arbetet i hamnen låg nere.

De tog några supar på en av småkrogarna intill Österlånggatan och pratade med dem som satt där. En del bråk hade förekommit också på söndagsmorgonen, fick de höra. Några upproriska hade tagit sig upp i kyrktornen för att ringa i klockorna men drivits tillbaka. Och pojkar som försökt komma upp på vindarna för att kasta sten därifrån hade gripits i trappuppgångarna och förts till högvakten där de fått stryk. Deras skrik och jämmer hade hörts över hela yttre borggården.

Någon hade hört att Hartmansdorff klätt sig i en lånad kaptensuniform och hämtats i vagn från husets bakport mot Gråmunkegränden. Det var nog inte allmänt känt ännu, för det stod fortfarande en del folk i Storkyrkobrinken och skrek upp mot de sönderslagna fönstren. Vid fyratiden hade en skomakargesäll lett folket därifrån och gått mot Norrmalm där de slagit ut flera fönster och på nytt plundrat Davidssons konditori på godsaker. Gesällen var klädd i en märklig mössa, den var av sammet och påstods vara gjord av en bit av kung Ludvig Filips tronhimmel.

Nu började det bli livligare ute på gatorna och Hugge och Storsäcken beslöt sig för att med egna ögon se vad som hände. Nya militärstyrkor marscherade mot Slottet och överståthållarens folk var ute och satte upp proklamationer på husknutarna. Alla portar skulle hållas stängda mellan tio på kvällen och fem på morgonen och barn, tjänstefolk och arbetare hållas inne under den tiden. De som tillät sig hurrarop, leven, visslingar och andra oljud skulle gripas. Vid våld mot ordningsmakten och stenkastning mot fönster skulle militären gripa in och bruka sina vapen.

Men nog hurrade och skrek folk fortfarande, också sedan en polis till häst med dånande röst i lagens namn befallt dem att åtskiljas. I stället trängde man fram och kommendanten Daevel, som red nerför Storkyrkobrinken, fick en sten i huvudet samtidigt som ett ben slogs av på hans häst. Kommendanten måste bäras bort och hästen ”stickas”.

Medan oroligheterna pågick hade bildningscirkeln anordnat ett extramöte i Börshuset. Programmet var populärt hållet, man hoppades kunna dra folk från gatorna. Bland annat bjöd man på ett föredrag om järnvägars betydelse, en fråga som riksdagen nyligen behandlat. Men skrålet steg ute på Stortorget och man beslöt att avsluta mötet tidigare än avsett så att mötesdeltagarna skulle kunna ta sig därifrån innan det blev alltför oroligt. Gesällen Trägårdh, som hade de flestas förtroende, fick det besvärliga uppdraget att varna de närvarande från att stanna på gatorna, det bästa var att snabbt om än på omvägar söka sig hem. Han avtackades med bifallsrop och applåder.

Efter vad som hänt de senaste timmarna beslöt myndigheterna att ta till våld och kväva upploppet. Kavalleri gjorde en chock uppför Storkyrkobrinken och folk flydde in i tvärgatorna. Kort därefter ryckte en division av Andra livgardet – på språng med fälld bajonett – fram till hörnet av Västerlånggatan och sköt sedan de första skarpa skotten nedåt brinken och in i gatan. Flera personer träffades och infördes i de närbelägna rakstugorna som fått ta emot offren också under gårdagens strider.

En infanteriavdelning rensade Prästgatan, sköt mot stenkastarna.

Sedan, halv nio på kvällen, kom den väntade månförmörkelsen och gjorde det närmast omöjligt för båda parter att upptäcka motståndarna.

Mörkret och skotten som strök förbi skrämde. Hugge och Storsäcken försökte tränga sig in i en portgång men motades bort av husägarens betjänt som fått order att låsa porten. De begav sig ner till gamla Norrbro och tog sig över Helgeandsholmen mot Brunkeberg. Där hade folk börjat bygga barrikader efter franskt mönster, man använde sig av det byggnadsmaterial som staplats på torget och som var avsett för ett husbygge.

Medan Hugge och Storsäcken stod och betraktade barrikadbygget angrep en hästgardisttrupp nerifrån Gustav Adolfs torg. Och plötsligt fann de, som tänkt hålla sig utanför, att de stod i stridens mitt.

Det tycktes inte finnas någon annan möjlighet än att fördriva angriparna och de deltog i stenkastningen tills gardisterna retirerade. Men sedan sprang de två från torget innan truppen hann samla sig och anfalla på nytt. Och på hemvägen höll de sig försiktigt utanför stridsområdet, undvek de platser där folk fortfarande samlades.

Hur många sårade som striderna krävt skulle väl aldrig kunna fastställas. Man räknade med att arton personer avlidit eller senare avled av sina sår. Alla utom en av dessa hade fallit i söndagens strider.

Måndagen kom, dyster och grå med ihärdigt duggregn. Många tog frimåndag, en del av dem som deltagit i bataljerna plåstrade om sina sår och försökte gömma sig, undgå uppmärksamhet. Vid Rådhuset lades lik av okända ut för att identifieras. Olika deputationer avlöste varandra på Slottet där de framförde sina trohetsbetygelser. Det nybildade borgargardet möttes och delades in i kompanier. Flera av dem som anmält sig hade deltagit i reformsällskapets middag, andra tillhörde bildningscirkeln. Bibliotekstjänstemannen Hyltén-Cavallius och några till begärde att få gå ut bland folket på gatorna och tala med dem, övertyga de missbelåtna om att någon förbättring inte kunde uppnås med våld. Man lyckades ganska väl, inga svårare oroligheter uppstod och efter hand skingrades folk.

Men även om inga egentliga strider förekom var oron långt ifrån stillad och många rykten surrade. Rapporter kom om demonstrationer och upplopp runt om i landet.

Hyltén-Cavallius och hans vänner fortsatte att bruka övertalningsmetoden och började uppsöka olika arbetargrupper, där man hoppades vinna stöd mot upprorsstiftarna. De lyckades över förväntan. Vindragarna i härbärget i Stora Hoparegränd satt i sina höga förskinn med väldiga knivar vid bältena och förklarade att de vid första bud skulle ställa upp med handfasta karlar för att stävja alla oroligheter. Spannmålsbärare och -mätare var lika samarbetsvilliga och järnbärarna deklarerade till och med att inga riktiga arbetare deltagit i oroligheterna utan bara pack.

Många arbetare och radikaler, som kanske skulle ha anslutit sig till de upproriska om utvecklingen blivit en annan, tog nu avstånd. De som för någon vecka sedan sjungit Marseljäsen och utbringat leven för republiken sjöng folksången och bedyrade kungen sin trohet.

Det som hänt hade klargjort att det inte fanns någon sammanhållen arbetarklass utan bara många små klasser som var och en höll på sitt. Järnbäraren föraktade ”hamnbusen”, vindragaren såg skräddargesällen som en bortklemad sprätt.

Någon organisation som kunde samla alla dessa sinsemellan olika och ofta mot varandra stridande grupper fanns inte. Det lilla Kommunistiska sällskapet var en löst sammanfogad skara av fantaster och visionärer som inte hade särskilt stark känsla för verklighetens krav. När de drömde om Ikarien flydde de från nuets problem.

Götrek och hans vänner hade funnit några idéer som de ännu inte visste hur de skulle nyttja, anat några töckendolda mål. Men efter vad som nu hänt förstod även de mest optimistiska att vägen var oändligt lång.

Det enda resultatet av protesterna blev väl att den planerade sänkningen av tullar på importerade varor inte genomfördes. Om nu det var någon framgång.

Oroligheterna medförde skärpta krav på ordning, stora summor skänktes att utdelas som belöningar åt dem som avslöjade anstiftarna. Häradshövding Telander utsågs att som tillförordnad polismästare leda polisutredningen av vad som hänt.

Mannen i den märkliga sammetsmössan, tjugosexårige skomakargesällen Engström, tillhörde de först gripna, han togs på onsdagen efter kravallerna. Följande dag greps skrivbiträdet Kahnberg, en av dem som skrivit plakat och rivit ner överståthållarens kungörelser. Båda var kända hos polisen, Engström hade tidigare gjort sig skyldig till rån och inbrott, Kahnberg hade förfalskat och förskingrat.

På fredagen togs några litet finare herrar, bankbokhållaren Almgren, guldsmeden Lenholm och förre handlaren Godhin. Även Lenholm och Godhin hörde till dem som polisen tidigare haft anledning intressera sig för.

Det största fångstsvepet gjordes på söndagen, den tjugosjätte mars. Redan tidigt på morgonen greps en arrendator Sandberg, därefter "mannen i den ljusblå rocken", snickarlärlingen Södergren. Senare på dagen leddes fabriksarbetaren Schortz och glasmästaren Booberg in på poliskontoret.

Booberg sades ha agerat som en ledare och hade uppträtt på flera håll, överallt i sällskap med sin lärling. Telander beslöt att kalla även denne till förhör. Men lärlingen kunde inte anträffas under söndagen, han hade fått ett utmärkt gömställe eftersom han redan satt i förhör, i sin roll som "arrendator" Sandberg. Först på torsdagen greps Sandberg på sin arbetsplats. Dubbelspelet upptäcktes aldrig av polisen.

När det gällde arrendator Sandberg hade en angivare kommit med så intressanta uppgifter att ordinarie polismästaren Bergman själv tagit hand om förhöret. Arrendatorn sades tillhöra, eller åtminstone ha kännedom om, en kommunistisk grupp som kunde misstänkas ha organiserat oroligheterna. Detta hemliga sällskap uppgavs sammanträffa hos bokhandlare Götrek i dennes hem vid Järntorget.

Polismästare Bergman beslöt att bokhandlaren Götrek omedelbart skulle hämtas till förhör i polismästarbostaden vid Brunkebergstorg. Konstaplar ställde upp sig på Järntorget, andra bevakade bakdörren vid Prästgatans backe, några tog sig till bostaden tre trappor upp. Förhoppningen var att hela ligan skulle anträffas och gripas. Men där fanns bara Götrek och hans hustru.

Götrek bad de inträngande herrarna sitta ner, han hade länge önskat sammanträffa med polisen för att försöka intressera dem för de kommunistiska idéerna. Men polisbetjäningen meddelade att det var polismästaren själv som önskade ett samtal. Götrek lät sig inte oroas, snarare tvärtom, omvändelsearbetet kunde gärna påbörjas högst upp.

Götrek kördes till Brunkebergstorg och infördes i det rum i polismästarens bostad som nyttjades som förhörslokal.

Nu, go ' herrar, har vi upptäckt jakobinerklubben! meddelade Bergman sina medarbetare. Och – nu pekade han på Götrek – där står chefen!

Inne i rummet befann sig en ung man som Götrek kände igen. Det var arrendator Sandberg på Äppelvikens gård, uppgav polismästaren. Enligt Sandberg hade det hemma hos Götrek vid sammanträde den trettonde mars förekommit föredrag och samtal om arbetarnas ställning, och en skräddargesäll Löwstädt hade samlat in pengar till prenumeration på en fransk tidning.

Götrek hördes nu. Han berättade att han sedan en längre tid tillhörde en grupp vars lära brukade kallas kommunism och härstammade från fransmannen Cabet, före detta generalprokurator i Paris och ledamot av deputerandekammaren där. Under senare tid hade Götrek lärt känna flera hantverksgesäller som under vistelse i Paris personligen mött Cabet och inhämtat kunskap om hans läror.

Bokhandlaren framhöll att dessa personer, som när det gällde moral stod vida framför andra arbetare, tillhörde den så kallade ikariska kommunismen vilken motsatte sig användandet av våld, de ville med aktning och vördnad för ordning och lag söka åstadkomma reformer på fredlig väg. Cabet och hans vänner planerade att utvandra till Amerika och där bilda en mönsterstat. För att utbyta tankar om detta företag hade Götrek låtit några intresserade samlas hos honom. Han nämnde namnen på de mest aktiva och på förfrågan också dem som deltagit i det senaste sammanträdet. Eftersom mötena aldrig varit offentliga och de närvarande aldrig fler än sju eller åtta hade Götrek inte ansett det nödvändigt med anmälan till överståthållarämbetet.

Bokhandlaren nämnde också att de flesta var medlemmar av Skandinaviska sällskapet, som bestod av mellan trettio och fyrtio personer och vars stadgar godkänts av myndigheterna. Götrek var detta sällskaps ordförande, tidigare ordförande hade varit doktor Ellmin och sekreterare var kandidaten Ekström.

Samtliga som varit med vid det senaste kommunistmötet samt de två nämnda från Skandinaviska sällskapet inkallades omgående. Den av Götrek nämnda skriften Om proletariatet skulle också anskaffas.

De inkallade anlände under dagens lopp och förhören fortsatte. Mycket berättades – men om kontakterna med Kommunisternas förbund i London nämndes ingenting.

Polismästare Bergman blev alltmer besviken. Det fanns inte mycket annat att göra än att släppa de hörda. Men Götrek upplystes om att eftersom för honom främmande och för varandra obekanta personer samlats hos honom, och med hänsyn till de förhandlingar som därvid ägt rum, måste sammanträden i fortsättningen anmälas i förväg.

De där är ju splitt galna, var polismästarens kommentar när han till sist gav upp.

Det syntes honom nu klart att dessa kommunister snarare borde föras till Danviks dårhus än till fängelset på Långholmen. Det var bara en spöksyn han haft när han tyckt sig se en internationell sammansvärjning och professionella revoltörers verk.

Men när skräddargesällen Löwstädt återvänt till sitt hem återupptog han läsningen av kommunistiska manifestet. Den tunna skriften, sammanställd av Karl Marx och Friedrich Engels, skriven på tyska men tryckt i London, hade han fått några dagar tidigare.

Han hade just börjat översätta inledningen när polisen hämtat honom. Den första meningen löd: ”Det går ett spöke omkring i Europa – detta spöke är Kommunismen.”

”men hur hela världen larmar”

”Ägde jag ett bröd att räcka
åt de kära munnar små,
som sin purpur mot mig sträcka,
skulle jag med eder gå;
men hur hela världen larmar,
som sin frihet återtar,
hålla mig små trinda armar
här i fångenskapen kvar.”

C.V.A.Strandberg i diktsamlingen
Vilda rosor, 1848.

Även om Nytorget existerat i snart tvåhundra år kunde det göra skäl för namnet, det liknade en marknadsplats i ett nybyggarläger. Husen intill var inte många, några på Nya gatans norrsida, några i öster intill sluttningen upp mot Vita bergen. Det enda större huset intill torget var Malongen, som helt dominerade bebyggelsen. Ute på torget stod ett spruthus av sten där brandspruta och eldsläckningsredskap förvarades. Det fanns också en pump men vattnet smakade inte bra. På ena sidan av torget ställde bönderna sina vagnar och satte upp stånd, platsen var upplåten för försäljning av lantmannaprodukter. Men större delen av torget låg tomt, det var gropigt och vattensjukt trots att ett avloppsdike grävts, någon stenläggning fanns inte. Där det var som värst hade spänger lagts ut för de gående. I väster och söder utbredde sig åkrar och vida fält.

Husen på kanten av Vita bergen bildade en sluten länga och innanför denna låg gårdarna omgärdade av plank. Tillsammans med några mindre skjul utgjorde planken också gräns mot Renstiernasgrändens branta backe högre upp, gränden klättrade över berget och stupade sedan ner mot Färgargränden och Vintertullsgatan.

I ett av husen närmast Malongen hade Olof Håkansson och hans hustru Malin hyrt ett rum då de gift sig för två år sedan. Rummet var ganska bra, det hade öppen spis och fönster mot torget.

Ganska många bodde i huset och i det som låg närmast intill. De båda husen hade gemensam gård och ägare och upplevdes som en enhet, skild från omvärlden genom gårdsplanken.

Till att börja med hade den överallt påträngande närheten känts skrämmande. I hela sitt liv hade Malin bott i trädgårdsmästarhuset i den stora, vackra trädgården där hennes far arbetade. Människorna där hade varit få och under de senaste åren hade Malin till och med legat i egen säng, ensam i köket.

Här hade hon och Olof inget kök utan bara rummet, en gemensam säng. Utanför deras dörr och på gården vimlade det av människor, både vuxna och barn. Där fanns fulla karlar och fräcka pojkar, gnatande gummor och fnittrande tonårsflickor, odygdiga ungar och skrikande spädbarn.

Första tiden drog Malin sig undan, stängde sin dörr och höll sig inne när hon var hemma. Nu hade hon vänjt sig, sommartid var det ändå skönt att komma ut och när hon väl lärt känna grannarna blev de mindre skrämmande. Fast nog fanns det några som man fick vara litet försiktig med, madam Ydlund hade tre pojkar som var yrkestjuvar och vandrade in och ut i fängelserna. Men Ydlundskan försäkrade att pojkarna aldrig skulle ta något från en granne, de var hederliga tjyvar.

Ibland kändes den nya, stora gemenskapen värdefull, som en befrielse från ensamhet och isolering. Men när Malin tänkte på barnet hon snart skulle föda kunde hon frukta närheten, ana faror och frestelser. Många av barnen som växte upp här blev naturligtvis flarn och slödder, tiggare och tjuvar. Möjligheterna till gemenskap och glädje var också möjligheter till undergång och olycka. Ensamheten, som hon själv lidit av och längtat bort från, var trots allt också ett skydd. Ett litet barn levde säkrare i en stängd trädgård än på en öppen gård.

Hon måste finna en medelväg. Hur det än gick för dem i framtiden måste hon försöka få råd med eget rum och slippa inneboende. Och hon skulle hålla barnet nära sig, skydda det så gott hon kunde.

Hon måste le när hon förstod att det var just så hennes egen mor hade tänkt och gjort.

Innan barnet ännu var fött hade Malin förvandlats från upprorisk dotter till beskyddande mor.

Denna sommar, det oroliga året 1848, skulle barnet komma. Det kunde väl vara på tiden, Malin hade fyllt tjugosex i december som gått. Olof var ju något yngre, nyss fyllda tjugofem. Men som duktig bodbetjänt i ett välskött företag hade han inte sämre än att de kunde klara sig, även om Malin en tid måste stanna hemma. Modern och Johanna och hennes mor skulle nog kunna hålla tvättandet igång. Johanna höll ihop med Skräcken fortfarande men de hade inte flyttat ihop, väntade väl med det tills det var dags för barn. Johanna ansåg att man aldrig hade så bra som när man bodde i föräldrahemmet och betraktades som mer eller mindre oansvarig. Det brådskade inte att komma därifrån, Johanna var två år yngre än Malin även om Skräcken hunnit bli trettiosex.

Skräcken var inte riktigt som andra karlar, tyckte Johanna. Han var fortfarande en snäll pojke. Fast visst krävde han mer och mer, han också, så snart kunde hon nog inte värja sig längre. Men varje månad som gick var ändå en vinning, ett förlängande av ungdomstiden.

Johanna och Skräcken kom ganska ofta på besök hos Malin och Olof. Malin började bli ovig och ville inte gärna gå längre sträckor så oftast blev det så att de stannade i rummet eller på gården. De två besökarna blev snart också bekanta med dem som bodde i huset, där fanns några hamnarbetare som Skräcken kände sedan tidigare. Skräcken talade med husägaren och undrade om det kunde tänkas att något rum blev ledigt, i så fall var han intresserad. Tänkas kunde det alltid, sa ägaren, men just nu var allt uthyrt. Han skulle varsko när det fanns något.

Visst hade också Olof och Skräcken ibland känt lust att vara med i vad som hände den här oroliga tiden. Men rädslan för att förlora något av vad de vunnit avhöll dem. Olof hade Malin att tänka på, och barnet som hon väntade, för deras skull fick han inte riskera något. Och Skräcken hade Johanna som förmanade och varnade honom, han fick inte låta sig lockas bort från henne och deras gemensamma framtid. Den var väl viktigare för dem än en rösträtt som de inte visste hur de skulle använda.

De där dagarna när oroligheterna rasat som värst, när världen larmat och lockat, hade Johanna varit ovanligt generös mot

Skräcken. Men riskerna var inte heller så stora då – utomhus en vinterdag, utan någon vrå där de kunde finna värme och ensamhet.

Nu när det var sommar och varmt och möjligheterna stora blev hon snålare. Och då blev Skräcken olycklig och otillfredsställd, kände behov av att trotsa, att supa, hitta en ersättning. Fast inte en annan kvinna, så långt sträckte sig inte hans önskningar.

Han hade hört talas om en inrättning som en bryggare öppnat vid Tullportsgatan i en stor gammal trädgård. Det sades vara stadens första tivoli och där dansades det, avsköts fyrverkerier och serverades tyskt öl av en ny sort som kallades bajerskt. Eller bäjerskt, kanske, för trädgården hette Beijers trädgård. Bryggaren hette Rosenqvist och var son till den löjtnant Rosenqvist som ägt Nilssonska huset där Skräcken bott som barn.

En söndagskväll i augusti vandrade Skräcken iväg sedan han först stärkt sitt mod med några supar, ställde sig i kön på Tullportsgatan. Det var mycket folk som kom, bryggaren hade satt in hästdragna bussar, två från Gustav Adolfs torg och en från Södermalmstorg. När Skräcken kom fram och skulle köpa biljett visade det sig att priset var åtta skilling banko – och det tyckte han var alldeles för mycket. Bistert muttrade han att denne Rosenqvist var en lika stor utsugare och buse som far sin. Men då fick han till svar att även om han betalade så var han inte välkommen. Välkomna var bara sådana som i avseende på uppförande och klädsel inte störde anständighetens lagar och gästernas trevnad.

Då gick Skräcken. Men i ett mörkt hörn i Sandbergsgatan slog han sig i slang med några lärlingar som tänkte ta sig in över planket med hjälp av en stege de lånat. Skräcken fick följa med, fast berusad som han var föll han så illa när han hoppade ner att han stukade foten. Innan han hunnit resa sig var en vaktman framme, linkande leddes Skräcken mot utgången. Mörkret hade fallit nu och överallt i träden lyste små lampor. Paren dansade på banan till musik från ett kapell, andra satt i den snurrande karusellgungan eller kring borden där det serverades öl. Men han fick inte vara med, redan hans uppsyn störde ”anständighetens lagar”. Blev det revolution en gång till skulle han slå ut varenda fönster hos den där bryggarfan.

Arg och förolämpad, med värkande fot, satt Skräcken på en

bodtrappa och såg raketerna vissla iväg mot himlen, explodera och sprida sitt stjärnregn.

Vägen hem kändes lång och blev svår. Han beslöt sig för att inte berätta något om sin misslyckade utflykt för Johanna, bara säga att han råkat halka.

Men han undvek för all framtid Rosenqvists öl, trots att Sundhetskollegiet och en rad kända läkare rekommenderade det som både hälsosamt och stärkande och ”för svenskar i allmänhet mest passande av alla drycker”. Enligt Skräcken bryggdes det på vatten från det gamla avloppsdiket, Stadens dike, som till en del gick genom den där bäjerska trädgården. Och smakade därför skit, påstod Skräcken.

Avståndet mellan Nytorget och huset vid Bergsprängargränden där Johanna och hennes föräldrar bodde var inte längre än kanske trehundra alnar. Olof tog sig fortast dit genom att gå över gården och öppna porten i planket mot Renstiernasbacken.

Den tidiga augustimorgonen var grå, ett milt duggregn föll och regndropparna satt som pärlor på grässtrån och blad. Den branta stigen uppåt blev hal i vätan och några gånger slant han men lyckades hålla sig på benen.

Han var väntad, de visste att det kunde vara dags när som helst. Karolina Eriksson hade hjälpt många barn till världen, dottern Johanna brukade assistera henne. Liksom Karolina förr lärt av sin mor, Fredrika Skog.

Olof skyndade före, tillbaka till Malin, medan de två kvinnorna gjorde sig redo att gå.

Han hade fått löfte att vara hemma denna dag – även om madam Rundström muttrat att det egentligen var onödigt eftersom en karl bara var i vägen och till besvär. Men det fanns ändå uppgifter för honom, som att hämta vatten.

In i rummet där allt hände fick han förstås inte komma, det var kvinnornas hemliga område. Mannen måste hålla sig utanför, stå där och lyssna på jämmern och klagoropen när värkarna kom, ängslas, höra ibland obegripliga kommentarer från kvinnorna därinne.

Vattnet går, sa Karolina. Nu gäller det att driva ut den. Krysta bättre!

Och så, plötligt och oväntat, hörde han en ny röst – barnet som skrek gällt.

Efter en stund gläntade Johanna på dörren, visade honom det nu tvättade barnet. Det såg inte vackert ut, kanske, rött i ansiktet av ansträngning.

Är det friskt? undrade han. Och Malin?

Allt har gått som det skulle, svarade Johanna. Malin är trött förstås men mår bra. Flickan är välskapt.

Det var alltså en flicka, en liten mörkhårig tös. Lagd i en klut och vägd på besmanet, befunnen normal också när det gällde vikten.

Charlotta Lovisa skulle hon heta, efter farmor och efter mormor Lisa. Men det blev aldrig så att de kallade henne för något annat än Lotten.

Efter dopet följde de närmaste med hem till Olof och Malin där de bjöds på kaffe. Sju vuxna samlades kring barnet: föräldrar, morföräldrar, farmor och faster och så gamle Johannes.

Lisa iakttog Johannes, kände oro för honom. Han var den ende kvarlevande från hennes föräldrars generation, alla de andra var borta. Nästa år skulle han fylla sjuttio, om han fick leva så länge. Det föreföll allt annat än säkert, han hade blivit så skröplig sedan Kerstin gick bort.

Även om de inte möttes så ofta hade hon alltid tyckt om Johannes, det var också tryggt att ha honom att fråga till råds. Han var både klok och hjälpsam.

När Johannes en dag var borta skulle hon själv och Gustaf stå i den yttersta linjen, närmast döden. Lottens födelse markerade också förändringen, de hade blivit morföräldrar nu. Hon kom ihåg hur gamla hennes egna morföräldrar, Nils och Sofia, förefallit henne en gång.

Livet gick så fort. Hon tyckte inte att det var länge sedan hon var ung och bodde i Tvätterskegården och gick klädd i en alltför urringad klänning och en tokrolig hattskrålla med granna fjädrar i. Fast, kanske ändå – hon kunde inte riktigt känna igen sig själv i den där fjollan längre. Och hon skulle aldrig ha tillåtit Malin att styra ut sig på det sättet. Vad skulle grosshandlare Löfberg då ha trott?

Nu kom Lisa på att de där målade fjädrarna nog låg i botten på en låda som hon ställt upp på vinden hemma. Hon måste komma ihåg att bränna upp dem, passa på någon gång när Gustaf inte var inne. För vad skulle Malin tänka om sin mor när hon en dag övertog boet och hittade den där pråliga grannlåten?

När de satt vid kaffebordet berättade Olof om de stora arbetena som pågick nere vid Slussen och som han kunde följa varje dag. Den gamla Polhemsslussen från 1700-talet hade reparerats gång på gång men till sist tjänat ut.

De gamla saluhusen med sina gångar och stånd hade ju rivits för snart två år sedan tillsammans med all annan bebyggelse på Slussholmen. Några av dem som haft sina stånd där, bland dem madam Rundström, hade flyttat in i en bodlänga i kvarteret Trekanten på södersidan av slussområdet. Nordbloms efterträdare hade funnit en lokal intill Kornhamn, några hade tvingats upphöra med verksamheten eller flyttat till andra stadsdelar.

Under överstelöjtnant Nils Ericsons ledning pågick nu arbetet med en ny sluss som skulle anläggas i den så kallade Kvarnströmmen norr om den hittillsvarande slussfåran. Man hade först torrlagt strömmen och schaktat ner dess botten och lagt en plan yta av sten ovanpå tvåtusen neddrivna kraftiga stockar. På denna bädd skulle man sänka ner en väldig träpråm, en kasun, som byggts i en för ändamålet grävd docka längst ute vid Djurgårdsbrunnskanalens utflöde. Inne i kasunen skulle sedan själva slussen byggas.

I förra veckan hade Olof sett hur den jättelika timrade pråmen, stor som tre linjeskepp, bogserats fram och släpats på plats av två ångbåtar. Nu höll man på att sänka ner den genom att lasta väldiga mängder sten på den med hjälp av sex svängkranar.

Charlotta berättade att även hon berördes av det som skedde. Det nya ståndet i Trekanten hade inte samma goda utrymmen som det gamla i Syltgången haft, så madam Rundström tvingades inskränka en del på sitt utbud. Samtidigt ville madammen också göra sig av med den stora lägenheten hon hade, hon var ju ensam sedan länge. Nu var det meningen att Charlotta skulle fortsätta sina tillagningar men i mindre omfattning och i sitt eget hem.

Lyckligtvis hade Charlotta ett bra kök, även om hon inte hade något rum. Eftersom det bara var Gertrud och hon själv som bodde där numer skulle utrymmet räcka.

Nu kunde Charlotta ta hand om lilla Lotten när Malin började arbeta igen. Malin hade grubblat över hur hon skulle kunna klara både barn och arbete – hennes inkomster behövdes. Nu löste det sig. Och hon kom ihåg hur roligt hon själv haft det som barn när hon fått vara hos Charlotta, bättre kunde den lilla knappast få.

Men orkade Charlotta med, blev hon inte störd i sitt arbete? Charlotta skrattade, det skulle bli roligt att få en barnunge i huset igen, då blev hon själv glad och kände sig ung på nytt.

Skam till sägandes hade hon nog räknat med en gentjänst också. Kunde Olof ta vägen förbi några gånger i veckan och hämta sådant som skulle ner till ståndet vid Slussen? Själv hade Charlotta litet svårt att gå längre sträckor, i synnerhet med bördor, hon blev flåsig och fick svårt med andningen. Hon var för tjock förstås, det erkände hon gärna.

Johannes satt tyst, liksom litet utanför. Det blev allt oftare så, han orkade inte riktigt vara med längre. I stället återvände han allt oftare till barndomen, far och mor hade blivit levande för honom igen efter alla år, Tvätterskegården, tiden som skeppsgosse, den första förtvivlade tiden utan arm, mötet med Kerstin.

Det kändes inte lika viktigt längre att hålla reda på vad som skedde, allt som planerades i riksdagen och bland de höga herrarna. Världens larm nådde inte in till honom längre.

Men han fullföljde vad han gett sig in i och höll vad han lovat, han hade förbundit sig att betala en del av tryckkostnaderna för Kommunistiska manifestet, som höll på att översättas. Det berättade han inte något om men han glömde det inte heller, tankarna på utgiften gnagde.

Han hade inte köpt någon dopgåva till barnet, visste inte riktigt vad ett barn kunde behöva. I stället hade han gett Malin en slant.

Johannes stod en stund vid den nyföddas bädd, greps av tanken att hon var den enda efterföljerskan till hans egen syskonkrets, ja till hela hans släkt. Bror Per hade dött så ung, själv hade han inte fått några barn, syster Malin hade bara haft Lisa, Lisa bara den yngre Malin. En familj hade tynat bort och här låg den enda lilla som kunde föra släkten vidare. Fast Malin och Olof var ju unga ännu, de skulle väl få fler barn. Men dem fick han förmodligen aldrig se.

Några kusiner hade han förstås också, barn till hans mors bror, fabrikören Per Krohn. Och deras avkomlingar. Men dem kände han inte, räknade inte med dem.

Det var den lilla där som var framtiden.

Olof kunde berätta att Barnängen äntligen fått en ny ägare sedan Hillska skolan upphört. Det var ingen mindre än Lars Johan Hierta som köpt hela området och det sades att den kände publicisten och industrimannen nu skulle börja med en för honom ny verksamhet – en fabrik för tillverkning av siden. Det var viktigt, kunde få trakten att leva upp. Som det var nu såg det för sorgligt ut med hela den stora anläggningen tom och tyst. Och skolan, på sin tid, hade inte heller betytt mycket för folket här, inte gett många arbetstillfällen. En stor fabrik skulle kunna ge nytt liv åt trakten och ge många människor arbete.

Johannes visste att Hierta börjat med flera nya verksamheter. Svavelsyrefabriken vid Tegelviken hade varit igång i flera år. Hierta hade även slagit sig ihop med redaren och direktören Liljevalch, som också han hade företag vid Tegelviken, för att utdika Gotlands myrar och förvandla dem till åkermark. Men den planen var förstås av mindre intresse för traktens folk.

Det skulle kanske finnas flera möjligheter för Lotten än det funnits för hennes föräldrar. En dag måste väl ändå allt bli bättre för de många.

Under hösten blev Johannes sämre, fick allt svårare att sköta boden. Han kände till några unga bodbetjänter som gärna ville öppna eget och när en av dem hörde av sig ledde det snart till beslut och försäljning. Det blev ingen stor penningsumma som Johannes fick, men tillräckligt för att Barbro skulle få en hederlig slant mot löfte att titta till honom och skaffa honom hans dagliga föda. Han lyckades få hyra ett litet rum helt nära huset där Barbro bodde med sin familj.

Pengarna räckte också till att betala den del av tryckkostnaderna för Manifestet som han lovat stå för. Det som sedan blev över fick han försöka reda sig med, blev något kvar efter honom så skulle Lisa ha det. Böcker och papper skulle dock Sandman och de andra gesällerna överta, kanske det fanns något som kunde vara till nytta för dem.

Johannes kom inte att bo mer än någon månad i rummet han hyrt, skriften som han varit med om att betala fick han aldrig se. När Kommunistiska manifestet var färdigtryckt och häftat i november var Johannes redan död.

"då trotsa vi med mod"

"Den nya tidens härrop skalla:
Framåt, framåt på ljusets stig!
Var lumpen fördom måtte falla –
en man för sig är kung för sig.
Vi vilja inga barrikader,
det gives ock ett fredligt sätt,
vi vilja sanning blott och rätt
och rätt som barn av samma fader.
Men mötas vi med våld
då trotsa vi med mod.
Framåt, framåt vår lösen är.
Vi våga liv och blod."

"Av en ung man för tillfället författade ord på marseillersångens härliga melodi", sjungen vid Stockholms arbetarförenings möte på Claes på Hörnet, 24.2.1850.

Rättegångarna mot dem som deltagit i marsoroligheterna pågick hela året 1848, de skulle fortsätta ända in i januari 1850.

Vid polisundersökningarna hade omkring fyrahundra personer hörts, tjugosex av dessa satt häktade när kämnärsrätten i mitten av juni inledde den första rättegången. Sedan flera av de anklagade efterhand släppts dömdes i januari 1849 sjutton personer som delaktiga i upploppen, av dessa var fem gesäller och sex hantverkslärlingar.

När målet togs upp i Svea hovrätt beslöt man att nyttja en ny "upprorsförordning" trots att denna fastställts nästan ett år efter kravallerna. Med dess hjälp dömdes i maj 1849 guldsmeden Lenholm till fyra års straffarbete, för andra varierade strafftidens längd från tre år ner till sex månader.

En del av de dömda överklagade till Högsta domstolen och några lyckades få straffen sänkta. Då hade fem av dem suttit häktade i närmare två år.

Stora belöningar hade utlovats till angivare, men resultatet blev magert. Knappast någon av de dömda kunde betraktas som

”upprorsledare”. Fanns sådana hade de lyckats hålla sig undan.

Åtminstone fem av de sjutton först dömda var kriminellt belastade. Hatet mot samhället och överheten var starkast hos dem som upplevt fängelsernas våld och misär. Det var dessa de tidigare belastade som fick de strängaste straffen.

Polismästare Bergman hade ansett att Götrek och hans vänner hörde hemma på Danviken. Men den som verkligen skulle ha behövt vård var den hårdast dömde, guldsmeden Lenholm, som hölls i straffarbete. Han blev alltmer grubblande och förryckt och skrev den ena osammanhängande skrivelsen efter den andra till kungen, ”personligt”. Han undertecknade dem med ”Eders Majestäts underdånigaste och tropliktigaste svenska medborgare”. Under namnteckningen deklarerade han sig bland annat som ”politisk arrestant, som martyr för samma orsak som Johannes Döparen, dess halvbroder Frälsaren, urmakaremästaren, läkaren, Herren Jesus Kristus med flera, för försoningsverket, lagarnas skull, älskare av lagbundet samhälle.”

Kommunistiska sällskapet hade inte drabbats av några åtgärder. För säkerhets skull höll man dock inte längre sina möten hos Götrek utan ett kvarter därifrån, hos banknotarien Widstrand vid Triewalds gränd.

Översättningen av Kommunistiska manifestet diskuterades, där fanns mycket som bröt emot Cabets fridsamma och religiöst färgade kommunism. Också stycken som kunde ge anledning till åtal och beslag av skriften. Den kanske något utmanande titeln byttes därför ut mot Kommunismens röst med ett motto som inte fanns i originalet: *Folkets röst är Guds röst.*

Slutparollen, *Proletärer i alla länder, förena er!*, ströks liksom några rader som inte ansågs tillämpliga för svenska förhållanden. Orden om att kommunisterna öppet förklarade att deras mål endast kunde nås genom en våldsam omstörtning av den rådande samhällsordningen mildrades till att det krävdes en radikal reorganisation.

Skriften utkom i november, den förståldes och distribuerades genom Götreks bokhandel. Men bokhandlaren tillbakavisade påståendet att han själv skulle ha haft något med skriftens översättning och utgivning att göra.

Kommunismens röst blev varken åtalad eller beslagtagen – den väckte knappast ens uppmärksamhet. I denna sin första svenska form förmådde inte manifestet förena proletärerna utan splittrade i stället den lilla kretsen som stått bakom utgivandet. Allt fler tröttnade och kom inte längre till mötena. Under våren 1849 upphörde verksamheten inom såväl Kommunistiska som Skandinaviska sällskapet.

Skandinaviska sällskapets sista aktion blev att tillsammans med två av studenterna från Lund, Borg och Persson, utarbeta ett förslag till rösträtt också för arbetare. Det sändes ut, väckte en viss uppmärksamhet men gav annars inget resultat.

Däremot hade ett flertal "reformsällskap" bildats landet runt, de flesta betydligt mer radikala än det stockholmska. Närkes reformförening kallade till en "folkriksdag" i Örebro sommaren 1849. Det stockholmska sällskapet ansågs vara alltför konservativt och inbjöds inte. Mötet krävde rösträtt för varje svensk man som fyllt tjugoett år och hävdade att principen "en man – en röst" skulle gälla. Endast vanfrejdade, tjänste- och fattighjon samt värvade soldater skulle vara uteslutna.

Arbetet för bättre villkor fortsatte trots allt, sökte sig nya former när de gamla inte längre kunde användas.

Vad som skett i Norge visade vilka möjligheter som fanns, det gick att engagera de många och mängden gav styrka.

I unionsbroderlandet hade läraren och journalisten Marcus Thrane i slutet av december 1848 grundat en arbetarförening i Drammen och kort därefter en i huvudstaden, Kristiania. Under den följande sommaren reste han Norge runt och organiserade nya avdelningar. I juni 1850 fanns tvåhundrasjuttiotre föreningar och över tjugotusen medlemmar.

Om detta kunde ske i Norge med dess ringa folkmängd och svåra kommunikationer – vad borde då inte kunna göras i Sverige?

Den första stormsvalan blev Folkets röst, en tidning som utgavs av advokaten Franz Sjöberg, tidigare medarbetare i det mera allmänt rabulistiska Söndagsbladet. I det första numret, som utkom i oktober 1849, förklarade Sjöberg att hans tidning skulle kämpa för de nedtryckta arbetarna och deras nakna och hungriga barn. Tidningen skulle tala för *socialismen*, som skulle besegra allt motstånd och en dag utbreda sina läror över hela världen.

Och den kampen förde Sjöberg inte med silkesvantar, utan fränare och mera hänsynslöst än någon tidigare. Kapitalisterna, inte minst den liberale och som ”folkvän” sedde Hierta, angreps oupphörligt. Hierta beskylldes för att behandla sina anställda arbetare dåligt och hans nya sidenfabrik fick namnet Svältängen. Folkets röst blev också en svår konkurrent till Hiertas Aftonbladet, den talade ett språk som även mindre läskunniga kunde förstå och i elaka teckningar karikerades Hierta och hans medarbetare. Att så gott som hela pressen kallade Folkets röst ett skandalblad tycktes inte besvära Sjöberg.

Studenterna Borg och Persson som själva tänkt utge en tidning hade blivit förekomna. Men de gav inte upp sina planer utan sökte nå målet på ett annat sätt, genom att först skapa en organisation vars organ tidningen kunde bli. De uppsökte skräddargesällerna Trägårdh och Löwstädt och föreslog bildandet av ett läsesällskap för arbetare. Man skulle hyra en lokal där arbetare kunde träffas och få tillgång till tidningar och böcker som de själva inte hade råd att köpa. I december 1849 bildades Arbetarnas läsesällskap som snart öppnade en lokal vid Klara södra kyrkogata. Då utkom också det första numret av den av Borg redigerade tidningen Reform, vars redaktion hade läsesällskapets adress. I februari 1850 ombildades läsesällskapet till Stockholms arbetarförening.

Myndigheterna och den samhällsbevarande pressen iakttog oroade utvecklingen. Här fanns nu tre farliga tidningar – Söndagsbladet, Folkets röst och Reform – och en organisation avsedd endast för arbetare.

”Mobben, som köper lösnummer, möjliggör sådana tidningars existens”, hette det. Och man undrade om en förening för enbart arbetare verkligen kunde vara tillåten. Att föreningsmötena skulle polisbevakas var helt klart, det hade fastslagits i upprorsförordningen från 1849.

Till att börja med förekom ett samarbete mellan Sjöbergs Folkets röst och arbetarföreningens Reform. Franz Sjöberg var också aktiv medlem i arbetarföreningen. Men snart uppstod stridigheter mellan Sjöberg och de båda studenterna och redan i maj måste Reform läggas ner av ekonomiska skäl. Tidningen hade varit alltför teoretisk och svårbegriplig för dem den vände sig till, de föredrog Sjöbergs mera rakt-på-sak-gående journalistik.

Arbetarföreningen fick en god start, under våren hölls flera möten, antalet mötesdeltagare kunde ibland överstiga trehundra. Det verkliga klang- och jubelmötet firades på franska februarirevolutionens tvåårsdag, den tjugofjärde februari 1850, på värdshuset Claes på Hörnet. Intresset var så stort att alla inte kunde släppas in. Man skålade för dagens betydelse och den allmänna rösträtten, för arbetarföreningens välgång och proletariatets frigörelse. Flera möten hölls sedan under våren, de flesta i en lokal vid Österlånggatan. Men när man hyrt Kirsteinska husets festlokal lyckades polisen förmå ägaren att låsa dörren och trots avtal vägra de tillströmmande tillträde.

Man kom igen, fick hyra på nytt. Och så kunde det möte arrangeras som kanske blev anledningen till den framgångsrika föreningens tynande och undergång.

Det var söndagen den tolfte mars och omkring trehundra deltagare hade samlats. Per Götrek inledde med ett anförande om den fredliga kommunismen och förklarade att den endast var ett nytt namn för kristendomen. Han möttes av stormande bifall.

Sedan kom förre studenten Borg och det han framförde var ett långt religionskritiskt föredrag som låg på ett plan dit få av åhörarna förmådde lyfta sig. Något kunde möjligen vara anstötligt, Kristi personlighet ”vilar på ett under, det vill säga på en tilldragelse, som står i strid med naturlagarna”, hävdade Borg.

Efter Borg talade skräddarmästaren Möller om arbetarnas bildning och studenten Persson om det ärftliga kungadömet och valrätten. Då hade klockan hunnit bli elva på kvällen och deltagarna ganska utmattade, de sista talarna hade fått förkorta sina framträdanden betydligt.

Det var Borgs föredrag som utlöste motaktionen, vände strömmen.

Stadsfiskalen de Berg kallade Borg till poliskammaren och meddelade att en anmälan inlämnats som gick ut på att Borg fällt yttranden som var underkastade ansvar. Förhöret med Borg pågick i fyra dagar, vittnen inkallades. Skräddarmästaren Stolbin och läkaren Ellmin förklarade att de ogillat föredraget då det gått emot sällskapets tendens, bokhandlare Götrek ansåg att det hade varit "för lärt för publiken". Men någon hädelse hade varken de eller någon annan hört.

Stadsfiskalen yrkade ändå på dödsstraff när Rådhusrätten tog upp fallet. Men kravet återkom inte när det var dags för dom, när Svea hovrätt övertog fallet frikändes Borg helt.

Allmänt antogs att det var det av kungahuset subventionerade Morgonbladet som låg bakom angivelsen. Man ville visa att det inte var ofarligt att tillhöra arbetarföreningen och samtidigt ge dess agitatorer en varning.

Att anklagas för religionsfientlig verksamhet var under inga förhållanden bra för föreningen. Många av medlemmarna som inkallats som vittnen kunde också riskera obehag på sina arbetsplatser.

Arbetarföreningens storhetstid var över. Ett försök gjordes att skapa ett nytt föreningsorgan – men försöket blev kortvarigt. Mötesdeltagarna blev allt färre. Många av de ledande kände sig förföljda och orkade inte fortsätta kampen. Fredrik Borg övergick till Aftonbladet och lämnade rörelsen, hans studentkamrat Persson återgick till studierna. Båda blev i fortsättningen rörelsens motståndare. Per Götrek förklarade sig vara "utäten ur samhället" och flyttade till Karlskrona, läkaren Ellmin fick förpassning till en tjänst i Norrland. Vid 1850-talets mitt emigrerade Trägårdh och Widstrand till Amerika.

Krisen kulminerade 1851 då den tidigare så framgångsrika norska rörelsen tappade kontrollen över de hastigt växande medlemsskarorna. På flera håll gick lokala ledare till våldsamma aktioner, en murarhantlangare ledde upplopp i Trondhjem, i Ringerike utbröt det så kallade hattmakarkriget sedan en hattmakare manat till uppror. Aktionerna skedde mot den centrala ledningens önskan.

Myndigheterna slog snabbt till och mer än hundra av den norska rörelsens medlemmar dömdes till fängelse eller straffarbete, hattmakaren fick femton år.

Marcus Thrane hade lämnat ledningen för att ge plats för

mindre radikala krafter, men det hjälpte inte. Han dömdes ändå till fyra års straffarbete utöver de fyra år han suttit arresterad. När Thrane blev fri emigrerade han.

De norska domsluten förlamade också den svenska rörelsen, de visade att myndigheterna var beredda att slå ner varje motstånd.

Under lång tid framåt skulle det knappast bli fråga om mer än lama försök att behålla något av organisation och gemenskap. Löwstädt, nu skräddarmästare, och några till gjorde vad de förmådde och ansåg sig förpliktigade till – men entusiasmen, segertron, var borta och gick inte att återuppväcka. Man hade trotsat – men förlorat.

Varför? undrade Axel Sandman.

Det var bara alltför lätt att skylla på övermakten, det bestående samhället. Motståndet hade ju inte varit oförutsägbart eller oväntat. Tvärtom, man borde ha räknat med värre. Tjugo år tidigare skulle en arbetarförening överhuvudtaget inte ha kunnat verka, existensen av en sådan skulle omgående ha bedömts som en farlig och straffbar "sammangaddning". Nu hade man ändå kunnat hålla möten och ge ut tidningar, klart uttrycka sådant som man tidigare knappt vågat viska vid privata sammankomster.

Axel Sandman hade varit med på många håll, i bildningscirkeln, i kommunistiska och skandinaviska sällskapen, i reformsällskapet och i arbetarföreningen. Han hade hjälpt till med det han funnit riktigt och angeläget men dragit sig undan från styrelseposter. Ingen av de existerande organisationerna hade helt motsvarat hans krav, människorna som drivit dem hade varit alltför mycket drömmare och fantaster, saknat begrepp om verklighetens förhållanden och möjligheter.

Var det alltså ledarna det var fel på? Han kände dem som hederliga och rättänkande, män av god vilja. Flera med religiös bakgrund, andra övertygade ateister, några stränga avhållsmän. Men det avgörande: utan verklig kontakt med den stora massan av arbetare, de fattigaste och sämst ställda. Ville så väl men begrep inte, kände främlingskap och ibland kanske till och med ett nedärvt misstroende, ett förakt.

De arbetarföreningar som uppstått hade varit till för gesäller och hantverksmästare, där satt folk utifrån – studenter, bokhandlare och skribenter. Inte kunde hamnarbetare, järnbärare, drängar och gårdskarlar ha råd att delta i sexor på Claes på Hörnet, inte hade de kläder och skor som de kunde visa sig i på samlingslokaler som Börsen och Kirsteinska huset. Vilken glädje hade de av studenternas utläggningar om Kristi personlighets förhållande till naturlagarna eller bokhandlare Götreks fantasier om ett paradisiskt liv i Ikarien? De, som inte hade mat för dagen åt sig och sina familjer.

Innan man kunde riva gränsen mot överklassen måste man först förmå sig till att utplåna skiljelinjen mellan arbetarna själva, mellan dem som stod underst, på botten, och överskiktet. Utan de många som stöd och grund blev arbetarnas överskikt just bara ett skikt, en svag grupp som ropade på privilegier för egen del.

Kanske han såg det så eftersom hans Maria, älsklingsdottern, frivilligt placerat sig och sina barn – hans barnbarn – där på botten. Hennes Hugge skulle väl snarast ha väckt pinsam uppmärksamhet om han deltagit i möten som dessa så kallade arbetarorganisationer anordnat. De var inte till för sådana som Hugge.

Men, tänkte Axel Sandman, försöket hade kanske ändå varit nödvändigt. Misstagen behövde göras, de kunde ge lärdomar. Thrane i Norge hade gått en annan väg, samlat så många fler, nått så mycket djupare. Och misslyckats ännu grundligare. Medarbetare som inte förstått spelets regler och risker hade tagit över, slagit bordet över ända, tagit till våld utan att äga kraft nog att nå avgörande resultat.

Samhället ägde oerhörda maktresurser. Till dess förfogande stod polis och militär, domstolar och fängelser, alla de ekonomiska resurserna, kyrka och tradition. Den fattigaste underklassen ägde ingenting, deras vapen var påkar, deras kraft den desperation som hungern gav.

Även om mycket förlorats hade kanske ändå något vunnits, en ny medvetenhet. Inte bara om svårigheterna utan också om möjligheterna att ställa krav. Några mål hade satts upp och skulle inte glömmas utan ständigt återkomma: rösträtt, organisationsrätt, rätt att leva drägligt.

Folket i samhällets utkanter hade mycket litet berörts av arbetarföreningarnas verksamhet, kände knappast till den. Men på sikt skulle den ha betydelse också för dem, finnas som en erfarenhet och en grund när det blev dags för nya försök, när tiden äntligen var inne.

IV

”själavård kan här omöjligt äga rum”

”Man kan här tillbringa hela sitt liv, utan att vara inskriven en gång i en församling. Att upprätthålla den gudstjänstliga ordningen, begrava, viga och döpa är också det ändamål, som man med prästens kall här synes hava avsett.”

”En närmare beröring emellan prästerskapet och församlingen, samt någon sedlig inverkan från det förra, eller vad man i andra protestantiska länder kallar själavård, kan utav anförda skäl här omöjligt äga rum. Församlingarnas storlek förbjuder det till och med för det mest brinnande nit och den mest outtröttliga verksamhetsförmåga.”

Komminister Nils Ignell i Om det kyrkliga tillståndet, särdeles inom hufvudstaden, 1851.

Malin höll på att föda sitt andra barn. Processen hade pågått så länge att Karolina och Johanna till slut fann det nödvändigt att kalla på både läkare och präst, de klarade det inte längre själva. Olof gav sig iväg till läkaren och Malins mor Lisa till prästen. De eftersökta fanns hemma och kunde ge sig av genast.

Barnet, en flicka, levde men knappast mer. Hon hann få nöddopet och namnet Sofia innan hon dog. Malin var illa däran, utmattad och förtvivlad. Enligt läkaren borde hon undvika att få flera barn, hon hade haft stor tur förra gången när hon fått Lotten utan svårare komplikationer.

Prästen, komminister Ignell, hade vigt Malin och Olof för fem år sedan, han hade också döpt Lotten. Han hade fäst sig vid det unga paret, trots att de bodde enkelt och trångt höll de snyggt omkring sig, hade inga inneboende, arbetade hårt och föreföll att hålla sig uppe. När han hade ärende förbi Nytorget några veckor efter nöddopet knackade han på dörren och Malin som var ensam hemma öppnade.

Han satt en stund och pratade med henne, hon berättade om sitt eget och mannens arbete, och om flickan som fötts häromåret och som fick vara hos sin farmor på vardagarna. Det var tryggt och bra, det var svårt att ha flickan med i arbetet och omöjligt att lämna henne ensam hemma, hon var ju bara tre år. Fast visst fanns det barn som knappast var större men som lämnades vind för våg.

Mängden av människor så nära inpå skrämde ibland, sa Malin. Hon var ju inte van att leva så. Vad som än hände ville hon och hennes man åtminstone försöka behålla ett eget rum, utan inneboende.

Ignell förstod henne, beundrade hennes vilja och kraft att inte ge upp. Det fanns många hus, ja hela trakter inom församlingen, där de flesta boende saknade fast arbete och levde på tiggeri och tillfälliga påhugg. Han hade besökt kyffen där han inte kunnat gå in utan att känna vämjelse och förtvivlan, där människor bott om varandra utan skillnad till kön och ålder, där man knappast kunde skyla sin nakenhet. I de klädtrasor de hade kunde de varken gå till arbetsplatser eller kyrkor, barnen inte till skolorna.

Ute på landet och i småstäder kunde en präst hålla kontakt med församlingsborna, där hölls välbesökta husförhör, förekom en uppsökande verksamhet. Ingenting sådant var möjligt i en stor stad. I Katarina församling fanns tre präster som antogs ta hand om fjortontusen invånare. När husförhör någon gång anordnades kom kanske tio-tjugo personer, de övriga höll sig borta.

Här var prästen bara till för dem som uppsökte honom. Och de som kom gjorde det sällan eller aldrig av religiösa skäl utan för att begära någon förrättning eller hjälp. Det prästen mest fick ägna sig åt var att skriva i sina folkbokföringsböcker eller lämna ut intyg av olika slag och sitta i otaliga nämnder och styrelser. Komministrarna var så dåligt avlönade att de måste undervisa i skolor och syssla med andra uppgifter som gav något i lön. De slantar, sportlerna, som de fick vid förrättningarna var det ofta förödmjukande att ta emot, de reste sig som ett hinder mellan dem och de fattigare församlingsborna.

Komminister Ignell ville väl. Men han kände ofta oförmåga och maktlöshet, tvånget att missköta uppgiften han ansåg sig ha fått. Det var sällan han kunde ta sig tid att sitta så här och tala med någon av församlingsborna. Ibland kände han sig som en herde som övergett sin hjord.

Nej, någon själavård kunde inte ges i de fattigas och trångboddas kvarter, knappast i staden överhuvudtaget. Visst fanns det fromma sällskap och välgörande föreningar som försökte nå fram med både bibelord och bröd. Men de talade inte samma språk som dem de ville hjälpa, kände inte deras tillvaro. För dem som kom utifrån var de fattigas boningar okända och skrämmande, där stannade de inte gärna längre än nödvändigt. Det fick räcka med en hastigt frammumlad bön och en snabbt överlämnad gåva, sedan måste de fortast möjligt ta sig ut i friska luften igen.

Under de senaste åren hade "läsarna", fromma människor som ville utöva sin tro utanför kyrkans ordning, blivit alltmer verksamma. Den engelske metodistpredikanten George Scott hade fått tillstånd att uppföra en frikyrka som hade plats för mer än tusen personer. Men några år efter det att kyrkan stod klar, 1842, hade Scott av myndigheterna tvingats lämna Sverige och kyrkan hade stått stängd i tio år nu. Andra hade fortsatt arbetet men också de förföljts, i mars 1850 hade den förste baptistpredikanten Fredrik Olaus Nilsson dömts till landsförvisning för att han döpt vuxna.

Läsarnas gudstjänster hade samlat en brokig publik, "ifrån de finaste till dalkullor". Sammankomsterna stördes ofta av bråk utifrån, ibland kastades stenar mot fönstren. Både präster och de som kallades "pöbel" tycktes vara lika avogt inställda.

Några försök med söndagsgudstjänster för barn hade också gjorts, en engelsk dam, miss Foy, höll sådana i sitt hem vid Adolf Fredriks torg och läraren Per Palmquist samlade barngrupper i Prins Carls uppfostringsinrättning för fattiga barn vid Wollmar Yxkullsgatan. Miss Foy hindrades av prästerna som fann det olämpligt att en kvinna fuskade i deras yrke. Men Palmquist kunde fortsätta att hålla samlingar då barnen bjöds på kaffe och skorpor och aftonbön.

Enligt lagen skulle sammankomster av alla slag anmälas i förväg. De religiösa samlingarna utanför de officiella kyrkorna var förbjudna enligt konventikelplakatet och inga tillstånd gavs för sådana. Om de anordnades utan ansökan brukade dock myndigheterna undvika att beivra dem.

Men nu hårdnade motståndet, många präster krävde strängare

åtgärder. De som spred "irrläror" skulle även i fortsättningen landsförvisas. Att kvinnor bad högt på de icke tillåtna mötena betraktades också som synnerligen opassande.

Biskop Henrik Reuterdahl, som 1852 blev ecklesiastikminister, förklarade att konventikelplakatet skulle tillämpas i hela dess stränghet.

Förföljelsen snarast ökade "läsarnas" antal, nya missionsföreningar och bibelsällskap bildades. Men de omgärdades av allt strängare regler och förbud.

Långsamt återfick Malin hälsa och krafter. Något av livslust och framtidsförhoppningar hade hon förlorat, hon vågade inte få flera barn. Nog hade hon gärna velat ha en son också, förstod att även Olof önskade det. Men inte med hennes liv som insats. Det fick väl bli för henne som för hennes mor och mormor, de två hade också bara fått en flicka var.

Det dröjde innan Malin kunde återuppta arbetet men några gånger var hon nere på bryggan vid Hammarby sjö för att vänja sig vid förhållandena igen. Karolina och Johanna ursäktade sig, tyckte att de misslyckats med sin uppgift att hjälpa Malin. Hon tröstade dem, det var hos henne själv som felet funnits och inte hos dem, det hade ju doktorn förklarat.

Malins föräldrar hade också bekymmer. Grosshandlare Löfberg hade meddelat att han inte kunde behålla trädgården, han var för gammal, han hade inte funnit någon som ville efterträda honom. Däremot fanns andra intresserade, folk som ville bygga hus och inrätta olika verksamheter på området. Grosshandlaren hade uppmanat Gustaf att höra sig för om han kunde få arbete i någon annan trädgård, Löfberg skulle ge goda rekommendationer.

Gustaf hörde inte till dem som kunde tala för sig. Han hade ändå tvingat sig till att gå runt bland trädgårdsmästarna i trakten för att höra om han kunde få någon tjänst. Men det fanns ingen som odlade sådana exotiska växter som Gustaf blivit specialist på, de behövde inte någon med hans kunskaper i sina trädgårdar.

Han fick ta vad han kunde få – en drängtjänst hos en fabrikör som övertagit en del av Brobergs gamla ägor och fortsatte att odla tobak där. Drängbostaden var ett rum i ett fallfärdigt ruckel som låg ute på fältet. Först när de flyttade in där förstod Lisa riktigt hur bra de haft tidigare, vad de förlorat.

Gustaf försökte rusta upp bostaden inför den kommande vintern – men fabrikören var inte hågad att ställa virke till förfogande, så någon större reparation kunde det inte bli fråga om. Och även om Gustaf lyckades utestänga det värsta draget frös de mycket när vintern kom och vindarna svepte över de kala fälten.

Från den stängda trädgårdens avskildhet och vindskydd hade de flyttat ut på det öppna fältet. När sommaren nalkades kom säsongarbeterskorna med sina barn, fyllde det större rummet intill deras med skrik och buller, fanns överallt, ”lånade” socker och salt, höll utedasset ständigt upptaget. Gustaf fogade sig som vanligt, skötte sina sysslor lika ordentligt som han alltid gjort, ägnade de enkla tobaksplantorna samma omsorg som han förr gett ananasrankor och apelsinträd. När han gick där mellan växterna såg det rentav ut som om han trivdes. Det kunde reta Lisa, själv längtade hon därifrån så starkt att hon kände sig illamående när hon skulle gå in i huset, sitt hem. Hon ville knappast tala om något annat än att de måste komma därifrån, att Gustaf måste se till att han hade ett nytt arbete när hans kontraktstid utlöpte.

Medan Malin höll sig hemma och försökte återhämta krafterna fick lilla Lotten fortsätta att gå till Charlotta på dagarna. Olof tog flickan dit och fick med sig de matvaror som hans mor tillagat och som skulle till madam Rundströms bod. När Malin kände sig litet bättre började hon hämta flickan på eftermiddagarna så att Charlotta skulle få något mer tid för sig själv och sitt arbete.

Lotten tyckte det var roligt att gå till farmodern, inbillade sig att hon hjälpte till att laga pajer och rullader och allt annat som skulle göras. Charlotta lyckades förvandla mycket av arbetet till lek och kunde så många sagor och visor. Lottens mor hade inte samma leklust, Malin var allvarligare, vågade inte riktigt släppa loss.

Ibland, när något gräddades i ugnen eller puttrade på spisen, satt de vid fönstret och tittade ut på gatan, iakttog livet på Tjärhovs tvärgränd. Då berättade Charlotta historier om dem som passerade. Amanda Tornberg, som bodde i Krohnska huset helt nära, gick förbi ganska ofta. Och Lotten fick höra hur Amanda som barn förlorat sin docka. Hela huset Amanda bott i hade brunnit ned – och Amanda förlorat sin käraste ägodel. Men för att Lotten inte skulle bli alltför ledsen fick dockan bli räddad och efter många äventyr återbördad till Amanda.

Amanda arbetade på sidenfabriken på Barnängen numera. Hon hade velat bli sömmerska som modern och mostern men saknade anlag för yrket. Charlotta kände igen henne, båda hade de bott i Tvätterskegården före branden för snart trettio år sedan.

På eftermiddagarna kom Karolina med dottern Johanna ibland, på väg hem med tvätten som de klappat och sköljt vid bryggan. Då vinkade Lotten glatt, dem kände hon ju. Mormor Lisa kom någon gång tillsammans med dem, annars bodde hon numer så nära bryggan att hon sällan tog omvägen förbi Charlottas fönster. När hon kom bjöds hon på en kopp kaffe. Men Lotten var alltid litet orolig för att mormor och farmor skulle börja prata med varandra. Mormor hade så mycket att säga om huset där hon och morfar bodde och började hon prata om det så slutade hon aldrig.

Det fanns en skön värme och en god lukt av mat i farmors kök, en känsla av trygghet. Vackra och varma dagar kunde Lotten också leka på gården, på sensommaren plockade hon och farmor bären från den stora krusbärsbusken och tog upp potatisar till middagsmålet.

Det var som om en liten bit av paradiset hade blivit kvarglömd på jorden just där i hörnet av Tjärhovs tvärgränd och Nya gatan.

Charlottas dotter, Gertrud, kom sällan hem medan Lotten var kvar. Gertrud hade genom sin mors bekanta i saluhallarna fått arbete i ett av grönsaksstånden. Egentligen hade Charlotta väl hoppats att också dottern skulle bli kokfru men Gertrud var inte så intresserad av matlagning. Och den som inte hade intresset kunde omöjligt bli en riktigt bra kokerska.

Gertrud, som fyllt tjugofem år nu, hade träffat en bondpojke från Östergötland som några gånger om året kom till Stockholm för att sälja lantmannaprodukter av olika slag. Det var säkert en bra pojke, han hade varit med hem och bjudits på kvällsvard av Charlotta vid ett par tillfällen. Enda felet med honom var väl att han en dag skulle överta fädernegården och om det blev något allvarligt mellan honom och Gertrud så måste väl flickan flytta iväg dit. Det skulle nästan vara som att förlora henne. Gertrud sa att blev det så, då skulle hon se till att hon fick följa med Rolf på hans stockholmsresor. Hur som helst fanns ingen anledning att sörja i förväg, innan man ens säkert visste om vänskapen höll i sig. Charlotta ville inte låta en okänd morgondags skugga förmörka nuet. Så glad och så väl till mods som nu hade hon inte varit sedan Håkan levde. Samvaron med Lotten piggade upp, gav Charlotta en känsla av att fortfarande ha en uppgift i tillvaron, det fanns någon som behövde henne och tyckte om henne.

Fast visst förstod hon att tiden var begränsad, om några år skulle flickan finna jämnåriga vänner, sedan börja skolan – och leva sitt eget liv.

Malin blev bättre och återgick till arbetet. Och Olof kände hur pressen och oron lättade, han orkade se och uppleva tillvaron runt omkring sig igen. Han hade alltid varit intresserad av att se vad som hände i staden, slussombyggnaden hade han följt steg för steg.

När han hade tillfälle tog han gärna vägen ner till den blivande Slussplanen som höll på att läggas ut. Man skulle bygga en ny saluhall intill den, hade han hört. Och mitt på planen skulle det stå en staty av Karl XIV Johan till häst, omgiven av grönska. Det förut så gyttriga och tättbebyggda området skulle förvandlas till en ståtlig mötesplats belägen mellan rikets viktigaste vattenvägar, Östersjön och Mälaren. Över strömmarna gick redan nu de nya, smäckra vindbryggorna av järn, broarna som förenade landsvägarna norr och söder om staden med varandra. Denna plats var korspunkten där sjöfarande och resande till lands möttes, rikets knutpunkt. Just där arbetade han, för dagen i den litet ruffiga Trekanten, snart förhoppningsvis i en ny och ståtlig saluhall helt nära kungastatyn.

Madam Rundström, som också hade stort intresse för denna plats där hon arbetat större delen av sitt åttioåriga liv, hade köpt en liten skrift som utgivits i samband med den nya Slussens invigning. Olof hade fått låna den. Där fann han förklaringar till många av de under han sett medan byggnadsarbetet pågått. Och fick läsa om det föredömliga sätt på vilket detta arbete skiljt sig från de flesta andra.

Man hade räknat med att det skulle ta fem år att utföra arbetet – det hade gått på fyra.

Kostnaderna hade beräknats till 422.000 riksdaler banko – och blivit omkring 100.000 daler lägre.

Ingen olycka hade inträffat, ingen arbetare lämnat sin uppgift med harmset sinne.

Skriftens författare var en radikal och socialt kännande herre, han hette Georg Swederus. Han framhöll att det som uppnåtts var en följd av att arbetarna varit så engagerade av uppgiften, och detta i sin tur berodde på att de som lett arbetet unnat dem en hygglig förtjänst.

Arbetet här hade skett enligt *mekanikens moral*, skrev Swederus. Vid all rörelseberäkning försökte mekaniker att övervinna eller avlägsna så mycket som möjligt av friktion. Den metoden begrep de flesta människor inte, de trodde att största möjliga friktion skulle vara mest effektiv, att motsättningar mellan arbetsledare och arbetare skulle ge resultat – de anställda skulle drivas, nästan piskas fram. Men om arbetarna betalades dåligt och behandlades illa var det naturligt att de gav minsta möjliga arbete för den lön de fick. Då uppstod en moralisk friktion och arbetsledaren som bara tänkte på egennyttan fick ett sämre resultat än den som lät rättskänslan segra. Om man skapade motsättningar mellan arbetets utförande och arbetarnas vilja kunde ingen kontroll hindra att arbetet blev dåligt utfört och tog längre tid att fullborda. Författaren hade talat med dem som arbetat här och de hade förklarat att de velat göra allt vad de förmådde – eftersom ”Herrarna äro rättvisa mot oss”.

Här fanns förklaringen till att man lyckats så väl, ett föredöme för kommande arbeten. I stället för söndring och split hade man utnyttjat den goda viljan.

Det var en ny ton, något som kanske kunde vara en ny möjlighet.

Varje dag kunde Olof se motsättningarna, striderna, misshandeln av både människor och djur. Skomakarpojkarna som piskades av mästare och gesäller, dagakarlarna som mumlade hotelser bakom ryggarna på salubodarnas ägare, kördrängarna som slog uttröttade och utmärglade hästkrakar istället för att låta dem återfå krafterna och få det vatten och hö de behövde.

Folk trodde att misshandel och rädsla för straff ökade arbetstakten, gav resultat. Men den nya Slussen låg här som ett bevis för att samarbete och respekt för medmänniskorna var effektivare än någon annan metod.

”vad härlig fröjd”

”Vad härlig fröjd för stad och land,
då, hägnad av Försynens hand,
vår Kung vi återse!
Mer efterlängtad dag ej fanns –
uti dess festligt ljusa glans
se skimret av den ärekrans,
som folket blott kan ge!”

Ur rådman L.A.Wesers hyllningssång
till Oskar I, sjungen vid magistratens
bankett i stora Börssalen 9.2.1853.

”När det blev bekant att Konungen ansågs äga krafter nog att åter andas vår vinters kalla luft, beslöto Stadens Äldste att genom en allmän glädjedag fira denna lycka. – – – sedan minst ett par hundra tusende riksdaler riksgäld utgått för den allmänna glädjeyttringen vid illuminationen, har Stockholms outtröttligt frikostiga och välvilliga befolkning likväl haft så mycket över för det allvarliga nöjet i välgörenheten, att ännu etthundratusen riksdaler kunnat samlas för en början till uppbyggande av sunda arbetarebostäder.”

Ur minnesskriften Illuminationen i
Stockholm, 1853.

För den kungliga familjen blev året 1852 ett svårt år. Kung Oskars hälsa var sedan länge vacklande, han var ”anfrätt av ungdomssynder”, sades det. Ibland kunde han tystna mitt i en mening, sitta som frånvarande, ovetande om omgivningen.

Sommaren tillbringade kungen och drottningen på en sydtysk kurort och när hösten kom ansåg sig kungen tillräckligt återställd för att på hemvägen från Tyskland ta vägen över Norge. I Travemünde anslöt sig två av de kungliga barnen, prins Gustav och prinsessan Eugenie, och alla steg ombord på ångkorvetten Thor som skulle föra dem till Norges huvudstad, Kristiania.

Det utbröt storm och färden blev mycket svår. Kungen var

fortfarande inte helt återställd, Gustav och Eugenie var klena och föll lätt offer för sjösjuka. Prins Gustav satt därför mest på däck där han blev helt genomblåst. Vid ankomsten till Norge var han sjuk och avled efter några dagar, endast tjugofem år gammal. En månad senare drabbades prinsessan av gulsot men tillfrisknade så småningom.

Två månader efter de kungligas hemkomst föddes en son till kronprins Karl.

I början av februari 1853 orkade kung Oskar ta sig upp och också företa en kort "promenad" i vagn tillsammans med drottningen.

De omskakande händelserna berörde många, födde känslor av medlidande och sympati. Stadens äldste beslöt att kungens tillfrisknande skulle firas med en väldig illumination. På mångas förslag ville man också ge glädjen ett varaktigare minne, varför man beslöt igångsätta en insamling för att skapa sundare bostäder åt den mindre bemedlade arbetsklassen. Ett sådant försök hade gjorts några år tidigare, då Stockholms stads brandförsäkringskontor grundat Fattigbyggnadsfonden som gett räntefria byggnadslån för uppförandet av ett tiotal hus. Men de hundratjugo enrumslägenheter som då byggts förslog inte långt, bostadsbristen var fortfarande skriande stor, folkmängden ökade och de fattiga blev allt fler.

"Glädjedagen", tisdagen den nionde februari, fick de flesta anställda sluta sina arbeten redan vid femtiden på eftermiddagen. Från stadens utkanter började folk dra sig ner mot de centrala delarna. Målet som lockade de flesta var Artilleriplanen nära Nybrohamnen, från Artillerigården som låg intill skulle det stora fyrverkeriet brännas av.

Olof och Malin skulle gå ut tillsammans med Skräcken och Johanna. Lotten var för liten att följa med så långa vägar men hon och farmor Charlotta skulle gå upp på berget vid Ersta och se på ståten därifrån.

Hela Hugge Lindgrens stora familj skulle ut, den yngste, Ture, skulle fylla åtta nästa gång och ville absolut vara med. Men Hugges bror Kalle och hans Anna-Lena stannade hemma, deras dotter Anna-Kajsa var inte mer än tre.

I det låga trähuset intill kvarnen Hatten satt tjuven Oskar Karlsson vid bordet och tog en sup och en sillbit. Han gjorde sig ingen brådska, det fick bli ordentligt mörkt innan han gav sig av. Lena och flickorna hade redan gått. Hans gamla mor skulle hålla sig hemma, hon hade tänt en talgdank i fönstret för att fira kungen – och ljuset måste passas.

Vid sextiden började man tända de utsatta marschallerna på gator, torg och broar. Och halv sju inleddes det praktfulla fyrverkeriet från Artillerigården, till musik av Svea artilleris musikkår. Sjuhundra raketer tillverkade under ledning av styckjunkaren Lindeberg steg mot vinterhimlen, bomber avfyrades och bengaliska eldar och romerska ljus strålade. Föreställningen varade en dryg halvtimme och avslutades med kungens namnchiffer i "briljant eld". Därvid spelades folksången och artilleriregementets befäl och manskap på Artillerigården sjöng och den väldiga folkmassan på planen utanför stämde in. Därefter strömmade massorna iväg för att se på alla de illuminationer som nu tänts överallt i staden.

Strax före åtta på kvällen började delar av kungafamiljen med uppvaktning en två timmar lång färd i vagn runt staden. Kungaparet stannade dock kvar på Slottet och lyssnade på körsångarna som samlats på inre borggården. Tåget, som leddes av förridare med facklor och omgavs av löpare och jägare, bestod av tio vagnar. Det hälsades av hurrarop och jubel när det drog fram från Slottet till Observatoriet i norr, Fredrikshov i öster och Götgatan i söder. Det var bara glest befolkade Kungsholmen i väster som inte fick del av färden.

På berget vid Ersta hade också ganska mycket folk samlats, främst åldringar och barn med föräldrar. Man trängdes i trätrapporna och på Östra kyrkogatan och när raketerna exploderade skrek barnen, de större av glädje och de minsta i skräck. Lotten som var väl förberedd på vad som skulle ske var inte rädd – fast visst höll hon farmor hårt i handen.

Nu tändes allt fler ljus där nere i staden, vid Skeppsbron och Slottsbacken, inne i Kungsträdgården. Riddarholmskyrkans höga genombrutna torn upplystes av tusentals lampor, husen på Blasieholmen och Skeppsholmen hade fått långa ljusrader som ringlade och speglade sig i Strömmens mörka vatten. På Kastellet hade massor av marschaller placerats såväl på balustraden som på tornets tak.

Men det blåste mycket, många ljus slocknade nere i staden och det blev allt kallare uppe på berget. Ganska snart beslöt Charlotta och Lotten att gå hem och tända ljus själva, i fönstret mot Tjärhovs tvärgränd. Lotten skulle ligga kvar över natten och innan hon lade sig fick hon en kopp varm mjölk och en nybakad bulle, farmor drack kaffe. Det behövdes något varmt efter all kall blåst.

Lotten såg ljusen som brann i fönstret, somnade tryggt fast det var första gången hon inte låg hemma en natt.

Det var inte så lätt att hålla reda på sju ungar i trängseln, fann Maria och Hugge. Som tur var kunde äldsta dottern, Kristina, hjälpa till med uppgiften. Och det gick lättare när de kom ut ur den kompakta åskådarhopen, det fanns så många olika attraktioner att uppsöka, hela staden var ju ett upplyst nöjesfält.

Kanslihuset vid Mynttorget och även Rådhuset hade fått kolonner av ljus så att de förvandlats till romerska tempel, på Rådhuset fanns kungens namnchiffer format av trettiotusen lågor. Framför Riddarhuset hade man rest en belyst obelisk, Gustav Vasas staty hade prytts med marschaller och lampor. Uppe på Stortorget hade Börsen fått arkader av ljus och en väldig transparang hade satts upp, den visade kungen omgiven av Svea och Nore. Över Oskars huvud svävade Livet som förvisade den liebeväpnade Döden till bildens ytterkant. Under transparangen stod texten: Återskänkt åt sina folk. Utanför Börsen sjöng Folksångföreningen fosterländska sånger.

De gick hemåt genom ett ljushav, tyckte Maria. Husen hade förvandlats, floder av ljus flödade över dem och strömmade genom de vanligen så mörka gatorna, vinterkvällen hade förbytts till klar dag. Vid Slussen fladdrade marschallerna på vindbryggorna och intill slusskanalen, en väg av ljus ledde upp mot Södermalmstorg. På krogen Pelikans hus hade Neptuniorden satt upp en dekoration som visade Neptun med hela sitt hov. Också husen vid Stadsgården var dekorerade, liksom Stadshuset, från Mosebacke lyste eldar. Katarina kyrkas lanternin var rikt upplyst av lampor och från tornets altan sjöng skolungdomar ”Nu tacker

Gud allt folk".

Ja, det var överväldigande. Till och med Hugge hurrade. Han som brukade skryta med att han hurrat för republiken 1848 stod nu fem år senare och hurrade för kungen.

Illuminationerna släcktes klockan tio på kvällen och staden blev sig lik igen. Men i stället började nu banketter av olika slag. Magistraten hade inbjudit hundrafemtio personer till måltid i stora börssalen och där pågick festligheterna till klockan halv två på natten. Ståtliga skåltal hölls och beledsagades av upprepade hurrarop, fanfarer och skallande jubel. Officerskårer hade festmåltider på skilda håll, tullverkets ämbets- och tjänstemän samlades till supé, bildningscirkeln firade i de la Croix' stora sal där folksången sjöngs och där de närvarande tecknade sina namn på listorna för bidrag till den planerade arbetarbostadsfonden. En okänd välgörare bjöd Södra arbetshusets intagna hjon på middag, här drack man kungens skål i öl. Destillatören Titz bjöd personal och intagna på Danviks hospital på en festlig aftonmåltid. På Stora barnhuset hade barn och personal redan under dagen undfägnats med förfriskningar, här var det konditor Davidson som var värd.

Även om trängseln varit besvärande och en och annan mist en mössa, en galosch eller ett rockskört så hade kvällen varit lugn. Polisen hade funnits på plats och blandat sig med massorna men knappast behövt ingripa.

Namnet framför andra denna härliga dag var onekligen Oskar. Men inte vilken Oskar som helst utan bara den förste. Tjuven Oskar såg sitt namn överallt i staden men själv kände han sig närmast som fredlös, alle mans bov. Han hade inte räknat med att ljusen skulle vara så många och avslöjande, det var som att arbeta i dagsljus. Han beslöt ganska snabbt att göra som alla andra, ta en ledig kväll. Oskar gick mellan krogarna, drack litet mer än han borde göra.

En hel del flarn och fnask var i rörelse, såg han. Förr skulle han väl ha slagit sig i slang med någon kvinna. Det var inte lika nödvändigt eller ens lockande nu när Lena fanns i hans hus.

Kanske han fått alltför bra, förlorat ambitionen och blivit bekväm. Låg hellre hemma i stugvärmen på nätterna än han strök längs gatorna för att ta pungen från berusade kroggäster eller bryta sig in i bodar och bostäder för att komma över något till gubben Bergbom.

Oskar gick inte så gärna till gubben numer. Det var som om Bergbom inte kunde tåla att Oskar och Lena höll ihop, han kom alltid med spydigheter. Oskar tyckte inte heller om att bli påmind om att gubben var far till Klara, han tyckte om flickungen och ville gärna se henne som sin egen dotter. Ja, han hade till och med lurat i sin mor att det var så. Det var enklast också, eftersom allt var så krångligt. I kyrkböckerna stod Klara som dotter till Lenas försvunne man, Julius Kling. I verkligheten var hon Bergboms. Men hemma och bland grannar och vänner var Oskar hennes far. Flickan hade också fötts i hans hus och det kunde tydas som ett bevis för att det var så.

Klara var en rar flicka, tio år snart. Alltid glad och rolig, duktig att hjälpa till hemma. Oskars mor tyckte mycket om henne, medan hon inte alls kunde förlika sig med den tre år äldre Stina, grevedottern. Stina smet iväg från alla sysslor, sprang med korgen på krogarna och bar sig åt som ett litet luder. Oskar hoppades att Stina skulle ge sig iväg snart, söka sig till sina gelikar. Hon var inget bra exempel för Klara. Men Lena var så överseende, försvarade den odrägliga flickan och ville absolut inte skiljas från henne.

En dag löste det sig nog. Då skulle han sitta där i sitt hem med Lena på ena sidan och Klara på den andra, en lycklig familjefar, älskad och respekterad av de sina. Men för att kunna leva så behövde han större och säkrare inkomster. Ett vanligt hederligt yrke kunde kännas lockande men gav inte tillräcklig lön för mödan. Han drömde allt oftare om den stora stölden, brottet som skulle ge så mycket pengar att han kunde dra sig tillbaka och leva lugnt. Det skulle vara reda pengar, inte skrymmande gods och varor som måste säljas till hälare som tog nästan hela förtjänsten.

Oskar hade förberett sig. Lyft några plankor och grävt en grop under huset. Där kunde penningkistan stå, just nu fanns där bara en trälåda innehållande en silverskål och några kopparkärl.

Men ännu hade han inte fått någon riktigt bra idé. Den kände stortjuven Lilja hade häromåret tagit sig in i Riddarhuset och kommit över en hel del pengar. Men nu hade de förmodligen skaffat sig säkrare förvaringsplatser och kassaskåp där.

Någonting skulle han nog komma på ändå. Fast inte i dag, nu hade han druckit för mycket och fick nöja sig med att tänka på de fröjder han skulle uppleva när kistan full med pengar stod under köksgolvet. Då skulle de äta som grevar och baroner, skaffa en bred säng med mjuka bolstrar och duntäcken. Lena och Klara skulle gå klädda som prinsessor och han själv klä sig som herreman.

Oskar satt och log för sig själv.

Vägen hem blev slingrande, han tog snedsteg, satt en stund i en snödriva. Ändå skrattade han belåtet.

Oskar Karlsson lyckades aldrig bestämma sig för hur och var den stora stölden skulle företas. Eftersom de dagliga behoven ändå krävde sitt måste han fortsätta i det mindre formatet. Drömmarna om något större och bättre gjorde honom ointresserad och oförsiktig inför de mindre uppgifterna, han slarvade och blev upptäckt när han brutit sig in i en hökarbod vid Nytorget.

Oskar var straffad tidigare för stölder och inbrott, varför han dömdes till flerårigt fängelse. Polisen genomsökte stugan som ägdes av hans mor och hittade silverskålen i gömslet under golvet, kopparkärlen hade Bergbom fått köpa tidigare. Oskars mor, liksom Lena och flickorna, förnekade all kännedom om skålen, gropen var bara avsedd att lagra potatis i.

När Oskar var borta fanns ingen som försörjde dem. Lena fick se till att hon själv och Stina, som slutat skolan, fick något arbete. De måste också få en ny bostad, den enda möjligheten Oskars mor nu hade var att ta emot inneboende i spisrummet.

Klara fick stanna kvar, sa Oskars mor. Sitt barnbarn ville hon försöka ge mat och husrum.

Lena sa inte emot, det var naturligtvis bra om Klara fick bo kvar. Det skulle bli besvärligt ändå. Det var säkert inte lätt att hitta någon karl som var villig att försörja henne den här gången, hon var tio år äldre nu, trettiosex. Och Julius var fortfarande försvunnen. Lyckligtvis hade hon lagt undan litet av de pengar Oskar gett henne, gömt dem så väl att inte ens poliserna kunnat hitta dem. Summan var inte stor men räckte åtminstone den första veckan.

Hon gick ner till Lusasken, stannade utanför på gatan för att slippa möta Bergbom. Lena ville låta Oskars kamrater veta vad som hänt, ville också fråga om de kunde ge henne något förslag när det gällde arbete och bostad.

Efter en stund kom Jocke. Han kunde berätta att också Tobbe åkt fast och satt inne, det var tydligen hårda tider. Någon bra idé när det gällde Lenas framtid hade han väl inte men nämnde ändå att det fanns en krog på Österlånggatan där en flicka han kände just hade slutat. Lena kunde ju gå dit och fråga, kanske de inte hunnit få någon ny ännu. Med det var ett ställe där man inte fick vara alltför nogräknad. Hon fick inte vara fjär om hon skulle passa där, det var ett ställe dit många sjömän kom, karlar som inte sett en kvinna på månader. Fast de hade fått sin hyra när de gick i land och knusslade inte med slantarna om de blev väl bemötta.

Det lät kanske litet oroligt men Lena gick dit och hörde sig för. Mitt på dagen var det ganska lugnt och tomt och ingen av de få gästerna föreföll att vara någon nyss landstigen sjöman.

Lena fick platsen, kanske tack vare att Stina var med. Mannen som ägde krogen tittade intresserat på flickan och sa att den ungen kunde torka borden och vippa omkring bland gästerna – för hon var verkligen grann. Hon var väl inte snarstucken bara, började väl inte lipa om någon petade på henne?

Han gav henne en dask på baken. Stina klarade provet, log vänligt.

Hon har gått med korgen, sa Lena. Sålt pappersblommor.

Det fanns en skrubb i gårdshuset. Där kunde de ha sina saker, sova.

"dig ödmjuk böj"

"Naes-, Lund- och Blom-berg,
kolerans doktorer!
Mellring och Lundgren,
badare, kirurger!
Skål för er alle!
Troget I bekämpat
pesten och döden."

Sång till Herrar läkare, ur Cholerans upphörande i Catharina, 17.12.1853, av C.J.F.

"Ack, över korset dig ej beklaga,
men över synden, som är dess rot,
dig ödmjuk böj under Herrans aga
med barnslig tro och med redlig bot."

Ur Choleran 1853. Skaldestycke. Författaren anonym.

Seniorberget låg intill Stora Bondegatans slut nära Hammarby sjö och hade fått sitt namn efter seniorerna, de äldsta eleverna på Hillska skolan, som haft privilegiet att ensamma hålla till där. Det var Barnängsområdets yttersta utpost och nedanför berget låg det hus där herrgårdens trädgårdsmästare bodde. I ett spisrum med egen ingång hade trädgårdsdrängen Kalle Lindgren med familj sin bostad.

Kalle hade arbetat på Barnängen i sjutton år nu, och haft bostad där i sju år, alltsedan Hillska skolan stängdes och han blev gårdvar och vaktmästare medan platsen låg öde. Så hade Lars Johan Hierta köpt egendomen och anlagt en sidenfabrik. I de lokaler där klädesvävarna en gång arbetat och där skolpojkarna sedan haft sina logement stod nu ett femtiotal vävstolar som drevs med ångkraft. Fabriken tillverkade taft och satin, tyger till västar och finförkläden, silkesschaletter och annan grannlåt.

Hierta själv hade inte ansvaret för den dagliga driften, föreståndare var en fransk affärsman och tidigare teaterdirektör, monsieur

Trouillet. Däremot hade Hierta med familj flyttat in i huvudbyggnaden, en lantlig herrgård i stadens utkant.

Trouillet var inte särskilt omtyckt, varken av de kvinnliga arbetarna som skötte vävstolarna eller av Hiertas vänner, som kallade fransmannen "Hiertas onde genius". Föreståndarens behandling av de anställda hade gett Barnängen namnet Svältängen och Hierta själv fick i Folkets röst heta Svältängsherrn.

Kalle Lindgren var lyckligtvis inte så beroende av Trouillet, parken och trädgården låg inte under fransmannens ledning. Men Kalle och Anna-Lena och deras dotter Anna-Kajsa hade fått flytta från den tidigare bostaden nära herrgården till huset vid Seniorberget.

De hade fått trängre men var ändå inte särskilt missnöjda, det var skönt att inte ständigt behöva befinna sig framför ögonen på herrskapet.

Under Hillska skolans tid hade Kalle och Anna-Lena sett de förmögna klassernas barn uppfostras i en internatskola. Nu fick de, på ett något längre och mera respektfullt avstånd, iaktta de förmögnas hemliv.

Lars Johan Hierta med hustru och fem döttrar samt fru Hiertas syster bodde i den stora herrgården där också guvernanten miss Leyborn, betjänten Löfqvist och husmamsellen Säfbom med biträden hade sin bostad. Flickorna Hierta lekte i den stora parken som omgavs av ängar och berg, det fanns fruktträd och bärbuskar, två vackra lusthus och badhus. Vintertid åkte flickorna och deras vänner skridskor på sjön eller kälke i den präktiga kälkbacken som en gång anlagts för Hillska skolans elever. Sommartid var flickorna klädda i kattunklänningar och "kråkor" som skulle skydda deras ömtåliga hy för solbränna. Man kunde se dem vandra iväg till bekanta familjer – Patons, Schartaus, Liljevalchs – som hade sommarnöjen intill stora segelleden och Fåfängan. Ofta kom barn från dessa familjer till Barnängen för att plocka bär eller ro och fiska på sjön. Och ibland hölls det middagar och baler, pigorna som serverat kunde berätta om de märkliga gäster som besökt herrskapet.

Familjen Hierta bodde mycket långt från staden, tyckte de själva, njöt av att "leva fritt på landet". Den minsta flickan, Anna, hade hittat ett ihåligt träd som var hennes hemliga lekplats, medan den ett år äldre Ebba helst satt uppe i ett av äppelträden och läste sagor. Denna sommar samlade och pressade de yngsta också växter, en präst undervisade dem i botanik.

Kalle såg de unga fröknarna då och då när han arbetade i parken, hämtade vatten till herrgården, bar sopor därifrån eller utförde mindre reparationer. Han lyfte artigt sin mössa och de väluppfostrade flickorna nickade vänligt tillbaka. Men på något sätt var det som om de inte såg honom, han var en ansiktslös tjänsteande som knappast fanns där, han levde inte i deras värld.

Anna-Lena hade inget fast arbete men brukade gå herrskapet och de bättre familjerna på Barnängen tillhanda vid storstädningar och vid andra tillfällen då det vanliga tjänstefolket behövde förstärkning. Ibland hjälpte hon fortfarande sin mor Hedda att färglägga tryckta bilder, det var ett arbete som Anna-Lena kunde utföra hemma samtidigt som hon såg efter sin flicka.

En gång i månaden brukade hon besöka sin gamla mormor som ensam och skröplig levde kvar på Fabrikssocietetens fattighus vid Södermanlandsgatan. Trots att gumman varit sjuk och svag redan när hon flyttat in där för snart tjugofem år sedan levde hon fortfarande, nu som änka och åttiosex år gammal.

Anna-Lena brukade ha nybakat bröd med sig, gamla mormor hade inga tänder kvar men tyckte om att blöta bröd i vatten.

Vägen till fattighuset var kortast om man gick genom Barnängsområdet men Anna-Lena föredrog att hålla sig utanför. Hon tog barnets hand i sin och de vandrade iväg, förbi tobaksfälten och mellan planken och de låga husen längs Stora Bondegatan, Tjärhovs tvärgränd och Pilgatan. När de nådde Renstiernasgränden lämnade Anna-Lena den lilla hos Hedda. Det var svårt att ha flickan med sig på fattighuset, en del av de gamla tyckte att barn var besvärliga och några led av sjukdomar som kanske kunde vara smittande.

Fabriksfattighuset var ett ganska stort stenhus nära Katarina kyrka. Mormodern bodde tillsammans med ett dussin kvinnor i en av salarna. Luften därinne kändes tjock och kväljande trots att dörren stod öppen. Även om fattighusets styresman var badmästare blev det inte så ofta som de gamla tvättades, de flesta var nog också gladast om de slapp.

Besöket kunde inte bli långvarigt och det var svårt att tala när många lyssnade, fanns så nära. Anna-Lena fick dock höra att hustrun till maskinisten Durell på ångfartyget Svithiod – familjen bodde snett över gatan – insjuknat i något som liknade kolera. Maskinisten hade besökt fattighusets föreståndare, badaremästare Lundgren, och fått medicin och föreskrifter rörande behandlingen av den sjuka. Den hos Lundgren anställde eleven Boman hade också hjälpt till att vårda madam Durell.

Men kanske det inte var kolera, madam hade snabbt kryat på sig och redan efter några dagar blivit frisk igen.

Det var inte någon märklig nyhet, under sommaren hade sjukdomar med koleraliknande symtom härjat överallt i staden. De som insjuknat hade drabbats av kräkningar, diarréer och kramper men nästan alla hade tillfrisknat ganska snart. Nu, i början av augusti, hoppades stadsborna att det skulle gå lika lyckligt som 1850, då sjukdomen visserligen grasserat ute i landet men aldrig nått Stockholm.

Förhoppningarna infriades inte. Tre helt skilda trakter av staden hemsöktes samtidigt i mitten av augusti. Vid Karduansmakargränd i Klara avled en hustru, vid Grevmagnigränden på Ladugårdslandet avled i ett och samma hus en hustru, en piga och ett fosterbarn. I fabriksfattighuset i Katarina insjuknade mamsell Almson, fördes till Provisoriska sjukhuset och dog där.

Nu kom fallen tätt, främst i de trakter och hus som redan varit utsatta. Ytterligare tre dog i Grevmagnigränd 11 och ännu en boende vid Karduansmakargränd. Från fabriksfattighuset fördes manliga fattighjonet Wennerström och kvinnliga hjonet Lindgren samt änkorna Norström och Lindros till Provisoriska sjukhuset.

Samtidigt spred sig sjukdomen till nya trakter, till Nikolai, Maria och Kungsholms församlingar. Den artonde augusti förklarades Stockholm som smittad ort. Vid månadens slut hade sjukdomen spritt sig till alla delar av staden, sundhetsbyråer inrättats och kolerasjukhus öppnats. Varje dag utfärdades tryckta bulletiner angående sjukdomens spridning och bekämpande och meddelades antalet insjuknade, döda och friskförklarade.

Täckta vagnar med sjuka rullade till sjukhusen, nattliga liktransporter till kolerakyrkogårdarna. På husens gårdar stod järngrytor med tjära, i tjäran lades stora upphettade stenar och röken från grytorna blandades med doften från brinnande enrisknippen. Barnen fick amuletter, små påsar med svavel, vitlök och dyvelsträck och ibland en bit kopparplåt i band om halsen, det påstods att kopparstaden Falun aldrig hemsökts av vare sig pest eller kolera. Man tuggade rötter av angelika och kalmus, undvek de lockande plommonen och andra frukter.

Av stadens nittiotretusen invånare insjuknade fyratusenniohundra, varav närmare tvåtusenniohundra avled. Epidemien var inte lika omfattande som den 1834, då hade en på tjugotvå stockholmare dött i koleran, nu var det en på trettiotvå. Hårdast hade Ladugårdslandet och Kungsholmen drabbats.

Knappa två veckor efter besöket hos mormodern kom Anna-Lena med sitt barn till Hedda. Egentligen kom hon för att lämna de tryck som hon färglagt men på vägen dit hade hon känt matthet och värk och fruktade det värsta. Hon lät barnet knacka på dörren och drog sig undan en bit när Hedda öppnade.

Jag ska inte komma in, sa Anna-Lena. Jag vet inte hur det är med mej, kände mej dålig på vägen hit. Får jag lämna Anna-Kajsa här tills vi får se hur det blir?

Hedda hade väl velat ta hand om dottern också. Men om det var som Anna-Lena fruktade måste de för allas skull vara försiktiga. Så hon lät barnet gå in i rummet och stannade själv ett stycke från dottern.

Kan du klara dej hem själv? undrade hon.

Det trodde Anna-Lena, det var ju inte så långt. Men det var bekymmersamt att Anna-Kajsa inte hade några kläder att byta med, att försöka hämta något var väl inte att tänka på. Det skulle nog klara sig, sa Hedda, det viktiga nu var att Anna-Lena kunde ta sig hem och vila. Så snart Gunnar kom skulle Hedda skicka ner honom till Sundhetsbyrån för att be någon därifrån komma och undersöka hur det var.

Anna-Lena protesterade först, det kanske inte var något allvarligt. Men Hedda ansåg att det var bättre att be om hjälp i onödan än att kanske riskera livet. Anna-Lena var alltför trött och illamående för att orka säga emot, nu gällde det främst att komma hem innan hon föll ihop.

Vägen hem blev svår, några gånger måste hon stanna och kräkas, samtidigt som hon frös kände hon hur hon blev klibbig av svett. När hon kom fram stod trädgårdsmästarens hustru på gården, hon såg Anna-Lena vackla och frågade hur det var fatt. Kvinnan blev blek av rädsla när hon fick besked och skyndade iväg för att hämta Anna-Lenas man och se till att bud genast gick till Sundhetsbyrån. Att vänta tills Anna-Lenas bror blev ledig från sitt arbete var inte att tänka på, sjukdomen måste ut ur huset innan den hann sätta sig fast där.

Kalle Lindgren fick order om att genast gå hem och hålla sig inne tills Sundhetsbyråns läkare undersökt också honom.

Doktor Naesberg kom med två bärare och en hästdragen kärra, han fann det säkrast att genast låta föra Anna-Lena till Provisoriska sjukhuset vid Sandbergsgatan. Dold bakom kärrans förhängen rullade hon fram över Barnängens ägor och den korta vägen till sjukhuset i det tidigare brännvinsbränneriet.

Kalle fick följa med för närmare undersökning. Han insjuknade dagen därpå och blev kvar på sjukhuset.

Sista dagarna i augusti 1853 avled trettiotvåårige trädgårdsdrängen Karl Lindgren och hans tjugosexåriga hustru Anna-Lena. De efterlämnade fyraåriga dottern Anna-Kajsa.

Ganska många barn hade blivit föräldralösa under koleraepidemien. Några herrar inom Grosshandels-societeten hade rörts av barnens öde och försökte skaffa dem fosterföräldrar eller plats på barnhem. Största hjälpen fick de av klockaren Jonas Petter Malmqvist och hans maka Johanna som året innan stiftat Malmqvistska barnuppfostringsanstalten ”till fattiga fader- eller moderlösa barns kristliga vård och uppfostran”. De åtog sig att ta emot ett tjugotal av barnen i den egendom de inköpt på Stora Skinnarviksgatan på Södermalm.

Men Hedda ville försöka ta hand om Anna-Kajsa. Visserligen hade hon själv bara några år kvar till sextio men ännu kände hon sig någorlunda frisk och stark. Kalles mor skulle inte orka, hans syskon hade nog med sitt.

Det blev väl inte så lätt. Anna-Kajsa var ett livligt barn, kanske litet bortskämd, inte så lydig. Men samtidigt var flickan så ovanligt vaken och intresserad av allt, så uppriktig. Blev det inte lätt, så blev det säkert roligt och upplivande i stället.

Men det som hänt var svårt, omöjligt att komma över. Anna-Lena och Kalle var så unga, hade hunnit få ut så litet av livet. De hade hört till dem som trampats ner, inte kunnat hävda sig.

Hade också deras sjukdom och död varit en följd av förtryck och förakt, hade de offrats för att de rikas affärer inte skulle hindras?

I konselj den tjugonde augusti hade en vredgad kung förklarat den svensk-norske konsuln i Lübeck entledigad från sin befattning. Anledningen var att konsuln låtit ångbåtarna som gick från Lübeck få sundhetsbevis och därmed rätt att anlöpa svenska hamnar trots att den tyska staden utan tvekan var en smittad ort. Bland dessa fartyg var Svithiod där maskinisten Durell tjänstgjort. Flera av båtarna tillhörde ett svenskt företag som troddes ha påverkat konsuln.

Vid den nu samlade riksdagen diskuterade borgarståndet en motion om karantäner. I denna påstods att systemet med avspärrning var odugligt som skydd men fördyrade livsmedel och förlamade industrin. Motionären ansåg till och med att det varit en lycka för Stockholm och Göteborg att städerna smittats, så att karantänerna upphävts och kommunikationerna kunnat bibehållas oavbrutna. Att hindra handeln med smittade orter hade endast blottlagt Sverige för utlandets åtlöje. Fjorton medlemmar av borgarståndet instämde. Ingen nämnde de tusentals liv som smittan krävt.

Efter fem veckor började farsoten avta och i slutet av november kunde man anse att den epidemiska fasen var över även om enstaka fall, flera med dödlig utgång, inträffade ända in i januari månad 1854.

Människor vågade mötas igen, teatrarna återupptog sina föreställningar. Vid Mosebacke invigdes till och med en ny teater, Södra teatern. Och den nittonde december vandrade folk ner till gatorna kring Gustav Adolfs torg för att uppleva ett nytt underverk, gasbelysningen. De nya lyktorna lyste vid torget och på Norrbro, vid Drottninggatan, Fredsgatan och Klarabergsgränden. Ljuset var så starkt att man under lamporna kunde läsa ett brev eller en tidning, jämfört med de nya gaslågorna föreföll de gamla oljelamporna mycket svaga. Gasen kom från det gasverk som efter stora ansträngningar och många misslyckanden anlagts på gamla Klara sopbacke, en utfyllnad i Klara sjö.

Trots allt hägrade en bättre framtid, allt oftare kom budskap om nya upptäckter och planer. Gasen skulle snart lysa upp hela staden. Den gamla optiska telegrafen hade börjat ersättas av elektrisk telegrafi, en telegraftråd förband redan Stockholm med Uppsala och hade använts den tid huvudstaden varit isolerad under koleratiden. Nu planerade riksdagen också byggandet av järnvägar. Och på Södra teaterns ridå fanns den nya Slussen avmålad, sådant som området skulle se ut när saluhallarna var färdiga och kung Karl XIV Johans ryttarstaty på plats.

”många och stora brister”

”Stockholms undervisningsväsende är behäftat med många och stora brister – –

att i medeltal endast omkring 50 procent av samtliga barn i åldern 7–14 år – – gått i vare sig högre eller lägre dagsskolor – –

att lärarnas antal är så otillräckligt, att i medeltal endast 1 lärare kommer på 86 lärjungar – –

att undervisningsmaterielen är i allmänhet ganska ofullständig och bristfällig

att skolhusen ävenledes äro i avseende på utrymme allt för inskränkta och till sin inredning i allmänhet olämpliga, till stort men för så väl lärjungarnas kroppsliga hälsa, som för arbetet och ordningen i skolan” – –

Ur kommittébetänkande angående ”ett ändamålsenligt ordnande af Hufvudstadens Folkskole-väsende”, 21.5.1855.

Ture Lindgren steg ut på den vitklädda kvarnbacken vid Tjärbeljan. Kvarnen med de stora vilande vingarna stod som en mörk skugga bakom ridån av tätt fallande snö. Ture drog upp halsduken bättre, satte två fingrar i munnen och åstadkom en ljudlig vissling.

Det dröjde kanske en minut innan han fick svar, strax därefter dök några pojkar upp ur snödiset.

Man var inne i februari nu och det betydde hela skoldagar, från åtta på morgonen till fyra på eftermiddagen – men med två timmars middagsrast. Eftersom skolan saknade belysning hade eleverna kortare arbetsdagar under den mörkaste tiden men den första februari ansåg man att dagsljuset återkommit. En dag som den här blev det nog ganska skumt i skolsalarna som förr varit verkstäder för arbetshjon.

Enligt 1842 års folkskolestadga skulle landets alla barn få undervisning. Men det hade dröjt fem år innan den kommit igång på allvar och då hade församlingarna som svarade för beslutets förverkligande, måst hålla till godo med de utrymmen de kunnat få.

Katarina församling hade övertagit lokalerna efter Södra arbetshuset som flyttat till Dihlströms gamla klädesfabrik vid Stora Glasbruksgatan. I arbetshuset hade de arbetslösa hjonen malt gryn på handkvarn, sågat bräder med handsåg, stött tegelmjöl, slipat yxor och knivar, tillrett drev av gammalt tågvirke, flätat grova golvmattor och snott ljusvekar, spritat fjäder och bundit nät.

Nu huserade några hundra pojkar, uppdelade på två grupper, i verkstadslokalerna, i huset hade också deras två lärare sina bostäder.

För de elever som bodde i den östra utkanten av Södermalm var skolvägen ganska lång. Katarina folkskola för gossar låg i hörnet av Götgatan och Högbergsgatan, på Götgatans västra sida. Huset låg ändå inom församlingsgränsen eftersom gränsen just där överskred Götgatan och fångade in några av kvarteren vid Fatburssjön och söder därom. Resten av västra sidan av Götgatan var "fiendeland", Mariornas hemvist. Gatbiten utanför skolporten var Katarinas förpost och värn, en för utomstående osynlig men för de invigda viktig gränsfästning som inte fick ges upp.

Även om skolstadgan föreskrev att alla barn skulle få undervisning såg det annorlunda ut i verkligheten. Ute i landet var avstånden ofta så långa att barnen inte kunde ta sig till skolorna, och i storstadens fattigkvarter kunde ovilliga hålla sig undan. Många saknade kläder och skor och måste åtminstone vintertid hålla sig hemma av den anledningen. Andra arbetade, och föräldrarna som var beroende av deras inkomster gjorde allt för att förhindra deras skolgång.

Oppositionen mot skoltvånget var stark. Fattiga och okunniga föräldrar fann det onödigt att barnen fick bokliga kunskaper. Skolgången hindrade barnen från att lära sig ett yrke och försörja sig. Dessutom var det förödande för respekten för föräldrarna om de unga visste mer än de vuxna.

Många företagsledare fruktade att kunskaperna skulle göra de fattiga missnöjda och påstridiga. Blivande arbetare levde lyckligast i sin enfald.

Prästerna ansåg att skolor för de kroppsarbetandes barn främst borde ge religiös fostran. Det räckte om barnen fick lära sig vad de behövde kunna för att bli konfirmerade. Varje önskan om att vidga kunskapsområdet sågs som ett försök att skilja skolan från kyrkans inflytande.

Tures far hörde till dem som menade att undervisningen var onödig – Hugge Lindgren kunde varken läsa eller skriva men hade minsann klarat sig ändå. Tures mor hade motsatt åsikt och det var hon som hade drivit sin vilja igenom, alla deras barn skulle få gå i folkskolan.

Närmare hälften av dem som gick i skola slutade redan efter två-tre år, många slutade innan de ens kunde läsa för att i stället börja arbeta. I Katarina folkskola för gossar var ibland bara halva antalet inskrivna barn närvarande på lektionerna. Ganska få lärde sig mer än det allra nödvändigaste, ämnen som språklära och rättstavning, historia, geografi och naturlära var okända för de flesta. När det gällde geografi och naturlära var det inte lätt att lära något eftersom skolan inte ens ägde en svensk karta eller några planscher.

När pojkarna kom till skolan hade veckans "custus", ordningsmannen, redan arbetat i en och en halv timme. Det gällde att hinna bära in ved från vedboden och elda i kaminen, sopa golvet med kvast och damma bord och bänkar innan kamraterna kom. Sandbänkarnas sand hade jämnats ut, griffeltavlorna stod uppställda liksom raden av bläckhorn och knippena med fjäderpennor.

Custus hade också lagt fram rotting och ris på katedern, risen hade bundits av eleverna under föregående veckas övningar i handslöjd och under den vecka som nu inleddes skulle de slitas ut på deras händer och bakar. När det gällde folkskolans barn fanns det inte många som betvivlade att kunskaper och goda seder bäst slogs in i de unga.

Någon tambur fanns inte varför ytterkläder och mössor fick läggas på en bänk. Eftersom det dröjde innan värmen spred sig i den ganska dragiga lokalen var det många som behöll ytterplaggen på.

De yngre eleverna löd under magistern, de äldre samlades under rektorns ledning. Till vardags kallades den lägre klassens elever för "magistrar" och den högre klassens för "rektorister".

Rektoristerna, som var färre, hade den mindre av de två salarna.

Magister Andersson kom och befallde custus att stämma upp psalmen.

Att dig o Gud mitt offer bära
min första känsla vara bör.

Det gick inte för en ensam magister att klara undervisningen av ibland uppåt hundratalet elever. Man använde sig därför av den så kallade lancaster- eller växelundervisningsmetoden. Den innebar att ett tiotal av de kunnigare eleverna fungerade som biträdande lärare, ”monitörer”. Det var en hedersuppgift men innebar samtidigt att monitörerna fick ägna mer tid åt att undervisa andra än åt att lära sig något själva.

De första timmarna ägnades åt bibelläsning och förhör av dagens läxor i katekesen och bibliska historien. Hemläxorna skulle eleverna kunna rabbla utantill och de som stakade sig fick smäll på fingrarna. De duktiga fick förtjänsttecken att hänga i band om halsen, det fanns också brickor med korta besked som *Lat*, *Skam* och *Oren*.

Efter läxförhöret började skrivträningen. Nybörjarna samlades vid sandbänkarna där de med hjälp av spetsade träpinnar skrev bokstäverna. De något kunnigare använde griffeltavlorna medan de som hunnit längst fick skriva med fjäderpenna och bläck på papper.

Efter fyra timmars arbete var det dags för middagsrast. Magistern låste skolsalen och gick upp till sin bostad. Eleverna som bodde nära gick hem, medan Ture och några av hans kamrater åt sina medförda brödbitar ute på gården och sedan lekte där. De var tvungna att hålla sig ute hela tiden, skollokalen var låst.

Alla vardagar utom onsdag och lördag, då eftermiddagarna var fria, fortsatte undervisningen sedan ytterligare två timmar. Då ägnade man sig åt de övriga ämnena, även teckning och sång förekom. Under den mörkare tiden, från femtonde november till sista januari, pågick lektionerna fem timmar i sträck med någon kortare rast. Då kunde det hända att rasten bestod i att såga och hugga ved till såväl skolans som magisterns vedbod.

Disciplinen i skolan var sträng och militärisk. Ris och rotting ven, varma vårdagar när fönstren stod öppna hördes slagen och de pryglades skrik långt ut på gatan. Något medlidande med de straffade hyste man sällan. De fick sina gärningars lön, sa förbipasserande, man drev ut latmasken och okynnet ur dem.

De mest förhärdade eleverna ägnade mycket tid åt att uppfinna metoder som skulle göra bestraffningarna mindre kännbara. Man kunde dra ner tröjärmarna över händerna och röra armarna så att slagen träffade på tröjkanten, man kunde vika tjocka karduspapper och stoppa i byxorna. Men då gällde det att skrika och gråta högljutt och övertygande så att magistern inte anade argan list.

Ture hade inte svårt för att lära. Han läste mycket bra innantill, han kunde också skriva och räkna. Däremot kunde han sällan utantill-läxorna även om han uppfattat meningen och kunde återge innehållet. Magistern menade att detta visade att gossen var lat och inte läste sina läxor ordentligt. Lat var han knappast, det var bara det att han hade så mycket annat att upptäcka och uppleva att han inte hann med. Han kunde inte heller förstå att det skulle vara så viktigt att rabbla allting utantill.

Nu gällde det sjunde bönen i Herrans bön. Han hade helt felfritt återgett bönens ord: *Utan fräls oss ifrån ondo.* Men på frågan: Vad är det? glömde han slutet på förklaringen. I stället för att återge önskan om att Gud skulle "när stunden är kommen, giva oss en salig ändalykt och nådeligen taga oss av denna sorgedal till sig i himmelen" bad han bara om "en salig ända när stunden var inne".

Magistern blev upprörd, den som slarvade så med Guds ord var sannerligen värd straff. Och inte blev han lugnare av att pojken undrade om det verkligen var Guds ord, det var ju ärkebiskop Swebilius som skrivit förklaringen.

Det blev stryk av rottingen och bricka om halsen, inte bara LAT utan SKAM.

Magister Andersson var sådan att han hade sina gullgossar och sina strykpojkar. Och hamnade man bland de senare kunde skolgången bli nästan outhärdlig.

Tures mor led med sin son, tyckte inte att hon kunde tvinga pojken att gå kvar i skolan när det blivit som det var. Han hade ju lärt sig det viktigaste ändå. Ture fick sluta efter tre och ett halvt års skolgång. Han lyckades få arbete vid en av brädgårdarna intill Tegelviken.

Katarina folkskola för flickor låg vid Högbergsgatan och var den gamla Fattigskolan för flickor i dess nya form. I huset som ägdes av församlingen fanns också Hantverksskolan för fattiga barn, gesäller och lärlingar, där man gav lektioner fyra timmar varje söndag.

Närmare trehundra flickor gick i folkskolan där de undervisades av två manliga lärare och lärdes ”fruntimmers handaslöjder” av två kvinnliga handledare.

Under året 1855 skulle Lotten fylla sju år och hon fick börja skolan i januari. Till en början skulle hon få sällskap till skolan med en av flickorna från Nytorget. Men den allra första morgonen följdes Lotten av modern och farmodern. Modern skulle hälsa på läraren och överlämna sitt barn, farmodern skulle bara gå med till skolporten och sedan fortsätta ner till Slussen till gamla madam Rundström.

Lotten kände sig högtidlig till mods, och också litet rädd. Nu var hon stor och skulle ut i världen, klara sig själv. Men hon var ändå inte ensam, dels fanns det flickor som hon kände hemifrån gården, dels några som liksom hon själv nu kom till sin första skoldag.

Vid skolporten sa farmodern farväl, uppmanade flickan att vara frimodig och uppmärksam så skulle nog allt gå bra – Lotten kunde ju redan skriva och läsa litet. Hon behövde inte vara orolig.

Charlotta väntade tills Malin och Lotten försvunnit in genom porten. Nu måste hon gnugga ögonen med tröjärmen ett tag. Visst var det roligt att flickan hunnit så långt men det betydde också att hon själv skulle bli ganska ensam. Gertrud hade gift sig och flyttat till sin bondson i Östergötland. Och Lotten skulle inte få tid att komma så ofta nu.

Läraren tog emot de nya i skolsalen, kontrollerade deras namn och prickade av dem på listan han fått. Så kallade han till sig en tolvårig flicka som skulle bli deras första monitör och leda undervisningen vid sandbänken och framför tavlan med bokstäver. De sju nybörjarna fick sina platser i en gemensam rygglös långbänk framför en högre bänk som utgjorde bord.

Skolan hade tre klassrum, varav ett var avsett för handslöjden, och också en större och en mindre samlingssal. Tack vare de donationer som den gamla fattigskolan en gång fått var denna skola bättre utrustad än de flesta av de nya folkskolorna.

Trots att flickorna var så många var det ganska lugnt, riset användes sällan och då mest på händerna, i stället kunde de odygdiga bli luggade. Men det Lotten mindes längst från sin första skoldag var hur den som kom smutsig till skolan behandlades. Stackars Frida som kom från någon av Vita bergens kojor var smutsig om både hals och öron. Hon blev tvättad i allas åsyn och pryddes sedan med ett rött ylleband om huvudet för att alla skulle uppmärksamma henne. För att undgå ett liknande öde skrubbade sig Lotten både länge och väl varje morgon.

Lotten iakttog de andra flickorna, särskilt de äldre, försökte följa deras exempel. Hennes monitör, tolvåriga Karin, dotter till en typograf, hörde till de duktigaste och stakade sig aldrig när läxorna förhördes. Ändå förstod Karin att det kunde vara svårt för småflickorna att lära sig allt det nya, flera av dem kunde inte skriva en enda bokstav rätt. Lotten var den enda av de nya som kunde hela alfabetet.

Karin var omtyckt av alla. Men stackars Frida hånades och svarade med att dra sina fiender i håret. Under en lektion i sömnad blev det så bråkigt att lärarinnan lade upp Frida på en av bänkarna, drog upp hennes kjolar och lät riset vina. Frida vrålade och sparkade och måste hållas fast av två monitörer. I flera dagar gick hon sedan med sänkt huvud, utskämd, kuvad.

Till dem som gärna retades med Frida hörde nioåriga Annika, som själv alltid uppträdde som en liten mamsell. Även om hon var enkelt klädd var klänningen nytvättad och välstruken och hon satte gärna sin lilla näsa i vädret. Småflickorna beundrade Annika men några av de litet äldre tyckte att hon gjorde sig till.

Annika kom och gick oftast ensam. Hon bodde i en förfallen kåk intill Färgargården nere vid Hammarby sjö, skämdes för den nerslitna modern, småsyskonen och huset som var fyllt av inneboende. Fadern, Storsäcken, kunde hon beundra för hans styrka men förakta för hans svaghet, alla helger låg han som ett redlöst vrak. Han var svag för henne, skämde bort henne, hon skulle vara hans "lilla prinsessa". Och hon hade lärt sig att utnyttja honom.

Helt annorlunda var Klara, en tolvårig flicka som bodde med sin farmor intill kvarnen Hatten. Hon var allas vän och kunde som ingen annan locka med både lärare och kamrater i sitt glada skratt. Inte var hon väl så flitig och duktig, nog stakade hon sig på utantill-läxorna och räknade fel på talen, och inte skrev hon vackert heller. Men ingen kunde bli riktigt ond på henne, hon slapp till och med att få LAT-brickan om halsen. För på något sätt bjöd hon till ändå även om resultatet blev svagt. Och när Frida fått stryk hade Klara slutit upp vid hennes sida och följt henne hem. Till och med Annika tystnade när Klara grep in.

Klara var fattigt och litet slarvigt klädd, på lektionerna i sömnad fick hon sy knappar i sin tröja och laga en reva i kjolen. Hon förläts, som om ingen riktigt tog henne på allvar.

Någon sa att Klaras far satt på Långholmen. Inte ens det fick flickorna att undvika hennes sällskap.

Även om undervisningen fortfarande hade många brister så hade den ändå kommit i gång och man strävade efter att nå allt fler barn. De barn som måste arbeta kunde söka sig till Hantverksskolan på söndagarna eller gå till Borgarskolan någon vardagskväll i veckan. Under våren 1855 framlades ett kommittébetänkande som talade för att skolan skulle göras till en gemensam angelägenhet för hela staden, en överstyrelse tillsättas och en inspektör anställas, nya, mera praktiskt inrättade skolhus byggas.

”tro ej du saknas”

”Sitt opp du gamle! Du skall ta farväl
och äntligt lyfta på den slitna hatten.
Sätt på dig pälsen och svep om dig väl,
ty det blir svalt att rida mitt i natten.
Tro ej du saknas på vår sköna jord,
sen du satt priset så enormt på födan.
Emjukatjänare! Med andra ord:
jag skulle klå dig, om det lönte mödan.”

Elias Sehlstedt i dikten Vid gamla årets avresa, skriven 1855.

Ute i världen pågick åter krig. Rysslands härskare, som inte utsatts för de revolutioner och oroligheter som skakat många av Europas regenter, ville utnyttja situationen och utvidga sitt välde, Turkiet hade angripits. Men England och Frankrike ställde sig på den anfallnes sida, sände flottstyrkor in i Östersjön och bombarderade finska städer och Bomarsunds fästning på Åland.

De viktigaste striderna utkämpades dock på långt avstånd från de svenska gränserna, vid Svarta havet. På Krim hade Sevastopol efter en långvarig belägring fallit i västmakternas händer.

Kriget medförde att den ryska spannmålsexporten till västra Europa avskars. Därmed fick svenska odlare tillfälle att överta marknaden. Mängder av svensk säd exporterades. För att hålla den inhemska brännvinstillverkningen igång nyttjade man i allt större omfattning potatis. Följden blev brist i Sverige på både säd och potatis och kraftigt ökade priser. De svenska arbetarna som främst levde på bröd och potatis drabbades hårt. Svält och oroligheter följde.

En första våg av oro hade skakat landet under våren, sedan ”husbehovsbränningen” förbjudits. Myndigheterna hade oroligt funnit att brännvinsfloden hotade dränka folket och beslutat att förbjuda det allmänna beredandet av sprit. Endast de som ägde minst ett mantal jord eller tillstånd att bedriva fabriksmässig tillverkning fick fortsätta med hanteringen. På de ställen där brännvin utskänktes måste mat serveras och vid minuthandel fick mindre kvantiteter än en halv kanna inte säljas. Det var de fattigas konsumtion man i första hand ville stävja.

Påbudet hade lett till lönnbränning i stor omfattning, lönnbrännare hade barrikaderat sina hus och tillsammans med kunder anfallit kronobetjäningen, som försökt beslagta spriten. Bönder, som hjälpt kronans folk genom att skaffa dem skjuts, hade fått sina gårdar antända. Smuggling av sprit, främst från Danmark, pågick också.

Att något behövde göras var tydligt, under detta år skulle bara i Stockholm över sjuttonhundra personer dömas för fylleri. En läkare, Magnus Huss, menade att brännvinspriserna måste mångdubblas om superiet inte skulle bli en farsot.

Att brännvinet blev dyrare kunde många kanske fördra, visst dracks det för mycket. Men att det också blev svårt att få tag på mat och att matpriserna nästan blev oöverkomliga, det upprörde alla.

Oroligheter blossade upp landet runt. Spannmålshandlares och exportörers lager och bodar angreps i hungerdemonstrationer, och protestmöten anordnades, eldarna under fabrikörernas väldiga brännvinspannor släcktes. I Jönköping blev upploppen särskilt våldsamma och fyrtiosju deltagare dömdes till tvångsarbete på fästning. Det var egentligen bara i Stockholm som det, för en gångs skull, var ganska lugnt.

Hungern och bitterheten hade kraftigare än kanske någonsin förr svetsat samman arbetare landet runt. Behovet av sammanhållning och gemensamt motstånd kändes allt starkare.

Livsmedelssituationen förbättrades mot hösten, sedan nya skördar bärgats och förhållandena ute i Europa stabiliserats något. Men man skulle minnas 1855 som ett svårt och hungrigt år, en tid som man inte ville ha tillbaka.

De boende intill Nytorget skulle väl ändå främst minnas några augustidagar då deras existens hotats och många av dem blivit hemlösa.

Skräcken och Johanna hade fått bostad i huset där Olof och Malin bodde, de hade flyttat in den första april. Johanna väntade barn, en pojke som fick namnet Bengt föddes i juli. I mitten av augusti hade pojken någon magåkomma och vaknade och skrek på nätterna. Johanna fick gå upp och lugna den lille.

När hon tittade ut genom fönstret mot torget fick hon se ett oväntat sken och strax därefter hörde hon ängsliga rop. Hon öppnade fönstret och böjde sig ut. Och nu såg hon lågor slå upp från ett hus i hörnet av torget och Nya gatan, helt nära spruthuset där brandsprutan stod.

Hastigt väckte hon Skräcken som klädde sig och genom dunkningar i väggen väckte Olof i rummet bredvid. De skyndade ut. Det var den sextonde augusti och klockan var fyra på morgonen, ännu skulle det dröja minst ett par timmar innan solen gick upp.

Det var i deras eget kvarter som det brann. Och de flesta husen intill var trähus.

Ur alla portar kom folk rusande, bud sändes till tornväktare och ansvariga släckare. En pojke gick längs gatan och slog med träpinnar på en kopparpanna, andra skrek och knackade på fönstren för att väcka folk.

Det blåste, elden spred sig och snart klättrade lågorna på sex hus kring hörnet av torget och Nya gatan. Även skjul och uthus inne på gårdarna hade antänts. När sprutorna kunde börja spola sitt vatten låg redan det först ansatta huset i aska, nu gällde det främst att hindra eldens fortsatta spridning så att inte den södra delen av kvarteret också angreps. Skjul och bodar revs, plank vräktes ned och så småningom, när man fått bättre plats för eldsläckningsarbetet, kunde branden isoleras.

Invånarna i de brinnande husen hade inte lyckats rädda mycket av vad de ägde. Men inga liv hade krävts. En kvinna, omtöcknad av röken, hade i sista stund lyckats bära ut sitt spädbarn. En man som deltagit i rivningen av skjulen hade kommit under en fallande bjälke och fått ena benet avslaget.

Ännu vid niotiden på kvällen glödde elden. Och på måndagen blossade den upp på nytt när ett vedförråd började brinna i en källare – då fick sprutorna rycka ut igen.

Polisförhören visade att elden börjat i ett vindsrum i en byggnad tillhörig vaktmästaren Wahlqvist. Elden hade först brutit sig ut genom taket till den del av huset som låg mot Nytorget. Branden blev aldrig uppklarad. Ingen hade varit inne i vindsrummet de senaste dagarna, enligt husägaren.

Många fattiga familjer blev hemlösa, de hade förlorat allt vad de ägde. Katarina församlings ordningsnämnd bad om understöd och hjälp åt de drabbade. Pengar mottogs i Fritzes bokhandel vid Gustav Adolfs torg och varor och persedlar hos viktualiehandlare Ramström vid Södra Tullportsgatan. Ett poem om Engelbrekt, skrivet av en anonym författare, såldes för två skilling banko "till förmån för de brandskadade vid Nytorget".

Det dröjde länge innan lilla Lotten kom över förskräckelsen hon känt, synen av de fladdrande lågorna och de många förtvivlade människorna. Hennes föräldrar hade fruktat att elden skulle nå fram till huset där de bodde, så Lotten hade fått gå till farmor och stanna där några dygn. Johanna och hennes lilla pojke låg över hos Johannas föräldrar vid Bergsprängargränden.

Lotten hade vaknat flera gånger under natten och trott att det brann. Men det var bara elden i farmors spis, man var mitt inne i syltningssäsongen nu.

Under sommaren sålde bryggare Ackerman sin egendom och sitt bryggeri vid Pilgatan till en ännu inte trettioårig före detta bryggarlärling Jancke. Hugge Lindgren, som arbetat på bryggeriet nästan lika länge som Jancke levt, tyckte att den nye var okunnig och högfärdig och spådde att det inte skulle dröja länge förrän nykomlingen drev det framgångsrika företaget i konkurs.

Hugge tänkte inte vänta och se, han ville inte hunsas av en oduglig barnunge. Så han uppsökte en gammal bekant, färgaren Johan Wanselin som varit en god vän till hans morbror. Wanselin ägde sedan fyrtio år tillbaka den gamla Färgargården nära Barnängen, inte så långt ifrån det hus där Hugges mor och en av systrarna fortfarande bodde.

Wanselin var inte omöjlig, Hugge kunde få arbete som kusk och dräng. Det lät bra, han var trött på att stå inomhus och skyffla mältan. Det kunde vara roligt att komma ut ibland och att få syssla med något nytt. Men Maria tänkte fortsätta på bryggeriet, åtminstone tills vidare. Så Hugge fick låta bli att säga vad han tyckte om Jancke innan han gick. Men att Hugge och Jancke inte skulle sakna varann kändes i luften.

Det nya arbetet gjorde det också lämpligt att byta bostad. Hugges mor och syster hade mera utrymme än de behövde, ett rum och kök för bara två personer. I spisrummet vid Beckbrännargränden, där Hugge bodde med sin familj, var de två vuxna och sju barn i ett enda rum och det blev besvärligt ibland, särskilt nu när ungarna växt upp. Hans mor var inte så svår att övertala, hon skulle få lägre hyra, slippa backarna och få närmre till vänner och butiker intill Pilgatan. Systern fick finna sig.

Men kvarnbacken skulle Maria och Hugge sakna, där hade de tillbringat många fina lördagskvällar och söndagar.

De flyttade den första oktober, som brukligt var. Många dragkärror och vagnar var i rörelse hela dagen. Särskilt förväntansfulla var kanske de som var på väg till ett hus nedåt Danvikstull, det huset var byggt för medlen som insamlats när man firade kung Oskars tillfrisknande. Nu stod sexton lägenheter på ett rum och kök färdiga i det vackra nybygget med utsikt över Tegelviken. Varje hushåll skulle få ha sin täppa ute på gården där också träd och buskar planterats. Till hyresgästernas fromma hade även ett badrum och en mangelbod inrättats. Hyran för ett år var mellan femtio och femtiotre riksdaler banko. Men de boende måste lova att föra ett stilla och anständigt leverne, de fick inte ta emot inneboende, de skulle skura sin lägenhet minst varannan vecka och sopa trapporna varje dag.

Maria hade nog hellre velat flytta dit, men det var inte att tänka på. Hennes Hugge och de livliga pojkarna skulle aldrig kunna förmås att föra något "stilla leverne".

Hugges och Marias yngste son, Ture, arbetade i Malmbergs brädgård vid Tegelviken. Där drevs med ångans hjälp några ramsågar som sågade upp timmer till plank, ett par kantsågar där kantribben avskiljdes från brädorna och en ribbkap där splitveden – ribb och avfall – kapades upp i lämpliga längder.

Väsande, vinande, nästan skrikande gick ramsågens blad genom de kraftiga stockarna medan sågspånen sprutade. Planken sköts ner till kantbänken där kantsågaren tog hand om dem.

Så långt sköttes arbetet av män med yrkesvana. Skräpet, ribben och avfallet, fick en pojke ta hand om och kapa. På en del sågar användes kvinnor för den uppgiften. Arbetet ansågs som det sämsta och kunde utföras av de minst kvalificerade.

Sågarna och kapen omgärdades inte av några skyddsanordningar. Det hände inte så sällan att någon kapade av en hand eller några fingrar. Den som blev invalid fick inte någon ersättning för skadan. Fumlade man hade man sig själv att skylla och företaget var oskyldigt. Många av de gamla sågverksarbetarna saknade några fingrar, drabbades man så svårt att man blev arbetsoduglig blev man avskedad.

Ture var en vaken och piggögd pojke, han fumlade inte utan såg till att han fick fingrarna undan i tid. Men när han arbetat vid kapningen i några månader kände han sig kanske alltför säker, fingrarna dansade fram över klingan i sitt inlärda mönster. Genom de skärande och rasslande ljuden hörde han att någon ropade på honom. Utan att upphöra med arbetet vred han på huvudet för att se vem det var, handen som sköt fram ribben kom något vid sidan av det invanda spåret – så kände han smärtan, skrek till.

Den vänstra tummen var borta, låg som en liten korv i sågspånet. Blodet rann kring handen.

Han fick hjälp av kamraterna, en äldre arbetare som varit med om liknande händelser många gånger tidigare lindade trasor kring handen och knöt till dem hårt för att hejda blodflödet. Ture fördes till fattigläkaren som rengjorde såret och lade om. Sedan följde för säkerhets skull en kamrat honom hem. Nu kunde han inte arbeta förrän skadan var läkt – om ens då.

Maria kunde inte tänka sig att skicka honom tillbaka till sågen. Och Hugge sa att blodsugarna fick nöja sig med tummen, hela handen fick de inte. Hugge skulle tala med gubben Wanselin, kanske kunde Ture få börja på färgeriet när han blev bra igen.

Marias far, Axel Sandman, var änkling sedan några år tillbaka. Han hade lämnat sin plats som gesäll hos skräddarmästare Söderberg vid Storkyrkobrinken och försörjde sig numera som lappskräddare, hemmadottern Karin hjälpte till. Han började bli gammal, snart sjuttio, och tyckte han hade rätt att ta det litet lugnare.

När han hörde talas om olyckan Ture råkat ut för fick han litet dåligt samvete, han hade inte ägnat sina barnbarn särskilt mycket tid och omtanke, höll knappast reda på vad de alla sysslade med. De var ju så många, Marias sju och de båda sönernas nio. Och själv hade han haft sitt krävande arbete och så det politiska intresset.

Men nu kändes det som om han ändå kunde vara till någon nytta. Dagarna blev kanske långa för Ture som var ensam när hans jämnåriga gick till sina skolor eller arbeten. Pojken hade förresten slutat skolan alltför tidigt, det var inte bra, morfar kunde möjligen lära honom en del.

Så nu kom Axel Sandman och hälsade på hos sitt barnbarn. Ture hade hela armen i band, det hade doktorn ordinerat. Morfadern hade stockholmskartan han köpt för många år sedan i rockfickan.

Dagen var lämplig för en utflykt, en ganska mild novemberdag. Vandringens första mål blev Mosebacke och där stannade de intill trätrappan som ledde ner mot Slussen. Sandman vecklade ut kartan och försökte visa hur den stämde med verkligheten. Pekade ut stränder och broar, pekade på kartan ut kyrkorna vars torn de kunde se sticka upp över bebyggelsen. Ture hade inte sett någon karta tidigare men uppfattade ganska snart hur den fungerade. Han frågade efter platser som han hört talas om, var de låg på kartan och i verkligheten. Mycket av det han frågade om kunde de inte se härifrån – varken Norrbro eller Gustav Adolfs torg – alltför många höga hus skymde. Men Riddarholmen och kastellet på Kastellholmen och Ladugårdslandskyrkan – nära Artillerigården där Ture sett raketerna fara upp i luften – var lätta att hitta.

Sedan tog de igen sig och åt frukost hemma hos morfar i Glasbruksbacken. Och när de hade vilat en stund var de redo för nya upptäckter, nu skulle de se på Slussen och kung Karl Johans staty och därefter väntade den äldsta stadens slingrande smala gränder och trånga torg.

Under veckorna som kom gjorde de nya utflykter, med roddarmadammernas båtar eller i de hästdragna omnibussarna tog de sig till olika delar av staden. De såg den nya Berzelii park som höll på att anläggas där det gamla Katthavet legat. Och när det sedan blev snö var de i Kungsträdgården och såg de fina barnen åka kälke i Lantmäteribacken.

Medan de vandrade runt och ibland rastade på någon enkel servering berättade morfar vad han visste om det de såg. Det var inte alltid så mycket och ibland ingenting alls men vad gator och platser hette kunde de se på kartan och på namnskyltarna i gathörnen. Ofta talade morfar också om de orättvisor som fanns och om att arbetarna måste vara med och förändra samhället och skapa en bättre framtid. Då blev hans röst så låg och inträngande. När du blir stor, Ture, då ska du vara med och kämpa.

Och Ture lyssnade. Han lärde sig mycket under de veckorna. Han såg sådant som han inte sett förut, i staden och i livet.

Ändå var han ganska nöjd när tiden med morfar var över, orkade inte smälta mer. Och så längtade han efter att träffa jämnåriga och få börja arbeta igen. Han blev tvättare och hjälpreda hos Wanselin på färgeriet, lärde sig använda den skadade handen och var snart inte sämre arbetare än någon av sina jämnåriga. Allt oftare glömde han rentav den där saknade tummen.

Visst fanns det en och annan pojke som retades med honom för den förlorade tummens skull, han fick öknamnet Tummen. Först ville han slåss när han hörde det men snart tyckte han att det namnet var lika bra som något annat.

Tummen var nog inte ett sämre namn än Ture. De fick gärna kalla honom så.

”ett blomstrande tillstånd”

”Våra näringar äro i ett blomstrande tillstånd, handeln har erhållit en hos oss hittills okänd utsträckning, åkerbruket gör årligen nya framsteg vilka jämte ett klokare användande av dess alster framkallat ett överskott, som med fördel kunnat till främmande länder utföras. Nästan i alla riktningar hava gynnande tidsförhållanden manat till en berömvärd verksamhet, som på allmänna och enskilda välståndet utövat ett fördelaktigt inflytande.”

Oskar I i trontalet vid riksdagens öppnande 1856.

Fjolåret hade dominerats av höjda priser, brist på mat, hungerkravaller. Under mars 1856 strejkade varvsarbetarna på Stora varvet vid Tegelviken i protest mot att man sänkt deras löner, de marscherade genom staden och ut till varven på Djurgården och Beckholmen för att uppmana de anställda där att gå med i strejken. Två arbetare häktades som ledare och dömdes till hårda straff. Kamraterna protesterade, förklarade att varvsarbetarna inte var bundna av några avtal och inte kunde förmenas rätten att lämna sina arbeten för att söka sig nya, bättre avlönade.

Det fanns möjligheter att få arbete nu. Många nya verkstäder hade kommit till under senare år, som Bolinders och Ludvigsberg, andra – som Bergsund – hade med ångans hjälp moderniserats och effektiviserats. Bolinders göt ångsågar till sågverken, Stora varvet hade börjat bygga järnfartyg, de pågående järnvägsbyggena krävde en tillverkning av lok och vagnar. Många nya möjligheter hade kommit till, utvecklingen gick snabbt nu.

Under detta år skulle staden nå upp till hundratusen invånare. Men fortfarande dog där flera än det föddes. Det var de inflyttade, i genomsnitt tretusen varje år, som fick Stockholms folkmängd att växa.

De växande industrierna behövde mark. Tidigare trädgårdar och tobaksfält fick tas i anspråk, där byggdes både verkstäder och bostäder för de anställda. Trädgårdsmästarna inne i staden blev allt färre. Gustaf Boman hade länge försökt finna ett bättre arbete, främst därför att hans Lisa absolut ville ifrån tobaksodlingen. Men det föreföll hopplöst, åtminstone på Södermalm – och längre kom han sällan.

Då kom ett bud, strax efter midsommar. En mycket framgångsrik handelsträdgårdsmästare, Johan Peter Wennström med trädgård i utkanten av Norrmalm, ville att Boman skulle uppsöka honom, han hade ett erbjudande att ge. Wennström hade köpt en del plantor när grosshandlare Löfberg avvecklat och funnit grosshandlarens trädgård välskött och plantorna ovanligt väl ansade och kraftiga. När Wennström nu behövde anställa en ny arbetsledare hade han tagit reda på vem som haft ansvaret för Löfbergs trädgård.

Gustaf tog ledigt, vandrade den långa vägen till Pärlstickargränden ett stycke från Träsket och Roslagstullsgatan. Det var inte svårt att hitta, hade budet sagt, eftersom kvarnen Jan-Ers, även kallad Pärlstickarkvarnen, stod där synlig på långt håll. Trädgården var för övrigt välkänd och kunde pekas ut av alla i trakten, drottning Desideria och drottning Josefina hade flera gånger besökt anläggningen, särskilt för att se på de så omtalade kameliorna som prunkade i växthusen.

Wennström var en ståtlig herre med stort vitt hår, han såg ut som en konstnär och hade också i unga år lärt sig teckna vid Akademien för de fria konsterna. Han var en vänlig man, känd för att ta hand om sitt folk, också dem som inte längre orkade arbeta.

Den tjänst som Wennström erbjöd Gustaf Boman var av mera självständigt slag. Sedan många år tillbaka arrenderade trädgårdsmästaren jorden på Timmermansordens Eriksberg. Där behövde han en säker och bra arbetsledare, den tidigare hade nyligen avlidit. Det fanns två yngre drängar och en piga till hjälp och arbetsledaren skulle bo inom området, en lägenhet på ett rum och kök fanns där för honom och hans familj.

Visst skulle de komma långt ifrån Malin och hennes familj, långt från sina vänner. Men Lisa hade sagt att Gustaf skulle säga ja omedelbart om det bara var bättre än det han hade nu, särskilt då bostaden. Och allt var bättre, utan tvekan.

Wennström räknade med att kunna göra upp med Gustaf Bomans nuvarande arbetsgivare så att flyttningen skulle kunna ske redan under sommaren. Att finna någon lämplig man som tog hand om tobaksplantorna kunde inte vara svårt.

När Lisa och Gustaf nu skulle flytta nästan ända bort till Roslagstull ville de gärna ha ett avskedskalas för de närmaste och några av de gamla vännerna. Men att hålla kalas i det trånga rummet och med alla säsongarbeterskorna runt omkring var omöjligt. Då kom Lisa att tänka på hur hon och Karolina en gång för mer än trettio år sedan samlat vännerna i Karolinas hem vid Bergsprängargränden.

Kunde de möjligen få vara hos Karolina nu också? Det blev trångt,men de fick väl hoppas att det blev en vacker kväll så de kunde sitta ute, som de gjort den gången för länge sen. Visst var de välkomna, sa Karolina.

Av dem som varit med den gången var Heddas man, Mats, död och Maja-Greta och hennes vän hade ingen av dem hört något ifrån på många år. Utöver "de gamla" var det Malin med Olof och Lotten och Johanna med Skräcken som skulle inbjudas. Samt Charlotta.

För Lisa betydde flyttningen att hon måste lämna tvättarbetet, som hon deltagit i sedan hon var barn. Men hon började känna sig gammal och trött, om tre år blev hon sextio. Karolina, som var ett år äldre än Lisa, ville nog också gärna sluta. Och som Lisa och Karolina en gång tagit över efter sina mödrar, Malin och Fredrika, så blev det nu den yngre Malins och Johannas tur att föra vidare det arbete som en gång påbörjats av Lisas mormor, Sofia.

En dag blev det väl Lottens tur. Och kanske fick Johanna en dotter som kunde ta över.

Ett ögonblick måste Lisa undra om gamla mormor skulle ha godkänt att hennes barnbarn lämnade arbetet innan hon var helt oduglig att fortsätta. Sofia hade hållit ut i det längsta, varit sträng och ogillande om någon försökt dra sig undan. Men Lisas mor var väl skyldig till att Sofias tvätterskegård inte längre fanns, att arvet förskingrats.

Gustaf hade fått nyckeln till den nya bostaden och en söndag hade han och Lisa varit där för att se sig omkring. Lisa var mycket belåten, det var ett ganska stort rum och ett bra kök i ett välbyggt hus. Trakten var annars litet ökänd, Träsktorget där skampålen fortfarande stod var ju illa beryktat och Träsket en ganska otrevlig vattensamling. Men Timmermansordens område låg uppe på berget ovanför, litet förnämt avskilt från yttervärlden. Där fanns något av samma skydd och enskildhet som i trädgården de tidigare bott i. Gustafs lön skulle också bli betydligt högre än den han haft på tobaksodlingen, så Lisa kunde med gott samvete vara hemma och sköta huset.

Julikvällen var vacker och varm, de kunde, som de hoppats, sitta ute. Den lilla trädgården blomstrade, fläderbuskarna stod i blom, ärtorna hade börjat få skidor, potatisen hade kupats. Karolinas Jöns var road av att odla och Gustaf berömde hans arbete.

Lisa hade fått hjälp av Charlotta när det gällde trakteringen och ingen möda hade sparats. Men det fanns något av vemod närvarande, man stod inför en skilsmässa. Det skulle inte bli så lätt att mötas när avstånden blev så långa. Och det långvariga dagliga samarbetet i tvätten skulle brytas, aldrig mer skulle Karolina och Lisa sitta i gläntan vid Hammarby sjö och ta en kafferast tillsammans.

Hedda kunde känna sig litet utanför, de andra hade så mycket gemensamt. Det blev mest så att hon talade med Charlotta, berättade om den nu sjuåriga Anna-Kajsa som börjat skolan och fått beröm för att hon skrev så vackert. Det gladde Hedda, hon hade övat mycket med flickan.

När de andra talade om den långa vägen till Eriksberg och Träsket och om hur svårt det skulle bli att mötas kunde Hedda frestas att le, ett sorgset leende. Hennes man, hennes dotter och måg var i ett avlägsnare land, omöjliga att nå i de dödas rike. Nu skulle också sonen, Gunnar, lämna henne. Inte resa så långt, men tillräckligt ändå för att de väl aldrig skulle mötas mer. Han hade länge talat om att emigrera till Nord-Amerika där han menade att friheten var större än här hemma, liksom utsikterna att slå sig fram. Nu hade han fått möjlighet att resa, ägaren till hökarboden där Gunnar arbetade hade sålt sin affär och skulle flytta till en son i Chicago. Hökaren ville ha hjälp på resan och skulle stå för kostnaden, hans son, som hade en verkstad där ute, hade lovat att anställa Gunnar. Det var en möjlighet som inte många fick, och Hedda ville inte hindra Gunnar att ta den även om hon skulle sakna honom förtvivlat. Han hade försökt trösta henne med att säga att han skulle skicka en biljett till henne när han lyckats där borta. Men det vågade hon inte tro och inte visste hon heller om hon var beredd att ge sig iväg till ett främmande land. Förresten hade hon ju Anna-Kajsa att ta hand om.

Hedda saknade också en annan frånvarande, någon som ingen nämnde denna kväll – Johannes. Tillvaron hade känts tryggare så länge Johannes levde. Hon hade kunnat fråga honom, han hade kunnat förklara. Hon kände ingen nu som på samma sätt följde allt som hände och kunde placera det i begripliga sammanhang. Möjligen Axel Sandman men honom träffade hon mycket sällan och han hade nog dragit sig tillbaka från de politiska intressena, kanske givit upp.

En gång hade Johannes föreslagit att Hedda skulle notera vad hon hörde och visste om fattiga människors liv, det kunde vara viktigt, hade han sagt. Hon hade försökt göra det ibland men det hade inte blivit mycket av, inget som kunde ha något värde, tyckte hon. Det var likadant med teckningarna hon gjort, det blev ingenting. En dag skulle hon en sista gång gå igenom allt hon sparat, riva och bränna det så att det inte fanns något kvar som ställde till besvär för de efterlevande. Det mesta föreföll redan så gammalt, intresselöst för dem som levde i dag.

Malin och Johanna talade om möjligheten att skölja tvätt på någon av bryggorna i Stadsgården, de kunde få vara i ett bykhus där också. Vattnet som fördes ut genom Strömmen var bättre än det i Hammarby sjö där det kunde hända att smuts och skräp sköljdes upp kring bryggan. Det fanns förresten en mangelbod också intill bykstugan i Stadsgården, det bästa var naturligtvis att slippa dra omkring med tvätten långa vägar. Blev de bara två i fortsättningen måste de arbeta på ett annat sätt om de skulle hinna med de kunder de hade.

De två yngre kvinnorna visste inte riktigt om de skulle känna saknad eller befrielse. Nog hade de arbetat bra tillsammans med sina mödrar – men det var de gamla som bestämt, som hade åsikter om hur allt skulle göras. Nu skulle de unga bestämma själva och även om det kunde oroa dem så gjorde det också vardagen intressantare. Först nu blev de riktigt vuxna, sina egna.

Jöns och Skräcken, som fortfarande tillhörde samma stuvarlag i hamnen, undvek att tala om vardagen, en ledig söndag fanns ingen anledning att förstöra genom att tänka på det hårda slitet. Jöns började känna sig utarbetad. Några år över sextio, det var många som inte hängde i så pass länge. Men den dag han inte orkade längre fanns inte mycket annat än fattighuset och det ville han undvika i det längsta. Han gratulerade Gustaf som fått ett så bra arbete och drängar till hjälp så han inte behövde förstöra sig.

Olof hade som bodbetjänt inte heller ett arbete som krävde så mycket kroppskrafter. Men han hade ansvar och det kunde vara påfrestande på annat sätt. Madam Rundström blev med åren allt svårare att göra till lags, särskilt som hon blivit litet virrig och inte ens själv riktigt visste hur hon ville ha det.

Lotten lyssnade på de vuxna, försökte uppfatta vad de talade om. Men det var så mycket av vad de sa som hon inte begrep, deras trötthet och oro anade hon bara. Och inne i huset sov Johannas lille Bengt, ännu trygg och omedveten om den värld han levde i.

Gustaf fick låna häst och vagn av trädgårdsmästare Wennström och med Lisas hjälp fick han upp deras ägodelar på kärran. Lisa klättrade upp och satte sig på brädan bredvid honom och så rullade de iväg. Säsongarbeterskorna tog en paus i arbetet och stod och viftade farväl med sina förkläden, Gustaf hade varit omtyckt.

Det var inte så ofta Gustaf körde med häst, han kände sig litet osäker och undvek de brantaste backarna ner mot Slussen för att inte riskera något. Han tog Götgatan och sedan Sankt Paulsgatan fram till Adolf Fredriks torg och därefter Hornsgatan till Skeppsbron och över Norrbro. Sedan gick vägen längs den smala och gropiga Regeringsgatan och när de nådde Träskets gyttjiga strand svängde Gustaf in i Lilla Träskgatan mot Eriksberg.

Vid Träsktorget, som de just passerat, låg det man kallade skitbärarkäringarnas barack, de mötte några av de arma hjonen som bar tunnor ner till tippningsbryggan intill torget. Den tidigare sjön höll på att alldeles fyllas igen av latrin och avfall, den liknade nu mest en vattensjuk äng och kallades också ibland för Träskängen. Rännilen som ledde därifrån ner till Nybroviken var trögflytande och stinkande. Vattnet i Träsket späddes på av Kattrumpsbäcken som förde dit en del av Brunnsvikens vatten. Ännu så länge bildade resten av sjön och bäckarna en bra vinterväg från Brunnsviken till Nybroviken.

Men Timmermansordens Eriksberg med dess invalidinrättning låg högt ovanför renhållningshjonens och de bestraffade syndarnas torg. Gustaf och Lisa steg av kärran för att göra det lättare för hästen att ta sig upp.

De var framme och togs emot av drängarna som hjälpte Gustaf att bära in tillhörigheterna i det lilla tomma huset som väntade på dem.

När hösten kom samlades riksdagen. Kungs Oskars tal vid öppnandet väckte stort uppseende, så optimistiska tongångar var man inte van vid och hade man inte väntat sig.

Näringarna blomstrade, handeln ökade, åkerbrukets framsteg hade gett stora överskott. Och många reformer utlovades – järnvägsbyggena skulle fullbordas, landets skogar få bättre vård, religionsfriheten utökas, kvinnans ställning förbättras. Allt skulle ske utan att skatterna ökades.

Senare spädde finansminister Gripenstedt ytterligare på med sina välformade tal som framfördes som ståtliga deklamationer. Hans ”blomstermålningar” – som de kallades – skildrade de lyckliga följder som friare lagstiftning för handel och näringar skulle medföra både ekonomiskt och socialt. Och, sa finansministern, ”aldrig var Sveriges område mer naturligt, dess befolkning mer talrik, dess välstånd mer utbrett och, mänskligt att döma, dess framtid, så vitt den av oss rätt vårdas, mer löftesrik än nu.”

Det var vackert tänkt och sagt men knappast en riktig bild av verkligheten. Och kungen som talat för kraftfulla reformer var själv sjuk och svag. Under året som följde skulle hans sjukdom förvärras och yttra sig i kroppslig och själslig förlamning. Den goda ekonomin skulle skakas hårt av en omfattande internationell penningkris.

”ett oting”

”En självständig kvinna är ett oting. Ty, hon är icke man, men icke heller kvinna, utan något mitt emellan. Upplöser man ordet självständig, så vill det säga att stå för sig själv, bero av sig själv, vara sig själv nog. Detta kan sägas om mannen, emedan han var först skapad och stod för sig själv, ensam herre över den övriga skapelsen. Men, det oaktat, kunde ej en gång han känna sig lycklig, stående ensam. Han måste hava 'en hjälp'. Huru kan det då tänkas, att kvinnan, med bibehållande av sin ursprungliga karaktär, skulle kunna stå i en självständig oberoende ställning.”

Friherre Jonas Alströmer i Riddarhusets diskussion om ogift kvinnas rätt att bli myndig, 1858.

Huset dit Hugge Lindgren med familj flyttat låg inne på en gård och helt nära det som en gång varit ett omtyckt utvärdshus, Faggens. Vid den smala gatans slut stod Barnängens gallergrind. Lars Johan Hierta hade för snart två år sedan flyttat till Brunkebergstorg och själva herrgården stod nu stängd och tom. Sidenväveriet var däremot fortfarande i verksamhet även om det ansågs vara en dålig affär för den annars så framgångsrike ägaren. Vid sjöstranden närmast intill Barnängen låg Färgargården där såväl Hugge som hans son Ture numer arbetade.

Även om vårkvällen var något sval satt Hugge ute i den knoppande bersån, han var inte lika kontrollerad där. Eftersom man nu för tiden inte fick köpa brännvin i mindre kvantitet än en halv kanna så hade han alltid litet för mycket hemma. Han var trots allt inte tillräckligt fattig för att den nya förordningen skulle ha avsedd verkan och få honom att avstå.

Hans hustru Maria kom ut ur huset. Hon hade satt på sig en tjock vintertröja och slog sig ner bredvid honom. Han anade hennes ärende, det var säkert det vanliga. Att hon tagit tröjan på sig betydde att samtalet kunde bli långvarigt, att hon inte tänkte ge upp så lätt. Redan när han sett henne komma hade han skakat till, av kyla och obehag, och för säkerhets skull tömt muggen innan hon hunnit fram.

Maria började försiktigt, vädjade, talade om hans eget bästa. Hugge ville inte ge något avgörande svar, menade att han inte drack mer än andra eller mer än han tålde. En karl behövde brännvin, särskilt en kroppsarbetare, det var bara de fanatiska avhållsmännen som förnekade den saken – men inte en enda förnuftig människa.

Att det blivit litet för mycket den senaste tiden kunde han erkänna. Men inte några stora mängder, ingenting som kunde jämföras med vad många andra satte i sig. Som Storsäcken, som bodde litet närmare Färgargården, han hade ju supit bort hela huset som hans hustru en gång ärvt. De bodde visserligen kvar men fick nu betala hyra till den nye ägaren.

Om Tyra inte gift sej med karlen hade han inte kunnat sälja hennes hus, sa Maria. Då hade det fortfarande varit hennes. Om ett par inte är gifta så kan kvinnan lämna mannen när hon vill och ta sina ägodelar och barn med sej. Hon behöver inte leva ihop med en drinkare. Jag är glad att du ville att vi inte skulle gifta oss – fast jag inte begrep något den gången.

Nu hade hon sagt det som hon bara fick säga i yttersta nödfall, om ingen annan möjlighet fanns. Det hade slunkit ur henne. Hon hade råkat uttala det som hon bara fick tänka.

Du tänker väl inte på att gå ifrån mej? sa Hugge. Det är väl inte det du går och tänker på?

Han hade sjunkit ihop på bänken, ville be om förlåtelse, lova allt han inte kunde hålla. Men behövde det inte, Maria hade redan ångrat sina ord. Inte ville hon lämna honom, även om han var odräglig ibland. De hörde ju ihop, trots allt.

Nej, sa hon. Jag går inte. Men du måste veta att jag kan göra det om det blir för svårt. Du får inte tro att jag är en bunden slav, som Storsäckens stackars Tyra.

Hugge kunde känna sig lugnad, för den här gången. Men hennes ord fanns kvar inom honom, han försökte att vara försiktigare, åtminstone de närmaste veckorna.

Det hade talats en hel del om kvinnornas frigörelse under den pågående riksdagen. Regeringen hade föreslagit att ogifta kvinnor skulle kunna bli myndiga när de uppnått tjugofem års ålder, en förutsättning var att kvinnan underrättade vederbörande domstol om att hon önskade sköta sina affärer själv. Den gifta kvinnan skulle fortfarande ha sin man som förmyndare och ansvarig för den verksamhet hon eventuellt drev. Lagen antogs under våren.

En annan viktig diskussion gällde husagan, rätten att aga tjänstefolk. De ofrälse stånden antog förslaget om husagans upphörande medan adeln röstade emot. En av dess representanter förklarade att den faderliga välviljan mot tjänaren fordrade att husbonden själv utdelade agan i stället för att anlita kronobetjäningen. Han ville också gärna se meningsmotståndaren Hierta försöka att med bara sin själs mildhet påverka en osnygg kokerska, en lat vedhuggare eller en supig gatsopare.

Trots adelns motstånd beslöt riksdagen att husagan skulle avskaffas från och med kommande första oktober, den dag då de årliga tjänstehjonsavtalen utgick och nya avtal ingicks. Minderåriga – män under arton år och kvinnor under sexton – skulle dock fortfarande få agas.

Det var Hedda som kunde berätta om vad som hände i riksdagen. I huset vid Renstiernasgränden där hon bodde hade en politiskt intresserad gesäll anordnat en tidningskedja. Han inköpte tidningen Folkets röst, som kom två gånger i veckan, och sedan betalade tre-fyra grannar en slant var för att få läsa den.

Hedda kom på besök ibland, hon och Maria hade blivit goda vänner. Dessutom var de ju släkt, Heddas dotterdotter och Marias barn var kusiner. Anna-Kajsa hade fyllt åtta år nu, klarade skolan bra och skrev ovanligt vackert – det hade Hedda lärt henne.

Ändå lät Hedda orolig när hon talade om flickan. Anna-Kajsa var livligare och självständigare än de flesta småflickor, visste bara alltför väl vad hon ville. Det var inte lätt att fostra henne, Hedda tyckte att hon själv blivit för gammal och trött, hon var över sextio. Men att lämna bort flickan till något barnhem eller till okända fosterföräldrar kunde Hedda inte tänka sig. Så länge hon orkade skulle hon fortsätta att ta hand om barnet.

En sommarsöndag när Hedda var hos Maria och Hugge kom också Axel Sandman på besök. Hedda och Sandman hade ju haft med varann att göra i samband med Heddas renskrivningsuppdrag. De blev glada att träffas och hade mycket att tala om.

Sandman hade dagens nummer av Söndagsbladet i rockfickan och Ture fick låna det att titta i. Han läste noga och länge, frågade om ord och uttryck som han inte förstod. Och då undrade Hedda om Sandman bara kastade sina gamla tidningar, var pojken intresserad skulle han lära sig en hel del om han fick överta dem.

Kastade gjorde han väl inte, han använde dem att slå in i. Men visst kunde Ture få tidningar om han ville, det var bara att komma och hämta. När Sandman gick hem följde Ture med honom och sedan fortsatte pojken att hämta veckans tidningar varje söndag. När han läste om allt som hänt tyckte han att det var som om staden och världen öppnade sig för honom, han såg sammanhang som han inte anat tidigare, livet trängde sig fram till utkanten, gjorde honom delaktig.

Ture var vetgirig, sög upp det han läste, hade gott minne. Maria kunde känna oro, var allt detta läsande verkligen bra? Ibland talade pojken så att det var svårt att förstå honom, om länder och städer och människor som hon aldrig hört talas om. Ibland gav han sig ut på stan för att se något han läst om. Han var och tittade på den nyinvigda parken i gamla Katthavet där en professor Berzelius stod staty bland nyplanterade träd. Han var utanför Hornstull för att se hur man sprängt sig igenom berget vid Nyboda och börjat lägga ut en bank som det var meningen att tåget skulle gå över Årstaviken på.

Till och med Hugge måste lyssna på sonen ibland. Han ville inte vara helt ovetande om allt som pojken sedan berättade om på arbetsplatsen.

Vi behöver inte läsa någon tidning själva, sa färgargesällerna, vi har ju Tummen. Fast det var väl osäkert om man kunde tro på allt han sa, nu berättade han att man lagt ner en lång kabel under hela Atlanten ända bort till Amerika, så att man snart skulle kunna sända meddelanden dit och få svar därifrån på en och samma dag. Vad som helst fick väl en lärpojke ändå inte försöka lura i vuxna gesäller.

Att åka till och från Amerika var ju ändå något som tog månader och det kunde knappast gå så mycket fortare för att orden for fram i en kabel djupt nere på havsbottnen. Det var orimligt att tänka sig, helt oförnuftigt, ett oting.

Axel Sandman bläddrade i skrifterna som han hjälpt till att bekosta utgivningen av. Om proletariatet och dess befrielse, Kommunismens röst.

Det var inte så många år sedan de givits ut, han hade inbillat sig att de skulle förändra det kroppsarbetande folkets framtid, ja hela världens. Men det var som om orden och appellerna försvunnit utan att skapa något gensvar, ingen tycktes engagerad av dem längre. De var som blommor eller djur som alltför tidigt lockats upp av vårsolen och snabbt frusit ihjäl när kölden återkom.

Den begynnande revolutionära arbetarrörelse han tyckt sig se fanns inte längre. Nu slickade man såren och sökte sig tillbaka till den långa smala vägen mot målet, den försiktiga politiken, de många små stegens reformer.

Något skedde ändå – men sakta. Kvinnan kunde bli myndig, husagan skulle avskaffas. Åtminstone en del gesäller och bättre ställda arbetare skulle få rösträtt när borgarståndet nu omorganiserades så att även något mindre välsituerade husägare fick ingå i ståndet.

Den väg som i dag föreföll framkomlig var ett samarbete med liberalerna. Det kunde kännas som om man tvingades överge drömmarna om den stora förändringen för de allra fattigaste. Som gesäll hade Axel Sandman mött problemet förr och åtminstone ibland godkänt liknande lösningar. Gesällerna hade sannerligen inte alltid solidariserat sig med de sämst ställda, de hade betraktat sig själva som föregångsmän och utvalda som var värda en extra belöning.

Kanske klokheten krävde att man först pressade in de lättast godkända genom dörrspringan till ett bättre samhälle för att sedan genom någon överraskande manöver kunna ställa dörren öppen för de många, de ännu så föraktade. Men hur skulle man kunna förklara en sådan åtgärd inför de åtminstone tills vidare utestängda? Hur skulle Axel Sandman själv kunna säga till mågen Hugge: du måste vänta, du duger inte ännu. Först måste jag och mina jämställda ta oss in och övertala herrarna så att ni andra får nådig tillåtelse att traska efter.

De styrande kunde peka på att Hugge och hans likar var analfabeter och outbildade som inte hade tillräckliga kunskaper för att kunna vara med och bestämma om landets öde. Men när herrarna accepterat en skola för alla hade de också godkänt att privilegierna en dag måste försvinna. Fast de fattiga som levde och led nu hade inte tid att vänta, nöjde sig inte med att deras barn kanske fick det bättre i en oviss framtid. Om de övergavs av sina bättre ställda kamrater skulle deras bitterhet bli stor.

Men kunde man förmena dessa bättre ställda kamrater – hans egna kamrater – att ta de fördelar de kunde få? Det var kanske inte så konstigt om de tänkte mera på sig själva och sina familjer än på okända proletärer som kanske till och med var fientligt inställda till dem.

Axel Sandman förmådde inte lösa problemet. Och med något av tillfredsställelse måste han erkänna att det inte längre rörde honom personligen. Han var gammal, snart borta, kunde varken påverka eller påverkas. I alla fall inte annat än i andra hand, när det gällde hans egna efterkommande.

Och då gick tankarna tillbaka till barnbarnet, den idoge tidningsläsaren Ture, Tummen. Det var det barnbarn som främst engagerade honom, en särling, en karaktär. Mest lik Maria till utseendet fast också med något av Hugges litet yviga och skroderande sätt.

Den pojken skulle han vilja att det gick väl för. Och nu måste han undra hur han kunde hjälpa honom bäst. Det gällde nog att inte driva på, det fanns så mycket av glöd och oppositionslust ändå hos pojken. Risken var att Ture kunde explodera, bli till fara för både sig själv och sina närmaste.

Det var nog säkrast att pojken inte fick läsa skrifterna, varken Om proletariatet eller Kommunismens röst, de kunde vara alltför starka stimulanser. Och Sandmans övriga anhöriga, barnen och de andra barnbarnen, skulle knappast förstå eller engageras av skrifterna, de var av en annan sort. Så han beslöt att använda de små häftena nästa gång han tände en brasa. Det skulle visserligen vara som att bränna sin mandomstids tankar och idéer. Men, som han såg det nu, det enda förnuftiga.

Den försiktige gubben skulle få sista ordet. Varje generation fick drömma sina egna drömmar, göra sina egna misstag.

Det första brevet från Gunnar kom. Hedda läste att sonen lyckligt anlänt till det nya landet. Han hade börjat arbeta på verkstaden och på fritiden försökte han studera språket och lära känna trakten. Gunnar verkade vara vid gott mod, engagerad och fylld av förhoppningar.

Saknaden efter honom var stor, hon insåg att skilsmässan skulle bli evig, han tänkte stanna där borta. Samtidigt som hon ville att han skulle lyckas måste hon gråta över att allt föreföll så avgjort nu, att hon förlorat honom.

Känslan av att vara ensam och förbrukad underströks av att hon fick allt svårare att orka med barnbarnet. Anna-Kajsa krävde mycket, tid och intresse. Alltmer insåg Hedda också att flickan skulle må bättre av att leva tillsammans med yngre människor, att hon ensam inte kunde motsvara en familj. Fram på hösten råkade Hedda ut för en långvarig förkylning som inte ville släppa greppet. Då orkade hon ännu mindre än vanligt och kunde inte gärna tvinga flickan att hålla sig inne. Anna-Kajsa höll ihop med de andra barnen kring kvarnbacken, tumlade runt i snåren, hade hyss för sig. Ännu var det väl ganska oskyldigt men vem visste hur det blev om hon fick hållas, en del av dem hon lekte med var förmodligen ganska farliga kamrater.

När Hedda själv inte blev bättre tyckte hon att hon måste försöka tala med Maria och Hugge och höra om de möjligen kunde ta hand om Anna-Kajsa. Deras äldsta dotter bodde inte hemma längre sedan hon fått plats som husjungfru. Några till av barnen var snart mogna att lämna föräldrahemmet. Kanske Maria och Hugge hade möjlighet att ta över.

Hon talade med Maria som sedan talade med Hugge. Visst ville de hjälpa, Anna-Kajsa var ju Hugges brorsbarn, men riktigt glada åt det var de väl inte. Fast när Marias far fick höra talas om det lovade han att bidra med en ganska stor slant om de hjälpte Hedda, och det avgjorde saken. Sedan Maria fått sluta på bryggeriet, där man drog in på folk, hade de behov av extra inkomster. Och Anna-Kajsa skulle väl inte kräva så mycket, nog fanns en sovplats och en matbit för henne också. Flickan skulle förstås fortsätta att träffa Hedda, besöka sin mormor ofta. Förändringen skulle inte bli svår för henne, hon kände ju väl sina kusiner och farbroderns hela familj.

Hedda kunde känna sig lugnare. Maria skulle ta hand om flickan, se till att hon kom rätt i världen. Och Maria var varm och vänlig, en god och glad människa.

Anna-Kajsa var väl litet motvillig först, men sedan hon vänjt sig föreföll hon att finna sig väl tillrätta hos Maria och Hugge. Särskilt verkade det som om hon fäste sig vid Tummen, hon höll sig gärna i hans närhet och ville veta vad som stod i de där tidningarna han läste. Att han snäste av henne ibland tycktes inte störa hennes beundran.

”de mörka skuggor, som vila i bakgrunden”

”Man tycker väl, att förmögenheten har stigit bland folket, då man på avstånd betraktar dess ställning men gå det litet närmare in på livet, sök att tränga till roten av dess hemliv och du skall finna, att den granna ytan endast är ett lånat sken, som till alla delar fördunklas av de mörka skuggor, som vila i bakgrunden.”

Pehr Thomasson i En arbetares levnadsöden eller Slavlivet i Sverige, 1859.

Sommarens växtlighet förvandlade Vita bergens sluttning ner mot stranden av Hammarby sjö till en grönskande idyll. Gräset och bladmassorna skylde sophögarnas skräp, de slitna slänternas lera och de grå husens förfall.

Men kom man närmare trädde bristerna fram i det skarpa dagsljuset och dofterna från avskräde och avträden, fattigdomens stank, blev allt fränare.

Närmast vattenkanten låg den lutande Färgargården och dess bostadslänga. Ett fallfärdigt plank stöttades av snedställda bjälkar. På några bryggor arbetade tvättarna, som sänkte sina stora flätade korgar med nyfärgat tyg ner i vattnet och sedan slängde runt med korgarna för att få ut sköljvattnet.

Från förstutrappan till det låga trähuset litet högre upp på kanten av Vita bergen hade man god sikt ner mot bryggorna och sjön. Huset låg inne på en bakgård mellan stall och avträdesskjul, några trasiga kärror stod som bortglömda intill en väldig sophög.

Tyra, Storsäckens hustru, satt på översta trappsteget med en mugg kaffe, nedanför trappan lekte hennes minsta, en tvåårig flicka. Annars var det tomt i huset nu, alla hade gått till sina arbeten – mannen och de större barnen och även de inneboende. Morgontimmarna så här års var den bästa tiden på hela året, tyckte Tyra. Ännu var det inte alltför kvävande varmt, stanken dämpades av svalkan, det var tyst och stilla, inga slagsmål och gräl, ingen gråt och inga bullrande fyllskratt.

Tyra var född i huset, hade bott här i hela sitt liv, ärvt huset efter sina föräldrar, förlorat det sedan hennes man lagenligt övertagit hennes arv och supit bort det. Hon var ändå glad för att de fick bo kvar, hyra.

Visst hade hon begått ett misstag när hon gift sig med Vilhelm Svensson. Men hon hade inte haft så mycket att välja på, ännu mindre sedan han gjort henne med barn. Någon skönhet hade hon aldrig varit, med åren hade hon blivit allt fyrkantigare.

En gång hade hon beundrat Vilhelm, hans styrka, hans kraftfulla manlighet. Men det var länge sedan, numera var han oftast lynnig och besvärlig, hård mot henne och ännu mer mot barnen. Utom mot Annika, som han skämde bort. Allra värst var han mot fosterbarnen.

Att ha fosterbarn hade varit en tradition i Tyras familj, hon hade haft flera fostersyskon själv. Eländiga ungar som togs för den slant man kunde få av ensamma mödrar som inte kunde klara dem själva. Det fanns folk som tog emot spädbarn och lät dem svälta ihjäl men det hade hennes familj inte gjort ändå. Visst hade ungarna utnyttjats och fått börja slita för födan så snart det gick att få ut dem i arbete, det var ju för inkomstens skull man tagit emot dem. Fosterbarn fick man försöka hålla borta från skolan, det var onödigt att kosta på dem någon lärdom.

Tyra och tidigare hennes föräldrar hade ändå försökt att behandla dem som människor, sett till att de fått mat och kläder och inte slagit dem mer än vad som var nödvändigt för att de skulle bli lydiga och arbetsamma. Det var annorlunda med Vilhelm, han slog utan anledning, blint, när ilskan rann på honom.

Just nu hade de tre fosterbarn, Johan, Hanna och Augusta. Och tre egna – Annika, Nils och Sigrid. Dessutom fanns det fyra inneboende i huset, två kvinnor som arbetade på Barnängen, en gesäll från Färgargården och en kolbärare som var Vilhelms arbetskamrat. Det var i mesta laget, blev alltför trångt och bråkigt. Huset innehöll bara ett riktigt rum, sedan fanns en liten kammare och en mörk förstuga. I kammaren låg Vilhelm och Tyra och det minsta barnet, de andra fem barnen och de fyra inneboende låg i rummet, där den öppna spisen var husets värmekälla och platsen för matlagning. I kammaren som värmdes av spismuren fanns ett skåp, en säng för Vilhelm och Tyra och ett litet bord som vändes upp och ner på natten och blev sovplats för tvååringen. I rummet fanns en byrå och två sängar, i den ena sängen låg färgargesällen, som betalade mer för logiet än de övriga, och i den andra de två spinnerskorna. Kolbäraren och ungarna låg på golvet, Annika på en madrass och de övriga på klädbylten och några gamla utslitna täcken.

Storsäcken hade börjat som spannmålsbärare och kommit hem vit av mjöl. Numera arbetade han i kolhamnen borta vid Danviken och var svart i skinnet och kläderna. Trots att han skulle bli femtio om ett år var han ännu obruten, kunde lyfta en dubbelsäck och kliva upp på vågen med säcken på ryggen. Kamraterna beundrade honom, han var lagets stolthet som ibland måste visa upp sin styrka för folk som hört talas om honom.

I hemmet var Storsäcken visserligen självskriven härskare men ändå ganska ointresserad, blandade sig inte alltför mycket i vardagsbestyren, dem fick Tyra sköta.

Varje lördag inkasserade han dock själv hyran från de inneboende, det var också han som valde sina gäster. Han ville ha bra folk som betalade utan att krångla och inte kom med klagomål och krav. Färgargesällen Johansson hade bott här i tre år nu och var en fin karl som klädde om sig på fritiden. Mamsell Tornberg hade också bott några år, hon hade flyttat ifrån Krohnska huset vid Nya gatan när det skulle byggas om för en ny ägare. Hon var tafatt och ängslig men störde ingen människa och höll sig också proper och snygg. Kolbäraren, Storsäckens arbetskamrat, började bli gammal och kunde väl inte tjäna ihop till hyran så värst länge till, så länge det gick fick han stanna.

Den fjärde och senast anlända av de inneboende var en sextonårig flicka som han tagit emot för ett halvår sedan. Han hade en gång bott granne med hennes farmor som bett för flickan, gumman var sjuk och skulle till fattighuset och flickan hade ingenstans att ta vägen. Arbete hade hon, på sidenväveriet. Storsäcken hade kanske varit litet tveksam, han visste att flickans far var yrkestjuv och sånt folk ville han inte hysa. Men farmodern påstod att flickan var välartad och det stämde nog, hon arbetade ju som en hederlig människa. Glad och rolig var hon också, Klara. Dessutom roade det Storsäcken att se hur färgaren började kråma sig när han fick Klara som sängkamrat. Ja, inte i den egna sängen, förstås, men i sängen bredvid, hos Tornbergskan. Och Klara var rolig för vem som helst att se på, särskilt när hon satt på sängkanten i bara särken. Då hände det faktiskt att Storsäcken själv stannade upp när han gick genom rummet, försökte hitta på något att säga eller göra för att ta sig en titt. Men inte mer än så, han höll sig till Tyra, blev rentav mera intresserad av henne sedan åsynen av Klara piggat upp honom.

Bland de egna barnen var det Annika som han brydde sig mest om, han förstod inte hur Tyra och han kunnat få en så ljuslockig och vacker dotter. Hon var tretton år och hade slutat skolan och fått arbete på ett värdshus. Det kunde oroa honom, värdshusflickorna blev illa ansatta av burdusa karlar. Men Annika påstod att hon kunde ta vara på sig, och hon hade nog också ordentligt skinn på den spetsiga lilla näsan. Pojken, Nils, som var nio gick fortfarande i skola och fick väl gå något år till. Den minsta var för liten för att fadern riktigt skulle intressera sig för henne, han rörde helst inte barnen förrän de blev någorlunda hanterliga.

Liksom Amanda Tornberg arbetade Klara på Barnängens sidenfabrik, en av de sju fabriker av detta slag som fanns i landet och som alla låg i Stockholm. Det här året, 1859, var närmare femhundra personer, till största delen kvinnor, anställda inom sidentillverkningen och de skapade tillsammans årligen varor till ett värde av 865.000 riksdaler riksmynt.

Försök hade gjorts och gjordes fortfarande för att få igång en silkesmaskodling i Sverige, men ännu så länge måste man importera råsilket från sydligare länder, främst Italien. Eftersom alla kommunikationer upphörde under den kalla årstiden uppstod vissa svårigheter vid inköpen, man tvingades handla alltför tidigt och hade ibland svårt att beräkna de mängder som behövdes. Tidigare hade också klassificeringen av silket som en yppighets- och överflödsartikel lagt hinder i vägen vid importen, numer ansåg man att eftersom varorna ändå efterfrågades var det fördelaktigt om de tillverkades inom landet.

Som i många andra fabriker hade den nya tidens uppfinningar

lett till att de handdrivna maskinerna ersatts av ångdrivna. På Barnängen fanns fortfarande ett tjugotal handvävstolar kvar men sedan sex år tillbaka dubbelt så många ångdrivna, av fransmannen Jacquards modell. De ångdrivna krävde silke av allra starkaste och bästa sort, eftersom de arbetade så snabbt att arbeterskorna inte hann se om silkesändar slets av, om så skedde var det besvärligare att rätta till det på de nya maskinerna.

De var ett hundratal arbetare på Barnängen, varav två tredjedelar var kvinnor. Fabrikens vackra sidentyger och halsdukar hade fått medalj och första pris vid en utställning av slöjdarbeten i Stockholm 1854. Ändå var fabrikationen inte lönsam, ägaren sökte nya intressenter men hade ännu inte funnit några.

Av en förman hade Klara fått höra att en enda god silkeskokong, det trådbo som den lilla masken spottat ur sig och snurrat ihop för att bo i medan den blev puppa, gav en tråd vars längd kunde uppgå till tretusen fot. Pupporna dödades i bakugn eller med het ånga när man tillvaratog kokongerna. Men ett fåtal puppor fick slita sönder sina kokonger och förvandlas till fjärilar. De sorterades i honor och hanar och sattes på en lärftöverspänd ram där de fick para sig i sex timmar, sedan kunde en hona lägga fyrahundra ägg.

Vad säjer hon om det, undrade förmannen. Sex timmar och fyrahundra ägg.

Honorna gör nytta för sej, sa Klara. Men när hanarna gjort det lilla dom förmår, då behövs dom inte mer.

Han skrattade åt flickan. Klara gav alltid svar och var varken rädd eller blyg. Det var annat än Matilda, kamraten vid vävstolen. Men den ungen var nog bara fjorton år, vågade knappt öppna munnen.

Det var lustigt att se hur Klara vakade över sin kamrat, inte släppte någon karl för nära. Och försvarade Matilda om någon av de andra kvinnorna grälade på flickan.

Låt Matilda vara, annars klöser jag ögona ur dej, sa Klara. Hon har haft det besvärligt.

Klara kände Matilda sedan de bodde grannar intill kvarnen Hatten. Matilda hade mist modern och en liten bror under koleran 1853. Några år senare hade fadern dött. Nu bodde Matilda hos en kvinnlig släkting som också arbetade på Barnängsfabriken.

Klara och Storsäckens dotter Annika kände varandra sedan skolan. Men tre år skilde dem åt i ålder och vänner hade de aldrig blivit. Annika gick för sig själv, som om hon ville visa att hon egentligen var litet för fin för det sällskap hon hamnat i. På fritiden vårdade Annika främst sina kläder, hon sydde, tvättade och strök och disponerade ensam den översta av de fyra byrålådorna.

Annika såg på Klara med en blandning av avund och förakt. Klara var ju äldst, säkert mera erfaren, omtyckt av alla. Männen och pojkarna vänslades gärna med henne, och Klara drog sig inte undan. Jo, färgargesällen undvek hon, slog honom på fingrarna när han tafsade efter henne. Men han var också ganska otrevlig. Även om han av respekt för Storsäcken inte vågade röra Annika så kände hon hur hans blick kletade vid henne. Hon hade därför valt sängplats nedanför spinnerskornas säng, den utgjorde en barriär och ett skydd.

Klara var däremot utsatt. Tornbergskan låg med ålderns rätt närmast väggen i deras gemensamma säng. Och den stod inte längre bort från färgargesällens än att hans hand nådde Klara om han sträckte ut armen tillräckligt. Det gjorde han titt och tätt och första tiden blev Klara både rädd och ond. Sedan vänjde hon sig, orkade inte bråka varje gång. Men när han lockade med en slant och ville att hon skulle komma över till hans säng så sa hon nej, det hade hon inte lust till.

Däremot vänslades hon gärna med en annan av Färgargårdens anställda – även om han bara var en ung valp, en fjortonårig pojke, Tummen. Han höll ofta till på bryggan nedanför Storsäckens hus, arbetade som tvättare och var gärna där också på fritiden, med sitt metspö.

Klara brukade tvätta sina egna kläder vid bryggan och då hände det att han erbjöd sig att hjälpa henne, en yrkesman som han kunde ju konsten. Fast en kram och en puss skulle han ha för besväret. När han fick det såg han nästan snopen ut och försökte värja sig. Ändå var den nya erfarenheten tydligen inte alltför avskräckande för han kom igen och Klara var inte snål när hon betalade.

De vänslades, Klara protesterade inte ens när han knäppte upp några knappar i hennes blus och tog henne på brösten. Mer blev det inte, de kände sig inte som något par, gjorde inte upp om några möten, råkades bara när det föll sig så. Han var trots allt en barnunge medan Klara var sexton år fyllda.

Ibland kom också Annika ner till bryggan. Hon ville inte ha någon hjälp med tvätten utan drog sig undan, skötte arbetet själv och på ett sätt som om hon sysslade med hemligheter som inte fick avslöjas. Men hänga upp sina kläder till tork måste hon ändå göra. Medan tvätten torkade satt hon barbent på bryggkanten och Tummen slog sig ner bredvid henne. Han hade alltid så mycket att prata om eftersom han läste tidningar jämt. Någon med det intresset hade Annika aldrig träffat tidigare och hon imponerades av hans vetande, lyssnade och frågade. Det var inte bara de stora nyheterna, kungens sjukdom och sådant, som han kunde ge besked om, han kunde berätta om vardagshändelser och om det nya modet med de väldiga stålbandsutspända kjolarna, krinolinerna. De började bli allt vanligare bland fint folk. En kvinna kunde inte gå ut och in genom vanliga dörrar klädd i krinolin, några få så klädda damer fyllde ett helt rum. Gick ett fruntimmer i krinolin ut en stormig dag riskerade hon att flyga till himlen.

De satt kvar ganska länge på bryggan en kväll, skymningen föll men det var fortfarande varmt. Till sist samlade Annika ihop kläderna hon hängt till tork. Tummen reste sig, följde henne, de hade samma väg fast han bodde litet längre bort. När de kom till porten i planket vid Barnängsgatan öppnade han åt henne, hon hade famnen full. Men när hon skulle passera hejdade han henne och gav henne en kyss mitt på munnen.

Hon skakade på huvudet. Men så skrattade hon och kysste tillbaka. Och försvann mellan buskarna kring huset.

Tummen visslade, skrattade belåtet. Häromkvällen Klara, i kväll Annika. Han hade kysst två flickor nu. Nästa gång han såg Annika skulle han klämma litet på henne också. Fast Klara hade nog mer att ta i. Just nu kändes tillvaron rik, så många hemligheter fanns kvar att upptäcka.

En månad senare rymde Johan, Storsäckens fjortonårige fosterson. Pojken haltade sedan fosterfadern en gång slagit honom så hårt att ett ben knäckts och växt ihop snett. Nu härdade Johan inte ut längre. De hörde aldrig av honom mer.

Fosterdottern Hanna hade också misshandlats. Hon bidade sin tid, så snart hon fick möjlighet skulle hon ge sig iväg, hon också.

Sommaren mörknade till höst, dagarna blev kortare och kallare. Några sura vedträn brann svagt i den öppna spisen i Storsäckens mörka rum. Småbarnen gömde sig i vrårna under trasorna när de hörde den fruktade röra sig inne i kammarn. Mamsell Tornberg hade angripits av sin vanliga hösthosta och hackade och harklade. Färgargesällens hand nådde fram till Klara och hon sparkade för att göra sig fri.

Annika, som arbetade på värdshus, kom sent hem men fick sova på mornarna. När hon kom sov de flesta och lampan var släckt. Hon smög till sin plats i mörkret, låg och funderade en stund innan hon somnade, drömde om att finna en väg ut ur de fattigas värld.

Tummen kunde prata om revolutionens möjligheter, om arbetarnas gemenskap. Sådant trodde hon inte på, tilltrodde dem inte förmågan att kasta av sig oket, förvandla sig till fria människor. Hon såg kritiskt på sin omgivning, längtade inte efter att få dela ett bättre liv med någon av dem. Att bli fri det var att komma ifrån dem, flytta in i en annan krets.

På krogen där hon arbetade talade man ofta om en tidigare arbetskamrat som skött sina kort så väl att hon blivit gift med en förmögen änkling.

För en sådan möjlighet måste man försaka mycket, man fick inte ta risken att bli förälskad i någon fattig stackare. Det var litet trist, hon tyckte om Tummen, kunde tänka sig att det blev något med honom. Men det fick det inte bli, inte mer än lek. Och ännu var hon så ung att den rike änklingen fick dyka upp först om några år. Hon kunde fortsätta sin lek ett tag – fast noga undvika att den förvandlades till allvar.

”de förgått dina lyckliga dagar”

”Ack! de förgått dina lyckliga dagar ---”

Ur B.E. Malmströms ord till Sorg-
Musiken vid Oscar I:s begravning,
8.8.1859.

”Jag är tystnad och stilla vorden, och tiger om glädjen; och måste fräta min sorg i mig.”

Bibeltext vid Klagodagen med anledning av kungens frånfälle, 14.8.1859.
Psaltaren 39, vers 3.

Oskar I hade dött och av sina generaler burits till den sista vilan i den svartklädda Riddarholmskyrkan. Där lyste tvåtusen vaxljus, de blixtrade i kristallerna som återgav den dödes valspråk: ”Rätt och sanning”. Karl XV hade med mottot ”Land skall med lag byggas” tillträtt som rikets laglige konung och herre. Kröningen skulle dock ske först kommande vår.

Nya unga trädde till, gamla och trötta försvann in i skuggornas rike. Det var tidens gång och naturens ordning, ingenting att beskärma sig över. Men visst var det naturligt om den åldrande kände sorg och saknad när krafterna svek, längtade tillbaka till bättre dagar och motvilligt lät sig drivas vidare mot tystnaden.

Charlotta Rapp hade just fyllt sextiosex år när hon måste välja hur hon skulle leva sina återstående år. Då hade gamla madam Rundström avlidit, hennes arbetsgivare sedan lång tid tillbaka, och ståndet vid Slussen övertagits av en ny ägare som själv ville ta hand om tillverkningen.

Det var ett bekymmer – men ingen olycka. Charlotta var väl medveten om att hon ändå inte skulle ha orkat hålla på så länge till. Nu hade hon att välja på att ta tillfälliga kokfruuppdrag eller flytta från staden, till dottern.

Gertrud hade i flera år skrivit att modern var välkommen. Hon var ju bondmora numer, och även om det inte var någon stor gård som hennes Rolf hade där nere på östgötaslätten så ville de ta emot Charlotta. Gertrud hade fått tre barn så nog fanns det uppgifter för en mormor. Och här i stan hade man väl inte riktigt samma behov av Charlottas hjälp längre, Lotten var elva år nu och hade sin skola och skötte sig bra själv. Några fler barn skulle väl Olof och Malin inte få. Visst blev det svårt att lämna Olof och hans familj men samtidigt längtade ju Charlotta efter att få möta Gertrud igen. Rolf hade hon bara träffat några gånger och barnen hade hon inte ens sett.

Så Charlotta hade bestämt sig, hon skulle flytta, lämna rummet vid Tjärhovs tvärgränd, där hon trivts så oväntat bra. Hon hade sålt det mesta hon ägde för att få ihop en egen sparslant och båtbiljetten till Norrköping. Det skulle bli den första ångbåtsfärden för Charlotta sedan den gången 1821 då hon skött restaurationen ombord på Yngve Frey.

Trettioåtta år hade gått sedan dess, hennes liv kunde hon tycka. Den gången hade det varit vår eller kanske försommar, hon hade just träffat Håkan, och när han mött henne vid Yngve Freys återkomst till Riddarholmshamnen hade de bestämt sig för att hålla ihop. Nu var det höst och Håkan var borta sedan många år. Ensam – och från Riddarholmshamnen – skulle hon lämna staden där hon levt sitt liv.

Norrköpings-ångbåtarna hette Cometen, Blixten och Raketen, namn som ville påminna om att rederiet var känt för sina snabba fartyg, färden tog mindre än tolv timmar.

Raketen hade plats för drygt tvåhundrafyrtio passagerare, eftersom avresan skedde klockan sex på morgonen behövdes inga sovhytter.

Riddarholmshamnen var tilläggsplats för de ångfartyg som från Stockholm avgick till rikets västra och södra orter. För norrköpingsbåtarna och båtarna som trafikerade Göta kanal gick färden över Mälaren till Södertälje kanal och sedan vidare längs kusten söderut mot Bråviken och Slätbaken. I Norrköping skulle Gertruds man Rolf möta i hamnen, han skulle in till stan och sälja kött så det passade honom bra.

Charlotta hade packat två stora spånkorgar med kläder och tillhörigheter, så hon hade bett Olof skaffa en hyrvagn, den lyxen fick hon kosta på sig för att komma iväg.

Olof med Malin och Lotten kom i god tid, litet högtidliga inför stundens allvar. Det var fortfarande mörkt och ganska svalt. Men det blåste inte och det var väl huvudsaken, Charlotta skulle kunna få en fin resa.

Malin hade tagit en kaffekorg med sig, och sedan Charlotta fått sina stora korgar på plats på båten och en sittplats i en skyddad vrå gick de i land och satte sig vid kanten av den branta Wrangelska backen och drack sitt kaffe. Under tiden kom en hel del resenärer men det såg ändå ut att bli ganska gott om plats. För säkerhets skull gick Charlotta ombord i god tid och de fick vänta en bra stund innan ordern om "Främmande från bord" och "Maskin i gång" kom.

Sedan dröjde det inte länge förrän ångfartyget försvann in i töcknet i väster. Men i öster var himlen ljus och solen hade gått upp över Ladugårdslandet.

Lotten hade försökt hålla tårarna tillbaka, ville inte göra farmor ledsen. Men när farmodern kramat om henne en sista gång hade ingen av dem förmått behärska sig längre, då grät de båda. Nu gick flickan tyst, försökte svälja gråten.

Vardagar väntade, grå höst, kall vinter. Och nu, när man inte längre kunde tala med varandra fick man skriva, försöka behålla banden starka trots avståndet.

Malin och Johanna arbetade numera nere i Stadsgårdshamnen, vid en av tvättbryggorna och i bykhuset med mangelbod strax intill.

Deras gamla arbetsplats vid Hammarby sjö hade väl varit ganska nedsmutsad, stränderna skräpiga, vattnet orent. Men ändå hade något av lantlig idyll dröjt sig kvar därborta, de hade rastat i gröngräset, inte behövt vakta sin tvätt varje minut.

I Stadsgården fanns inte många grässtrån, ingen växtlighet alls, där trampade mycket folk hela dagarna. Ångbåtar och segeldrivna lastfartyg kom och gick, stuvarlagen bar sina bördor. Sjömän samlades vid stadens kokhus, hamnarbetarna på de många krogarna, renhållningshjonen utanför sin trånga kasern. Torgdragare, fiskköpare och handsölare drog iväg kärror med livsmedel och andra varor som skulle till torg och butiker, roddarmadammerna landade med sina stora roddbåtar, karlar skockades vid det offentliga avträdet och vid stadens badsump för manspersoner.

Vid Ballastplatsen låg fartyg som lossade eller lastade ballast, mest sand. Vid några av bryggorna och intill Sista styvern knackade man rost på skutor och bättrade på målarfärgen. Blev det för trångt kunde sjöfolket trots förbud försöka få plats vid tvättbryggorna, de vräkte också sopor och kringflygande aska långt ifrån de anvisade sophögarna. Ibland sjöng de osedliga visor, rökte tobak och badade nakna vid bryggorna, trots alla förbud.

Det gällde att ständigt vara på sin vakt och ha mål i mun. Aska, rost och färg kunde förstöra en hel tvätt, långfingrade personer passa på att stjäla något när man vände ryggen till. Livet var hårdare här än vid Hammarby sjö, busar och tjuvar fanns överallt i mängden. Och fattiga stackare som hungern drev att stjäla till och med en tuggad brödkant.

Under nätter och tidiga morgnar släpade renhållningshjonen latrintunnor och sopkärror till de väntande pråmarna, som varje morgon bogserades ut till Fjäderholmarna för tömning och rengöring. Varje kväll kom pråmarna tillbaka för att fyllas på nytt. Men när isen hindrade sjöfärdseln fick pråmarna ligga kvar över vintern vid Stadsgården, då de var överfyllda tippades orenligheten direkt i ”stora Vaxholmspråmen”, i sjön.

Hjonen som skötte renhållningen hade sin kasern ganska nära pråmarna. Under de senaste åren hade hjonen sluppit den väldiga jäsande sophögen som tidigare legat mot deras husvägg och ibland vintertid varit så hög att fönstren dolts och fukten trängt in genom väggarna. Men när våren kom skulle de få ägna dagar och veckor åt att hacka latrin ur de bottenfrusna tunnor som staplats intill pråmarna och kasernen.

Malin och Johanna hade vänjt sig vid de nya förhållandena. Närheten till bykhus och mangel var en fördel. Största nackdelen var nog egentligen de branta backarna, att släpa hem tunga tvättbyttor uppför Glasbruksbacken var ett kraftprov efter en lång dags hårt arbete.

Johanna väntade barn igen, ett tredje. När dagen nalkades vågade hon inte annat än hålla sig hemma. Då hjälpte hennes mor, Karolina, till med tvätten under några veckor. Men Karolina trivdes inte med de nya förhållandena, hon kunde inte förstå att de övergivit Hammarby sjö för den smutsiga och bråkiga hamnen. Det skulle Lisa aldrig ha gått med på, om hon varit kvar i arbetet, menade Karolina.

Så småningom kunde Johanna återvända, även om hon måste gå ifrån och amma några gånger om dagen. Hon hade alla tre barnen hos modern under dagarna.

Johanna var frispråkig på ett sätt som ibland kunde göra Malin generad. Hon beklagade sig över att barnen kommit så tätt, anklagade Skräcken.

Han tar igen den där tiden när han inte fick hållas som han ville, sa Johanna. Nu låter han mej knappt vara i fred en enda natt. Det kommer att bli en unge vartenda år om jag inte kan lura honom på något sätt.

Johanna hade blivit allt rundare med åren, flåsade tungt när hon låg på bryggan och klappade tvätten. Och pustade när hon släpade hem den uppför de branta trapporna och backarna. Medan Malin blev magrare och senigare och fortfarande rörde sig lätt och hastigt och var lika uthållig som förr.

Johanna undrade om Lotten snart skulle komma med dem i arbetet, flickan hade väl inte mer än ett knappt halvår kvar i skolan. Malin var osäker, Lotten var inte så kraftigt växt, kunde få svårt att orka med. De själva, hon och Johanna, hade knappast haft möjlighet att välja, de var som utsedda till att efterträda sina mödrar. Liksom deras mödrar varit. Men det var annorlunda nu, det fanns inte mycket att överta, ingen Tvätterskegård, ingen mangel, inte så många fina kunder heller. Det vore kanske lyckligare för deras döttrar om de kunde hitta något annat och lättare sätt att försörja sig på.

Malin hade hört talas om en ny, märklig maskin som fanns sedan några år tillbaka – en amerikansk maskin som kunde sy från den finaste till den grövsta söm på vilket tyg som helst. Först hade man nog fruktat att uppfinningen skulle göra människor arbetslösa, men nu fanns det kvinnor som satt hemma och försörjde sig med den nya maskinens hjälp. Lotten tyckte om att sy. Men ännu var det för tidigt att bestämma något, först skulle flickan få gå ut skolan.

Kanske allt blev bättre en dag, också för dem som trycktes ner av tungt arbete. Man hittade på så mycket nytt – ångan i stället för människor drev spinnmaskiner och vävmaskiner, ångslupar började ersätta rodderskornas slit vid årorna, snart skulle ångdrivna tåg fara genom landet och ersätta hästarna. Tänk om det gick så långt en dag att Jöns och Skräcken fick ångdrivna vagnar och kranar att sköta. Då skulle de inte längre behöva bli så trötta att de knappt orkade ta sig uppför trapporna från hamnen om kvällarna.

Det trodde inte Johanna på. Den dagen satt säkert stuvarnas barn och lekte med maskinernas spakar medan de vanliga arbetarna gick utan arbete och svalt. Det var säkrast att slå sönder vartenda ett av de nya påfunden innan de gjorde vanliga människor onödiga.

Olof arbetade kvar i saluståndet, nu hos madam Rundströms efterträdare. Sedan några år tillbaka höll företaget till i Fiskehuset, den nya saluhallen bakom Karl XIV Johans staty.

Under madam Rundströms sista år hade Olof haft en självständigare ställning än tidigare, varit den ytterst ansvarige för det dagliga arbetet. Sedan företaget fått en ny och ung ägare var det naturligtvis denne, handelsman Månsson, som ledde arbetet och bestämde allt.

Månsson hade också en liten charkuterifabrik där man tillverkade sådant som Olofs mor tidigare levererat. Men än så länge var inte de nya anrättningarna av samma kvalitet, och en del kunder klagade, det smakade inte lika gott längre.

Månsson tog upp saken med Olof, menade att om det funnits recept av något slag så måste de anses tillhöra företaget. Men vad Olof visste hade hans mor aldrig använt sig av några föreskrifter, det hon kunde hade hon lärt hemifrån eller själv kommit fram till. Och något motvilligt måste Månsson godkänna att han inte hade någon äganderätt till en avskedads kunskaper. Och Olof hade inga råd att ge, han hade aldrig själv försökt sätta sig in i kokkonsten.

Trots att Olof förlorat en del av sin självständighet trivdes han fortfarande med sitt arbete. Egentligen var han belåten med att ha sluppit uppgiften att leda de andra anställda. Han hade svårt för att tillrättavisa och kritisera. Helst skötte han sitt och lät andra vara i fred.

Månsson tyckte att Olof var för vek, karlen kunde ju aldrig säga ifrån ordentligt. Men en bra arbetare var han, pålitlig och flitig. Det fick räcka, företaget hade inte fler anställda än att Månsson själv kunde se till att alla hade färlan över sig.

Till Olofs uppgifter hörde att ta emot och kontrollera varorna som kom. De lastades av och togs in på hallens baksida vid den lilla namnlösa gränd som förband Västra och Östra Slussgatan. Där var ofta trångt, hästdragna vagnar, skottkärror och dragkärror stod tätt, och det gällde att hålla ögonen öppna så att inte dagdrivare och bus passade på att bära bort något.

En dag, strax före jul då det var trängre och rörigare än vanligt, måste vagnen från Månssons charkuterifabrik stanna nästan ända ute på Östra Slussgatan. Olof bevakade vagnen medan kusken och en dräng bar in.

Det snöade, flingorna föll ganska tätt och man kunde knappast mer än ana Södermalms berg och inloppet. Eftersom det töat tidigare och marken varit bar syntes inga slädar, bara vagnar och kärror.

Plötsligt hörde Olof rop och skrik, smattret av hästhovar. En häst hade av någon anledning blivit skrämd intill Järngraven i backen ner från Södermalmstorg, fallit i sken.

Alltför sent uppfattade Olof faran, kärran som slängde bakom den framrusande hästen, skackeln som bröts av. Han stod framför charkuterivagnen och hade ingen möjlighet att komma undan när kärran slog runt och med våldsam kraft kastades mot honom.

”den dag som gryr”

”Från den purpur, som i västern släckes,
vändes ögat mot den dag som gryr.
Hur dess klot av morgonskyar täckes,
dock till liv var hoppets stråle väckes – –”

Ur C.W.Böttigers Ord till musiken vid
Karl XV:des och drottning Lovisas
kröning, 3.5.1860.

Lotten var van att vakna tidigt, redan vid fyratiden på morgonen brukade hennes mor och Johanna ge sig iväg för att försäkra sig om en bra plats vid tvättbryggan i Stadsgården. I dag, en augustisöndag 1860, fick de ta igen sig och behövde inte gå upp med solen. Men eftersom Lotten ändå var vaken och solen sken klädde hon sig och gick ut.

Så här en tidig söndagsmorgon låg gården tom och tyst. Solen lyste redan lågt från öster över Vita bergens ljusblänkande hällar och klippor. Små hus hukade i skrevorna där myllan samlats och buskar och mindre träd fått rotfäste.

Hon gick över gården, följde gångstigen som klättrade upp mot Renstiernasgränden, fortsatte genom Bergsprängargränden upp mot bergets högsta del. Överallt var det lika stängt och tyst, inte ens Johannas far, Jöns, hade kommit ut i sin täppa ännu.

Om några dagar skulle Lotten fylla tolv år. Och hon tyckte att hennes barndom var över nu, hon hade förlorat sin barnsliga okunnighet om tillvarons grymhet, blivit vuxen.

Ja, hon hade förlorat så många, så mycket av trygghet och glädje. Farmodern hade flyttat långt bort, hennes far hade dött. I våras hade hon slutat skolan och förlorat den dagliga gemenskapen med jämnåriga vänner.

Nu hjälpte hon till med tvätten, bidrog på så sätt till deras försörjning. Visst hade hon hoppats på att få något annat arbete och en dag skulle hon kanske lyckas. Men varje slant behövdes, och hennes mor ville göra allt för att de skulle kunna behålla rummet själva och slippa ta emot inneboende.

Lotten hade upptäckt styrkan som fanns hos den till synes så svaga och oansenliga kvinna som var hennes mor. I varje ögonblick försökte modern skydda och försvara sitt barn, mot andra tvätterskor som skuffade undan de yngsta, mot påflugna pojkar och fulla karlar. Vid sådana tillfällen var modern helt orädd, nästan stridslysten, kunde förfölja de skyldiga över hela tvättbryggan tills de slank undan i folkvimlet. Lika envist energisk var hon i arbetet, höll ut i det längsta, förnekade trötthet och värk, gav sig inte förrän allt var rent, bländande vitt, manglat eller struket så fint att ingen anmärkning kunde vara befogad.

För modern var Lotten fortfarande ett barn, att hon blivit vuxen var en hemlighet som modern inte kände till, kanske ingen annan heller. Ändå var det så.

Att bli vuxen var att upptäcka sin plats i tillvaron, att förstå vem man var och kunna bedöma sina möjligheter. Visst kunde hon fortfarande drömma om framtiden men kunde också skilja på drömmar och verklighet, hon trodde inte längre på sagor.

Kanske modern anade något ändå, ibland tyckte hon att Lotten var alldeles för allvarlig och sorgmodig, försökte muntra upp henne. Men det lyckades inte riktigt, modern var ju inte så munter själv. Skratten blev ihåliga, tonfallet konstlat, orden saknade kraft. Men Lotten kände den goda viljan, omtanken och kärleken, allt det äkta som ändå fanns bakom det oäkta.

Lotten stod uppe på det kala, vitskimrande berget, såg ut över kåkbebyggelse och täppor där nedanför, vattenblänken, Katarinas kupol som reste sig över gyttret av hus i nordväst. En fattig trakt, en utkant, nästan något av en vildmark. Hon kunde drömma om att överge den, fly, söka något bättre. Men ändå visste hon att det var här som hon var hemma och skulle leva sitt liv.

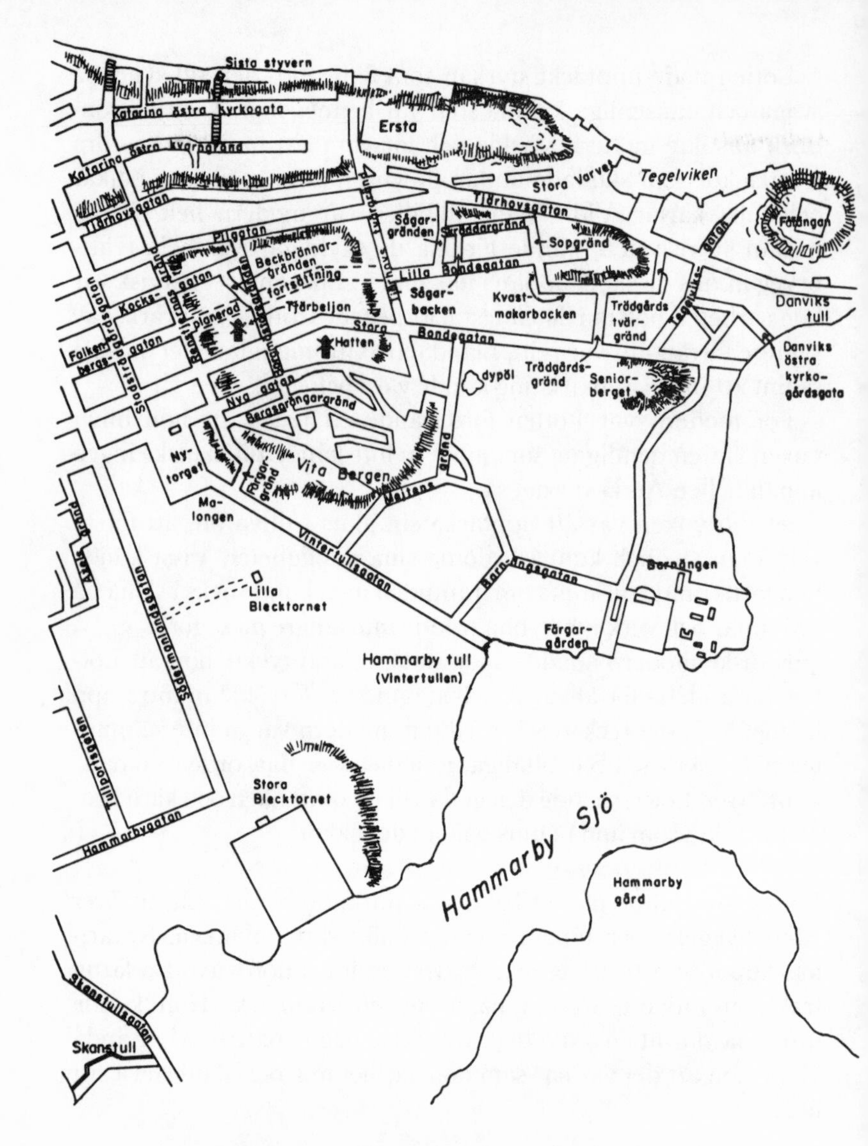

Karta över östra Södermalm, omkring 1830

Kartan har utförts av Alfhild Ljung efter karta till Wägvisare i Stockholm, 1819, öfversedd 1828, och efter författarens anvisningar.

Såväl de dåtida som de nuvarande namnen finns upptagna i förteckningen intill.

Namn på gator

Axels gränd – en del motsvarar nuv. Brännerigatan, resten borta.

Barnängsgatan – nuv. Ljusterögatan och Gaveliusgatan.

Beckbrännargränd – nu försvunnen, nuv. Beckbrännarbacken ligger längre österut.

Borgmästargränd – nuv. Borgmästargatan och Mäster Pers gränd.

Danviks östra kykogårdsgata – nu försvunnen (liksom den intilliggande kyrkogården).

Falkenbergsgatan – del av nuv. Åsögatan.

Färgargränd – nu försvunnen.

Hammarbygatan – nuv. Bohusgatan.

Katarina östra kyrkogata – nuv. Mäster Mikaels gata och Fjällgatan.

Katarina östra qvarngränd – nuv. Sandbacksgatan och Stigbergsgatan.

Kocksgatan har behållit sitt namn.

Lilla Bondegatan – östra delen av nuv. Åsögatan.

Mejtens gränd – nuv. Lilla och Stora Mejtens gränd.

Nya gatan – nuv. Skånegatan.

Nytorget – namnet bevarat. Den lilla fyrkanten som syns på kartan är spruthuset, senare saluhall (nu borta).

Pi(h)lgatan – nuv. Folkungagatan.

Qvastmakargränd, Qvastmakarbacken – del av nuv. Duvnäsgatan samt del av nuv. Kvastmakarbacken.

Renstjernas gränd (-backen) – nuv. Renstiernas gata.

Skanstullsgatan – nu försvunnen.

Skräddargränd – nuv. Lotsgatan.

Sopgränd – del av nuv. Duvnäsgatan.

Stadsträdgårdsgatan – nuv. Nytorgsgatan. Även nuvarande Malmgårdsvägen har tidvis ingått i Stadsträdgårdsgatan (de två gatornas numrering är fortfarande gemensam).

Stora Bondegatan – nuv. Bondegatan (jämför Lilla Bondegatan).

Sågarbacken – nuv. Skeppargränd.

Sågargränd – nuv. Sågargatan.

Södermanlandsgatan – nuv. Södermannagatan.

Tegelviksgatan – en del kvarstår, gatan nu betydligt förlängd söderut.

Tjärhovsgatan – nu endast kvar väster om Renstiernas gata. Gatans tidigare östra del har ingått i Tjärhovplan, Stigbergsparken och Folkungagatan.

Tjärhovs tvärgränd – nuv. Erstagatan.
Trädgårdsgränd – nu försvunnen.
Trädgårds tvärgränd – ingår i nuv. Kvastmakarbacken.
(Södra) Tullportsgatan – nuv. Östgötagatan.
Vintertullsgatan – nuv. Malmgårdsvägen (jämför Stadsträdgårdsgatan).
Östra kyrkogatan, Östra kvarngränd – se Katarina östra kyrkogata och kvarngränd.

Några övriga markeringar

Områden, berg:
Ersta – malmgård och berg.
Fåfängan – lusthus och berg.
Seniorberget – numer bortsprängt berg.
Vita bergen

Trappor (utan namn på kartan):
Ballasttrappan – nuv. Söderbergs trappor.
Sista styverns trappor – från Stadsgården till nuv. Fjällgatan (försvann i samband med Stadsgårdens framdragande), nu namn på trapporna från Fjällgatan till Stigbergsgatan. En del av Stadsgården kallades Sista styvern, där låg krogen med samma namn.

Kvarnar:
Hatten, i korsningen av nuv. Skånegatan-Klippgatan.
Tjärbeljan, i kvarteret Pahl.

Hus, företag:
Barnängen
Färgargården
Hammarby gård
Lilla Blecktornet
Malongen
Stora Blecktornet
Stora varvet (Södra varvet)

Tullar:
Danviks tull
Hammarby tull (Vintertullen)
Skans tull

Viktigare personer

Ekberg, Nils 1748–1823
dotter: Malin (ogift) 1777–1823
Malins dotter – se *Boman*, Lisa.
son: Johannes 1779–1848
gift med Kerstin 1779–1847

Boman, Gustaf 1797–
gift med Lisa, f. Ekberg 1799–
dotter: Malin, se *Rapp*.

Rapp, Håkan 1770–1834
gift med Charlotta, f. Lilja 1793–
son: Olof *Håkansson* 1823–1859
gift med *Malin, f. Boman 1821–
deras dotter: *Lotten 1848–
dotter: Gertrud 1826–

Lindgren, *Hugo ("Hugge") 1813–
sammanboende med * Maria Sandman 1817–
bland deras barn: *Ture ("Tummen") 1845–
Karl 1821–1853
gift med Anna-Lena, f. Berg 1827–1853
deras dotter: * Anna-Kajsa 1849–

Sandman, Axel – (far till Maria, se *Lindgren*) 1785–

Berg, Mats 1790–1844
gift med Hedda, f. Nordin 1797–
dotter: Anna-Lena, se *Lindgren*
son: Gunnar 1833–

Eriksson Jöns 1794–
sammanboende med Karolina, f. Skog 1798–
bland barn: * Johanna 1823–
sammanboende med * Alfred ("Skräcken") Jonsson 1812–

Svensson, *Vilhelm ("Storsäcken") 1810–
gift med *Tyra 1822–
bland barn: *Annika 1846–

Kling,	Julius	1809–
	gift med Lena	1817–
		bland Lenas barn: * Klara 1843–
Drake,	David	1768–1840
Sundin,	*Matilda	1845–
Tornberg,	*Amanda	1815–

Några personer som fanns med i Vävarnas barn och Krigens barn har avlidit innan berättelsen börjat men lever i efterföljarnas minne. Det är främst Nils Ekbergs hustru Sofia, f. Krohn, 1749–1816, och hennes bror Per Krohn, 1739–1821.

* anger att personen återfinns i Mina drömmars stad.

Efterskrift

Med denna roman sammanknyts Vävarnas barn och Krigens barn med Mina drömmars stad och dess efterföljare. I de tillsammans åtta romanerna har Stockholms och dess fattigare invånares historia genom omkring tvåhundra år (1749–1968) skildrats och berättelsen är nu definitivt avslutad .

Liksom till de två senaste romanerna finns också till Vita bergens barn ett häfte med kommentarer och noter. Där meddelas de källor som använts samt lämnas en del kompletterande sakuppgifter.

P.A.F.

Av Per Anders Fogelström har tidigare utgivits:

Orons giriga händer 1947
Att en dag vakna 1949
Ligister 1949
Sommaren med Monika 1951
Möten i skymmningen 1952
En bok om Söder 1953
Medan staden sover 1953
I kvinnoland 1954
En natt ur nuet 1955
En borg av trygghet 1957
Expedition Dolly 1958
Tack vare Iris 1959
Kring Strömmen 1962
Ny tid – ny stad 1963
Stockholm – stad i förvandling 1963
En bok om Kungsholmen 1965
Okänt Stockholm 1967
Söder om tullen 1969
Ett berg vid vattnet 1969
Café Utposten 1970
Kampen för fred 1971
Utsikt över stan 1974
En bok om Stockholm 1978
Svenssons 1979
Vävarnas barn 1981
Krigens barn 1985

Stad

Mina drömmars stad 1960
Barn av sin stad 1962
Minns du den stad 1964
I en förvandlad stad 1966
Stad i världen 1968
Stad i bild 1970

Kamrater

Upptäckarna 1972
Revoltörerna 1973
Erövrarna 1975
Besittarna 1977